JN326168

自分の答えのつくりかた
INDEPENDENT MIND

渡辺健介

ダイヤモンド社

まえがき

「自分の頭で考えろ」

「なんでも鵜呑《うの》みにするな、疑う人になれ、批判的な思考を持て」

「自分の考えを持て、自分の価値観を持て」

……などという言葉が、最近、紙面や言論の場で飛び交っているが、これは今に始まったことではない。その時々、言い方や強弱は違っても、人類の歴史上これまでもずっと言われてきたことだし、これからもずっと言われ続けていくだろう。

しかし、この「自分の頭で考えろ」とか「自分の考えを持て、自分の価値観を持て」という言葉は、なんとなくわかるようで、イマイチよくわからない。なんだか、非常に曖昧《あいまい》で、無責任な表現のように聞こえる。


いったい、どうやって自分の頭で考えるのか。

いったい、どうやって健全な形で意見を鵜呑みにせずに、疑うのか。

いったい、どうやって自分なりの価値観を築き上げていくのか。

いったい、自立した人とはどのような人で、どうすれば、そうなれるのか。

抽象的な言葉ではなく、もっと状況が目に浮かぶような、イメージの湧きやすい形で、このような問いに答えられないものだろうか。

本書では幅広い視野、教養、経験に基づいて築き上げられた自立した考えと価値観のことを「**インディペンデント・マインド**（**Independent Mind：IDPM**）」という言葉に託し、**IDPM**とは何かを描写するだけではなく、そこにたどり着く道のりを描くことを試みた。

IDPMは、年齢や性別、職業を問わず必要なものだ。

IDPMを身につけることで、真実に近づくことができる、自分や家族、チームや学校、そして社会のために、よりよい判断を下すことを可能とする。

世間の目や、短期的な変動に振り回されずに、どっしりとブレずに生きていけるようになる。

答えのない社会の中で私たちを導き、新しい何かを仕掛ける勇気を与えてくれる。

IDPMを身につけ、磨いていく旅は、私たちにとって有益であるだけでなく、そのプロセス自体が実に豊かで、心底楽しく、生き甲斐を感じさせてくれる。

微力ながら、この本がそのような旅を始めるきっかけ、楽しむきっかけになればと思う。

本書のしくみと主な登場人物

本書は「**物語＋コラム**」の3章立てで、**問題解決や意思決定の力を段階的に培えるように**なっている。

第1章では、**日常生活における個人の問題解決を学ぶ**。周囲の人々の力を借りながら情報を集め、判断軸を作り、「**評価軸×評価シート**」などを使って意思決定をしていく。

第2章では、**意思決定の礎となる人間的な土台を作る**。ギリギリの追い込まれた状況の中で価値観をゼロから築き、磨き上げる。そして、「**ピラミッド・ストラクチャー**」などを活用して考え抜く力をつける。

第3章では、さまざまな制約条件がある中で、**いかに集団の問題解決を行っていくか**を学ぶ。

どんなツールがどんな「文脈」で使われるのかが自然にわかるしくみになっている。

【物語と、主な登場人物】

赤い魚の国のピンキーはサッカー好きの元気な中学2年生。父、母、妹の家族4人で暮らしている。近所に母子ふたりで暮らす同じサッカー部のブーとともに、赤国の中学代表チームに選抜されたばかりだ。

赤国

ピンキー
本書の主人公。
サッカー大好きな中学2年生

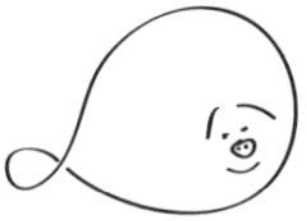

ブー
小学校以来の
ピンキーの友人

パー
ピンキーの父親

マー
ピンキーの母親

ピフィー
ちょっとやんちゃな
ピンキーの妹

蟹おばさん
図書館に勤める
情報収集の達人

クラゲコーチ
厳しくも温かい、
サッカー部のコーチ

海亀
ピンキーの小学校時代の
恩師でみんなの知恵袋

章末コラムで物語中の学びのポイント、ツールの使い方など、大事なことや補足すべきことを、解説する。

トゲトゲ
リーダーの座を
もくろむ野心家

ポンタ
トゲトゲの腹心

緑国

ライとレフ
サッカー部のチームメイト。
双子

Mr．B
歴史の先生。
ピンキーの人生の師

メグ
女子サッカー部のエース

チェルシー
学校中の注目を集める美人

目次

ピンキーは赤国の中学生代表として、世界各国の中学生チームと対戦してきたばかり。そして世界のレベルの高さに愕然とする。技術力、体力、精神力、どれをとってもかなわない。自分の甘さを痛感したピンキーは、一度厳しい環境に飛び込み、自分自身を鍛えるため、サッカー留学を決意する。

とはいえ、いったいどの学校に留学すればよいのか？　お金も時間もそれなりにかかるため、思いつきで決められてよいものでもなさそうだ。

留学の目的は何か、どうやって必要な情報を集めるか、何を基準に各学校の善しあしを判断すべきか。

「評価軸×評価シート」などを使って、一つひとつ課題をクリアし、結論を導き出していく。

個人の意思決定においては、自分自身で考え抜くことと、いろいろな人の意見を集め、さまざまな知識と知恵を活かしてより質の高い判断を下すことが重要となる。

column

第2章 新しい環境、新しい自分

念願かなって赤国から緑国に留学してきたピンキー。ところが言葉はまったく通じない、考え方も違う、サッカーのレベルはケタ違い、授業もちんぷんかんぷんという、さんざんな状態からのスタートとなった。しかし努力の甲斐あって、友だちができたり、気になる女の子と接近したり、少しずつ新しい生活に慣れていく。

衝撃を受けたのが、「Mr．B」の歴史の授業。「あなただったら、どうする?」と問われ、当事者意識を揺さぶられる。

そして「ピラミッド・ストラクチャー」を初めて教わり、自分や他者の意見と理由を徹底的に考え抜く術を知る。
また、赤国の常識が世界の常識ではないことや、緑国の常識でも受け入れにくいものがあることに気づき、ピンキーは自分自身の「価値観」「自分の憲法」を一つひとつ築き上げていく。

ピラミッド・ストラクチャーの基本的な型、精度を高めるつっこみの方法を学び、自分自身の考え方を深めていく。また、論理思考のみならず、人間としてバランスよく「器を大きく」していくためのポイントを紹介する。

一回りも二回りもたくましくなって、赤国に帰国することになったピンキー。ある事情で、赤い魚たちは、新たな移住先を探す必要に迫られていた。これは個人の意思決定以上に、思いつきで済まされる問題ではなかった。

ここで初めて問われるのが、集団の問題解決。誰かにとって正しいことが、誰かにとっては好ましくないこともある。全員の希望を満たす理想的な正解など、そうそう存在するものではない。

では、さまざまな意見をどのように取り入れ、どのようにベストな解を見出していくか。

強力なライバル、トゲトゲとのやりとりや、厳しい現実の洗礼を受けながらも、強力な味方を得て、ピンキーはこの難題に挑戦していく。

column

集団の問題解決、現実の複雑な課題に対する判断を迫られた時、自分たちが持っている知識や経験だけを頼りにするのはあまりに心もとない。その枠をいかに広げられるかが、ピラミッド・ストラクチャーの質の高さ、そして最終的な判断の精度に関係してくる。事例、権威の見解、統計、エピソードなどをピラミッド・ストラクチャーとリンクさせる応用編。

第1章

ピンキーのサッカー留学

これは、赤い魚の国に生まれた男の子、ピンキーのお話。

ピンキーは少しおっちょこちょいな、どこにでもいる元気な中学2年生。赤い魚たちの中で、少しピンクがかったウロコが特徴的だ。パー（父）、マー（母）、ピフィー（妹）の家族4人で暮らしている。小学校の頃からサッカー漬けの日々を送っている。

近所に母子ふたりで暮らす同じサッカー部のブーとともに、赤国の中学代表チームに選抜されたばかり。

さあ、そんなピンキーの生活を覗《のぞ》いてみようか。

毎日訪れる、やわらかいベルの音

ピンポーン。

早朝6時。いつも通り、やわらかいベルの音が響いた。

「おはようございます！」

「おはよう、ブーちゃん。いつも迎えに来てくれてありがとうね」

マーとブーは、晴れやかな笑顔で挨拶を交わす。

「ピンキー！　ブーちゃんが来たわよー。早く下りてらっしゃい」とマーが叫ぶと、2階からピンキーのまだ眠そうな声が聞こえてきた。

「ごめ〜ん。いま行く〜」

「ほんとにもう……。お待たせしてごめんね」

「大丈夫ですよ」。ブーはにっこり微笑んだ。


ブーは毎朝、サッカーの朝練の前にピンキーを迎えに来てくれる。

約束の6時に用意ができていたためしは一度もないが、ブーはそんなことは少しも気にしない。

朝日が昇り切る前の澄んだ空気の中、ピンキーの家へと向かう道、お母さんとのやりとり、そしてピンキーの支度を待っている間さえも、すべてが心を温かく満たしてくれる幸せな時間なのだ。

「ブー、待たせてごめんな！」

ピンキーが濡《ぬ》れた顔のまま、スポーツバッグと小さな白いボールを持って、階段を駆け下りてきた。

このボールは、3歳の誕生日に両親からプレゼントされたものだ。学校の行き帰りはもちろん、おつかいで商店街に行く時もいつも一緒。一番の宝物だ。

「まだ走れば間に合うよね？」

「全力で走ればね」

ふたりはうなずきあって、家を飛び出して行った。

ふたりはクラスこそ違うが、同じサッカー部で家も近い。ブーが小学校2年生の時にピンキーの学校に転校してきて以来、こんな感じで、ほんわかと茶目っ気に満ちた毎日を過ごしている。

冷静でしっかり者のブーは、勢いで突っ走るピンキーを陰で温かく支えている。そして、同時にピンキーから「かけがえのない何か」をもらっている。

ピンキーは、ずいぶんブーに救われてきた。

ブーもまた、ピンキーにずいぶん救われてきた。

サッカーでも同じことが言えて、ピンキーはゴールをひたむきに狙うフォワードで、ブーは冷静に粘り強く守り抜くディフェンダー。その関係の根幹には、絶対的な尊敬と信頼がある。

一般的には親友と呼べる仲なのだろうが、不思議とふたりはそんな言葉を使ったことがない。無理に表現しようとすると、何かが壊れてしまう気がするから。あえて確

認し合う必要もなく、ただ、そっとたたずんでいるものだ。

ふたりは中学生2年生になって赤国の中学代表チームに選抜され、この夏に初めての海外遠征から帰国したばかりだ。

そこから、「何か」が大きく動き出した。

「0」は「0」でも、いろいろある

この遠征では、黄国、青国、紫国、緑国など、世界各国の代表チームと試合を重ねてきた。だが、そこで受けた衝撃を、ピンキーはまだ、自分の中で整理できていなかった。

ひとつは、緑国との試合で何もできなかったこと。それどころか、チームの足を引っ張ってしまったことだ。

結果は、3対0の負け。しかし、このスコアの真の意味は、数字だけでは物語れない。

3点を取られたものの、ブーはかなり健闘した。

技術力の高さのみならず、絶対に相手に競り負けない、シュートを打たせないという気概、精神力、粘り強さ、そして最後まで走り続け、守り抜く意志を貫き、集中力を一瞬たりとも切らさない姿は、圧勝した相手チームの尊敬の念さえも引き出した。

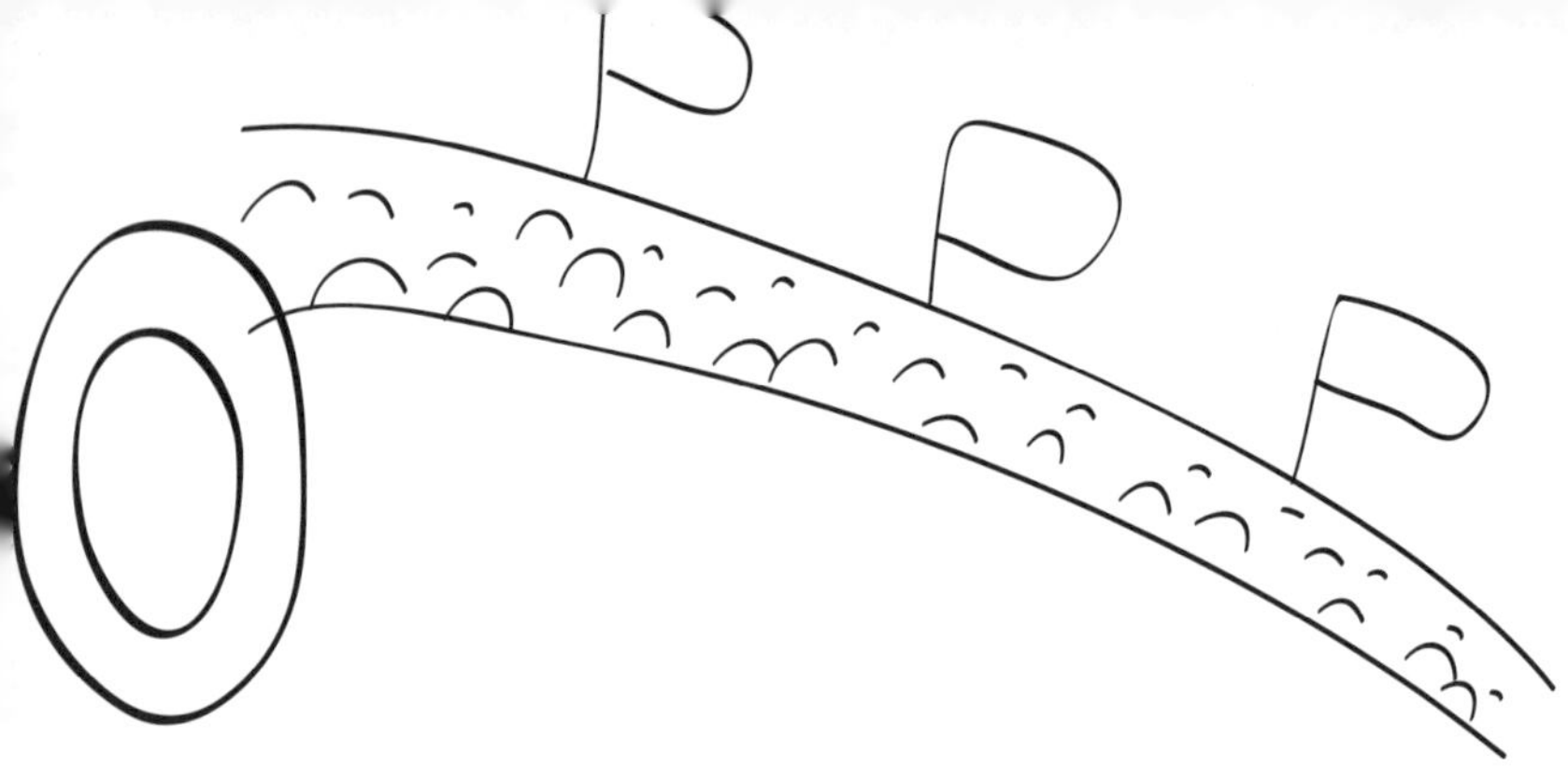

反対に、攻撃の「0」という数字。話にならないくらいダメでも、ほんの少し足りないだけでも、同じゼロで表される。

ピンキーの場合はマイナス・インフィニティ、つまり底なしの「0」だった。絶望と自己嫌悪の象徴だった。

相手に少し体を押されれば、すぐ体勢が崩れ、心は折れてしまう。いいパスをチャンスにつなぐどころか、ボールに追いつけもしなかったことが前半だけでも2、3回あった。要するに、決定力以前の問題だった。

ゲームの中盤、相手のラフプレーによって唯一回って来たＰＫのチャンスも、「ここで外してはまずい」「決めて見せなければ」という邪念が交じり、大きく外してしまった。

ピンキーの一歩踏み出さない姿、動揺する姿、すぐあきらめる姿、踏みとどまれず、悪循環に陥っていく姿が生み出す「負の空気」は徐々にチームに伝染し、ブーの気概が生み出すプラスのムードさえも覆い尽くしてしまった。

きわめつけは、試合終了15分前。仲間からの絶好のパスを追う途中で肉離れを起こし、「うぁー」という惨めな叫び声とともに倒れ込んでしまった。ボールは無情にも転がり、相手チームのゴールキーパーの手に渡った……。

3

ピンキーは、ここぞというところでケガをした自分を情けなく思い、また、緑チームに手も足も出なかったことで、世界のレベルの高さを痛感した。

しかし、それ以上に、ブーと自分との差に衝撃を受けたのだ。

昔は、ピンキーの方が断トツにうまかった。ブーは小学校2年生の時には補欠だったが、コツコツと地道な努力を続け、6年生の時には、前年まで欠かさずピンキーが受賞していた最優秀賞を獲得するまでになった。

赤国では同じように活躍し、「あのふたりはすごいな」とペアで語られることが多かったが、それは違いが浮き彫りになるほど試合のレベルが高くなかったからだった。単に同じチームに属していただけで、ブーがすでにはるか遠くへ行っていたことに初めて気づき、ピンキーは愕然《がくぜん》とした。

そう、差は追い込まれないと見えないものなのである。

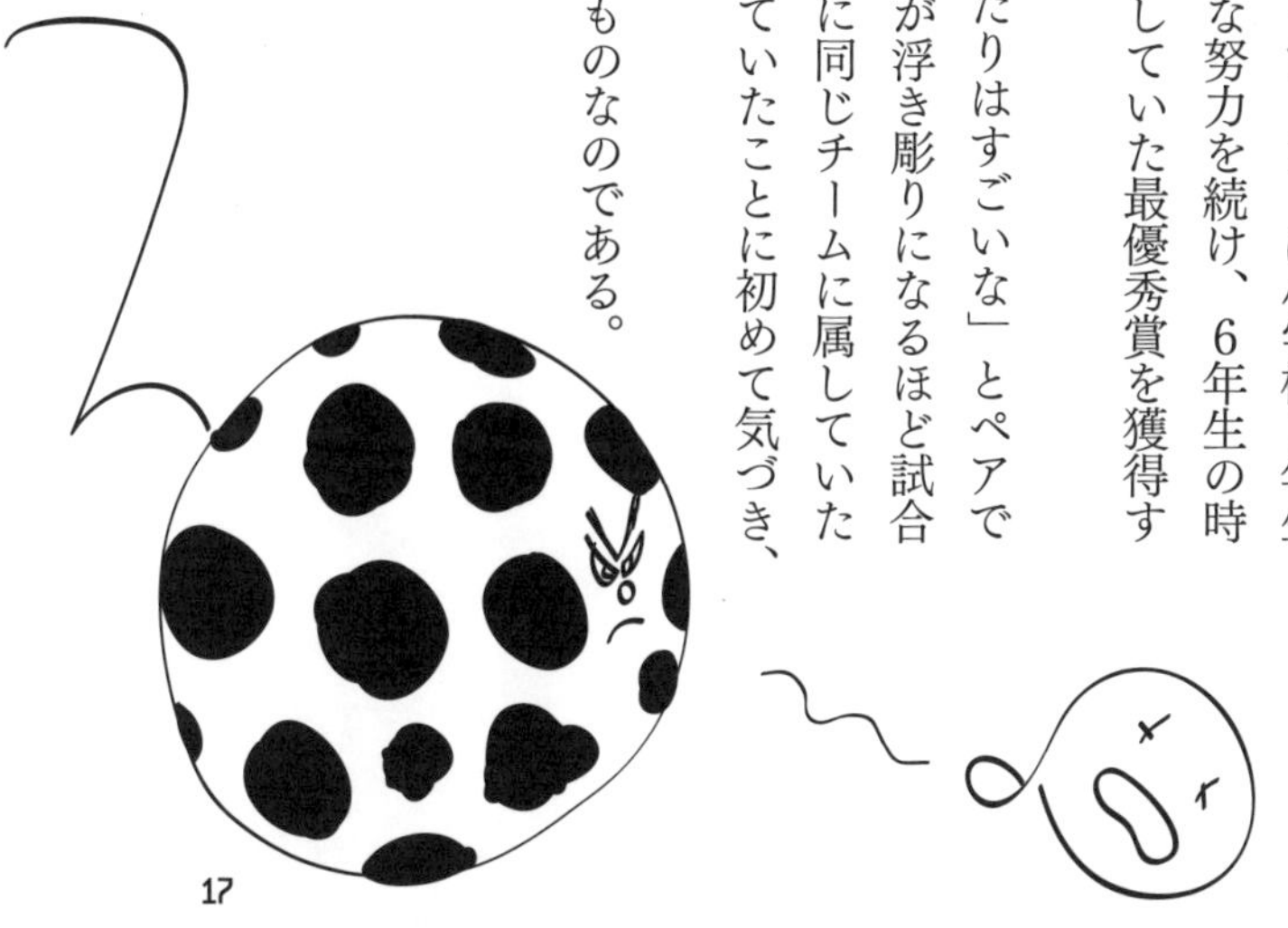

似たような環境に育ったのに、なぜこんなにも違うのか。

ピンキーなら「もう無理」というところで、踏ん張って一歩前に出るブー。

集中力を1秒たりとも切らさないブー。

試合で練習以上の力を発揮できるブー。

調子が乗ると活躍するが、ダメな時はチーム全体の士気まで下げてしまうピンキーに対し、ブーは常に安定感があり、ブーらしくあるだけで周囲に勇気を与える。

その違いは体力やテクニックではなく、もっと根本的なところにあるようだ。

それはいったい、何だろう？

全部セットでお前そのものじゃ

ふと気づくと、隣にクラゲコーチがいた。

「なんやお前、まだウダウダ悩んどるんかいな。そんな暇あったら明日からどうするか前向きに考えんかい」

「すみませんでした。調子が出なかっただけでなく、大事な場面でケガまでしてしまって……」。ピンキーは申し訳なさそうに謝った。

すると、クラゲコーチの目が、「ギラッ」と光った。

「調子が出なかったぁ？　へたな言い訳かますな！　アレはお前の今の実力そのものじゃ！　調子のムラも全部セットでお前ちゃうんかい？　あれはワシか？　オカンか？　ちゃうやろ、お前やろ。調子ええとこだけどうぞー、なんて切り売りできへんわ。

ええか、今日起きたことは全部お前そのものじゃ。ケガもそう、PK外したんも、ぐずぐずしとんのも、全部そうじゃ。世の中、起きとること全部に理由があるんじゃコラ。覚えとけ！」


ズッキーン！

ピンキーの胸はえぐられ、完全にノックアウト。恥ずかしながら、ちょっと涙を流してしまった。返事をしようとしても、喉《のど》が詰まって話せない。

クラゲコーチは間を置くと、少し調子を緩めた。

「ワシらは2回、試されとるんじゃ。まずはしっかり結果を出すかどうか、次に成功しようが失敗しようがその結果をどう生かしていくかじゃ。結果を出せんかったのはもうしゃあない、この体験を次に生かせ。目の前の厳しい事実を、まっすぐ受け入れろ。逃げたらアカン。防衛本能を働かせたらアカン。情報は、純度高く拾ってこい。そのまんま受け入れるほどええ。ツーンと効いて最初は痛いが、そのうち癖になるで。わさびみたいなもんや。そこからどうすればええか、具体的に考えていくんや」

「は、はい」

「それができたら、お前は変わる。いつかテレビ見ながらな、こいつワシの教え子だったんや、すぐメソメソ泣きよってな、なんて自慢する時が来よるかもしれへん。おるやろ？　酒飲むたんびに同じ話、繰り返すオッサン。ワシも言うてしまいそうや」

どことなく温かいクラゲコーチの言葉を聞いて、ピンキーの顔はまた涙でぐちゃぐちゃになった。

「ま、そんなことはええねん」。クラゲコーチは眉間《みけん》にしわを寄せた。

「お前とブーの違いが何か、教えたろか？」

ピンキーはまっすぐ目を見て、力強くうなずいた。

「それは、生き方や。持って生まれた才能でも何でもない。毎日の、生き方が違うんや」

おもむろにクラゲコーチはピンキーの頭をわしっとつかみ、ぐりぐりなで回しながら言った。「めそめそせんで、明日から気合い入れろ！」

「は、はい。一から出直します！」

すると、クラゲコーチはまた「ギラリ」と目を光らせ、怒鳴り始めた。

「何で出直すんじゃい！　戻ってどないすんねん！」

「え、えっと、そういう意味では……」。うろたえるピンキー。

「ボロボロでも、ないよりはマシじゃ！　今あるものから積み上げげろ！　どいつもこいつも、一から出直すってアホか！　もっかいオムツはいてハイハイするんかい！

考えもせんで気安くモノ言うな！」

立て続けに怒鳴って血圧が上がったようだ。天を見上げ、左手首を押さえている。

脈が落ち着いたのか、静かにため息をついた。

「お前のようなアマちゃんで調子ええやつは、明日になったらケロッと忘れよるやろ。お前には、よっぽどのショック療法が必要やな」と言い残し、「好きにせえ」と去って行った。

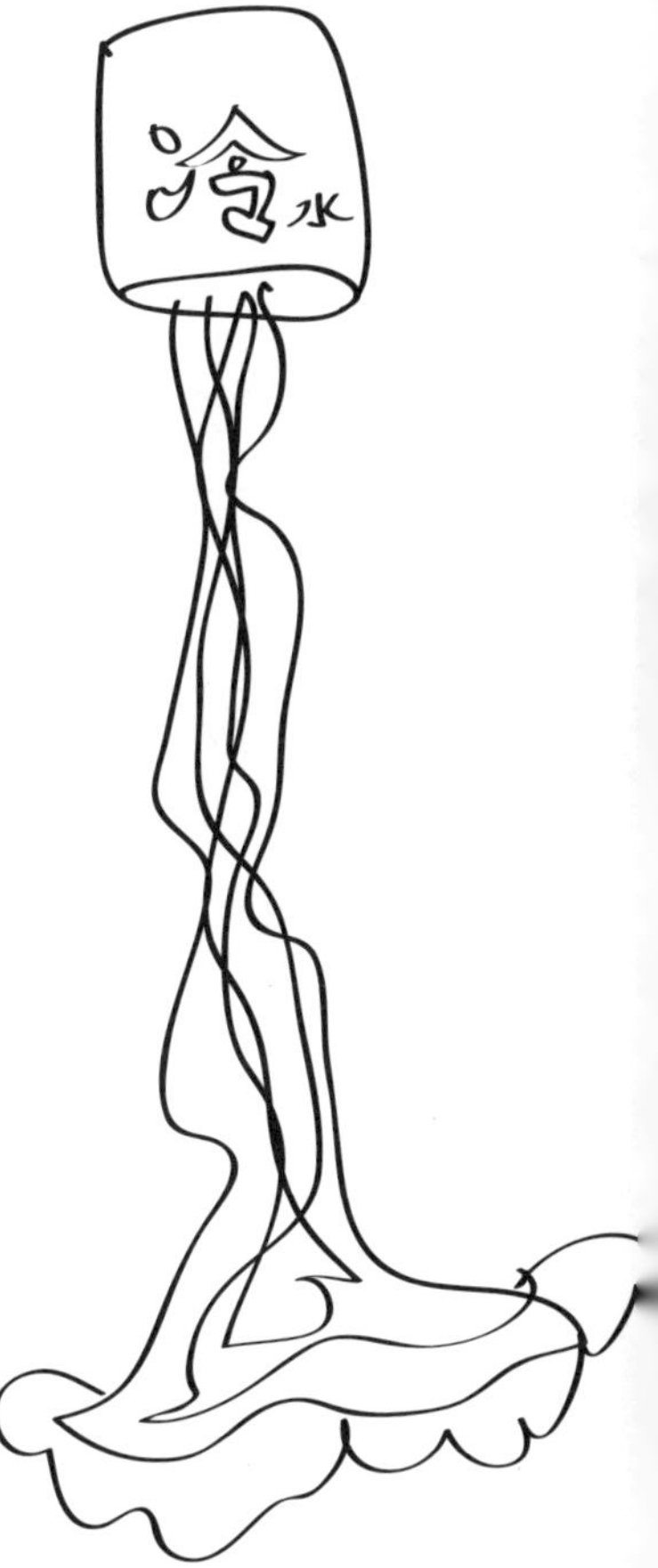

こうやってクラゲコーチは、特大バケツ満タンの「つっめたい」氷水を、頭のてっぺんからぶっかけてくれる。本質のど真ん中を、みじんの遠慮もなくわしづかみにして、全力でガツンと殴りつけてくれる。

これは、このまま立ち直れないんじゃないかと思うほど、「もっのすごく」痛いし、「もっのすごく」効く。

でもその後は、ぐじゅぐじゅした悩みや、もやもやした気持ちが一気に晴れて、頭も心もすっきりする。口は悪いが、なぜか最後は温かいものが残る。

ピンキーは、「よっぽどのショック療法が必要」という言葉が引っかかっていた。

残念ながら、その通り。自分を律することができれば、どんな環境でも成長できるはずだが、僕のような甘えた坊主には無理だろう。

何かを根本的に変えなければ。

頭だけでなく、心と体の芯からそう感じた。

「ブー、僕……」

「ブー、僕、緑国に留学しようと思うんだ」

いつも通りサッカーの朝練に向かう途中、ピンキーは打ち明けた。

ブーはゆっくりとピンキーの方に向き直り、「そっか」と微笑んだ。とうに察しはついていたのだろう。気持ちが固まるまで待ってくれ、ひとたび決まれば、その意思を懐深く受け止めてくれる。

「留学までいろいろやることがあるでしょ。なんでも手伝うからね」

「ありがとう！」。ピンキーはブーが賛同してくれたこと、そしていつも通りの温かさにじーんときた。

「ブーも一緒に来ない？」

すると、ブーはゆっくり答えた。

「いや、僕は、ここにいるよ」

いつもならピンキーは「ねぇねぇ、行こうよぉ」と甘えるところだが、今回はそっと言葉を飲み込んだ。ブーにその隙がなかったからだろう。

「でも、素晴らしい決断だと思うよ。そのうち、赤国と緑国代表で僕ら対決することになるかもね！」

「対決するの、初めてだね。よーし、オーバーヘッドでガツンと行くよー」

「そう簡単には決めさせないよぉ」

ふと、ブーが我に返って聞いた。

「ところでピンキー、どこの学校に行くの？」

「う。まだ考えてなかった」。ぺろっと舌を出すピンキー。

「でも、カカーと同じ学校に行きたいな。見た？　昨日の試合？　カッコイイよなー、あのドリブル。しかもさ、ゴール決めても余裕だし。僕、はしゃぎすぎちゃうもん。クール路線もいいよなぁ」

ブーはくすっと笑い、「いいじゃん、ピンキーらしくてさ」。

「あとリナルディ、見た？　ゴールを決めたあとのあのダンス！　2、3人でさぁ、こうやって……」。ピンキーは歌いながら踊って見せた。

「つんつん、とことこ。つん、とことことこ」

「つんつん、とことこ。つん、とことことこ」

「はい、ブーも一緒に！」

「つんつん、とことこ。つん、とことことこ」

「これもカッコイイなあ。次の試合でやってみようよ」

「えー、これからはクール路線で行くんじゃなかったの？」

……ふたりの話はすっかり脱線。

いつも通り、はしゃぎながら学校に向かった。

「ただいま！」「お帰りなさい！」

「ただいまー」

「お帰りなさい」。台所からマーの声。

「お兄ちゃん、お帰り」。妹のピフィーが飛び出してきた。いつも兄の帰りが待ちきれないのだ。

「今日は男の子を泣かせてないよな？」とピンキーがからかうと、ピフィーは「もっちろん！」といたずらっぽく笑い返した。

するとふわっとおいしそうな香りが漂ってきた。ピンキーは鼻からスーッと息を吸い込んで、「今日は何？　梅カツ？　餃子？　ちゃらちゃらお肉？」

ピフィーは肩をすくめながら、「わかんない」と首を振った。

「マー、今日はなにー？」。ピンキーが大声で聞くと、マーが台所からひょこっと顔を出した。「さぁて、何でしょう？」

ピチピチピチ、という油がはぜる音と、エプロンについたパン粉……。

「梅カツ？」。ピンキーは嬉しそうに聞いた。

「ピンポーン！」。マーは笑って答えると、「早く手を洗ってらっしゃい。もうすぐパーも帰ってくるわよ」

「はーい！　ほら、ピフィー、行くよ！」

「えー、めんどくさい～」

「言うこと聞かないと、梅カツ全部食べちゃうぞぉ！　ガォー！」

ピンキーがピフィーの手を洗ってあげていると、ガチャッとドアが開く音がした。ふたりは一目散に玄関に駆け出した。

「パー、お帰りなさい！」とピンキーはペコリとお辞儀《じぎ》をしながら、ピフィーはお姫様みたいにスカートの裾をつまんで広げながら、同時に言った。

「ピンキー、ピフィー、ただいま」。パーはふたりの頭をポンポンと軽く叩いた。

「あなた、お疲れさまでした」。マーもいつの間にかエプロンを外して来た。

パーは「ただいま」とマーに言うと、目線をちょっと上げ、「ん？　今日は梅カツだな？」と嬉しそうに言った。梅カツは家族全員の大好物なのである。

「すっげー！　パー。よくわかるね！」。ピンキーが目を丸くして言うと、パーは得意げに胸を張った。

パー、マー、「留学していい？」

「いっただっきまーす！」。家族全員の声が揃った。

「梅カツ、うめぇ！」とはしゃぐピンキー。「よく噛《か》めよ」と笑うパー、お兄ちゃんに負けじと口いっぱい頬張るピフィー。

「多めにつくったからたくさん食べてね」。マーもにっこり微笑んだ。

すっかり平らげたピンキーは、急に背筋をしゃんと伸ばし、珍しく緊張した面持ちで言った。

「パー、マー、話があるんだ。僕、留学していいかな？　緑国に」

パーとマーは顔を見合わせた。「急に、どうしたんだ？」

「もっとサッカーうまくなりたいんだ。あと、なんて言うか、世界を見てみたい」

ピンキーは続けた。

「この間の海外遠征で、自分の実力がよくわかったんだ。留学すれば何でも解決するわけじゃないけど、それでも一度、環境をがらっと変えてみたい。もちろん、パーとマーが許してくれるならだけど……。お願いします！」

パーはじっくり話を聞き終えると、ピンキーの目をまっすぐ見て聞いた。

「覚悟はできているんだな？」

「はい」。ピンキーは真面目な顔で答えた。

パーは「よし」と手を打った。「その代わり、いくつか条件があるぞ」

「1つ目は、行くと決めたらとことん勝負だ。どんなに辛くても3年は帰って来ないこと」

「2つ目は、ちゃんと調べて納得した学校に留学すること。サッカーはもちろん、バイリンガル・バイカルチャルになるためによい環境を選ぶこと」

「3つ目は、予算は生活費込みで年間300フィマーまでに抑えること」

ピンキーは大きくうなずいた。「でも、そのバイリンガルとバイカルなんとかって何？」

「ははは。変なカタカタ語を使って悪かったな。バイっていうのは、どっちも、って意味だよ。赤語だけじゃなく、緑語もしっかり話せるようになること。緑国の文化とか慣習、考え方をしっかり学ぶこと。要するに、緑国でも一人前に生きていけるぐらいになってほしいんだよ」

「そういうことか。任せといて！」

「あらあら、今日はお祝いしなきゃね」。マーがやさしく言った。

「ピンキーも頼もしくなったな。よし、今日はマーも一緒に飲もう！」。パーはいつにも増して上機嫌だ。

マーは自分たちにはワインを、子供たちにはケーキを用意した。

それではもう一度。

「かんぱ〜い！」

「いただきま〜す！」

留学会議@ブーの家

翌日の部活帰り。ピンキーたちはブーの家で留学会議をすることにした。

いらっしゃい、とブーのお母さんがやさしく家に招き入れてくれたその時、急に「ごほごほ」と体をくの字に曲げた。なかなか咳が止まらない。

「おばちゃん、大丈夫?」ピンキーが心配そうに尋ねた。

「大丈夫、風邪をひいただけよ」

しかしピンキーは、ブーがふと悲しげな顔をしたのを見逃さなかった。

「母さん、薬は飲んだ?」

「ええ。私のことはいいから、遊んでらっしゃい」

「ゆっくり休んでて」。そう言ってふたりはブーの部屋に上がった。

「パーに納得した学校を選びなさいって言われたんだけど、カカーが通ってたからリオ中学っていうのはダメかな」。ピンキーはブーの顔を覗き込んだ。

ブーは、うーんと唸《うな》ると、「カカーが通っていたっていうこと以外に、何か知ってる?」と聞いた。

ピンキーが首を横に振ると、「とりあえずネットで調べてみよう」とブーがパソコンでリオ中学を検索し始めた。

「ほら、あったよ。早く早く!」

かっこいい音楽とともに、しゃれたデザインのホームページが立ち上がり、メッセージがゆっくりとスクロールしていった。

「我々は世界最強の中学サッカーチームであるだけでなく、海外留学生が学ぶために最高の環境を用意しています。海外留学生向けの教育プログラムがあるのはリオ中学だけ。これが、世界中から留学生が集まる理由です」

カカー、リナウディなど、同校出身のスター選手の写真が紹介された後、最後に、昨年の全国大会の優勝トロフィーを掲げる選手たちの姿が画面いっぱいに広がった。

「すっげー！」。ふたりは同時に声を上げげた。

しかも、世界各国からの留学生のために、紫語、黄語、青語、赤語など、さまざまな言語で読めるようになっていたことにも、度肝を抜かれた。

さらに、国別の留学生数のデータを見つけ、サッカー選手ではないものの、赤国からすでに30人も留学していることを知った。

「やっぱり留学生にも人気なんだよ。これだったらバイなんちゃらになれるね」

「バイリンガル、バイカルチャルね」とブーが笑う。

そして学校の場所は、有名なサーフィンスポットの近くだった。

「サーフィンも一度やってみたかったんだ」。ピンキーは思わぬオマケに心躍らせた。

さらに留学費を調べてみると、なんと学費、寮費、生活費込みで年間300フィマー、ちょうど予算ぴったりであることを突き止めた。

「完璧じゃん！　これならパーも認めてくれるよ」。ピンキーは目を輝かせ、興奮して言った。

「うーん。そんな簡単に決めていいの？　ほかは見なくていいの？」

「でも、この学校よりいいところなんて、ないと思わない？　昨年は全国大会で優勝したわけだし、予算内だし」

「確かによさそうだけど、一応さ」

　ピンキーは今すぐにでも荷造りして飛び出して行きたい気持ちだったが、自分のことのように心配してくれるブーを見て、少し思い直した。

「もうひとつぐらい調べようか。どこかあるかな？」

「そうだ！　この間の海外遠征のパンフレットに全選手の出身校が書いてあったよね」。ブーはきれいに仕舞ってあったパンフレットを取り出して、緑国の選手たちの出身校を上から順に調べ始めた。

「頭いいな、ブー！」。ピンキーが脇から覗いている。

「だいたいがリオ中学かアマゾン中学の出身だね。よし、アマゾンも調べよう」

　ところがなかなか見つからず、検索ワードをいろいろ変えて、やっとそれらしいところにたどり着いた。だが内容は緑語でしか書かれていなかった。

「こりゃダメだ」とピンキーはこぼした。「もういいよ、リオで」

「ほら、簡単にあきらめない。一緒に読んでみようよ。せっかく中学から緑語の授業も始まったわけだし、使わないともったいないじゃん」とブー。

「無理だよ、そんなの」

「大丈夫、辞書があるからさ。手分けして始めるよ」

　ブーはもう取りかかっている。

（ブーって本当にすごいなあ。しかも、僕のためにここまで付き合ってくれて）ピンキーは心の底から感心し、感謝した。

「ありがとう。よし、やるぞ！」

ふたりは辞書を片手に、数時間かけてホームページを読み切った。それでわかったことは……

・アマゾン中学は、昨年の緑国の全国中学サッカー大会で準優勝した
・現在、海外からの留学生はひとりもいない（もちろん、留学生向けの教育プログラムもない）
・アマゾン中学は山奥にあるので、気軽にサーフィンはできない
・留学費用は学費、寮費、生活費込みで年間500フィマー（予算の300フィマーをだいぶ上回る）

「よし。調べたことを『よい点・悪い点リスト』に書き出そう」

「何それ？」とピンキー。

「ほら、小学校3年生の時に、海亀さんが教えてくれたやつだよ」

「海亀さん？　懐かしいなー。僕、全然授業聞いてなかったからな」

「隣の女の子にちょっかい出してばっかりだったもんね」。ブーはくすっと笑うと、鉛筆を2本、手に取って立ち上がった。

「何にでも、よい点だけでなく悪い点、悪い点だけでなくよい点があるのじゃ。それ

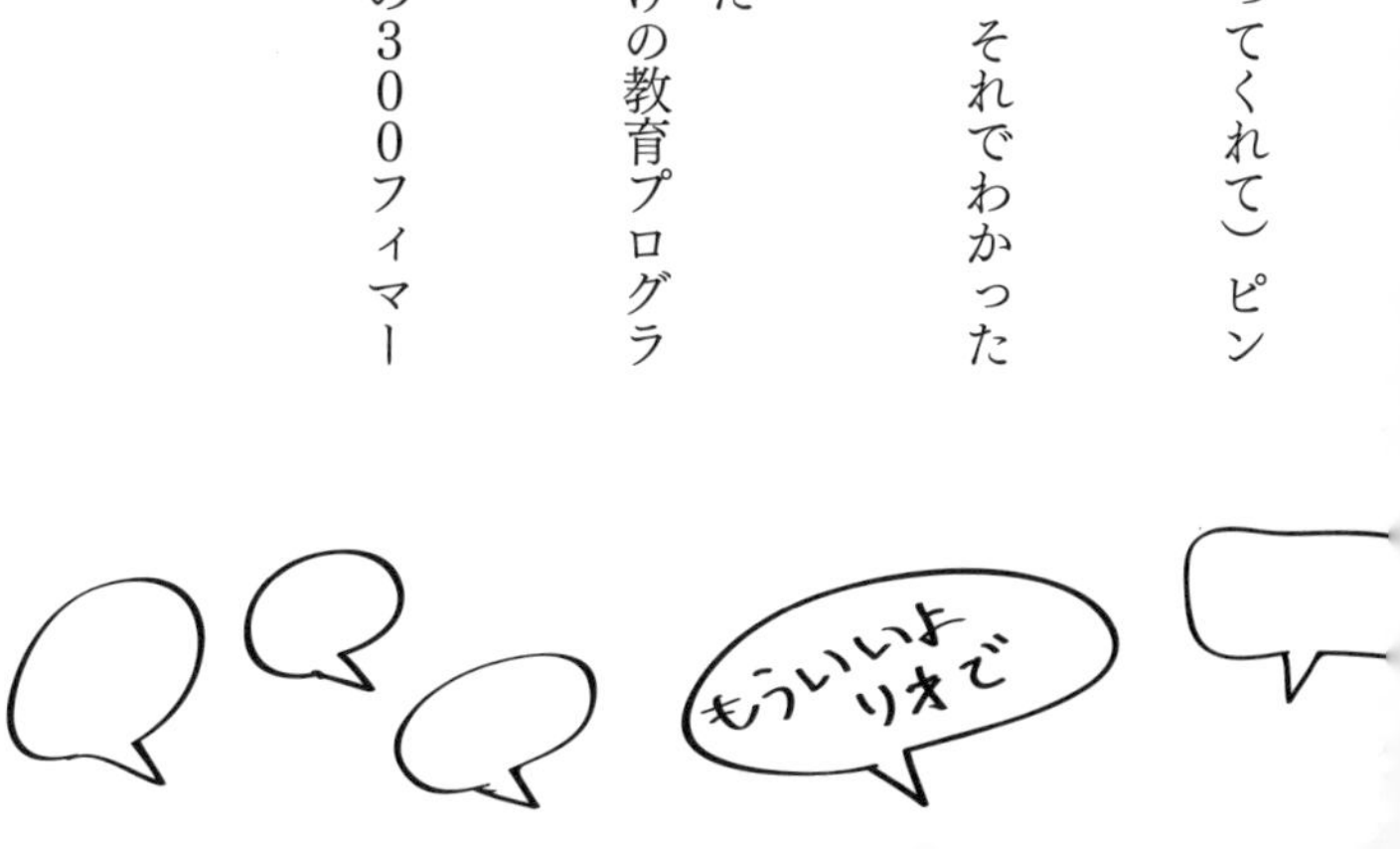

らを両方見て総合的に判断しないといけないのじゃ。よろしいかの」

鉛筆をヒゲのように頬から垂らし、海亀さんのしゃがれ声を真似して見せた。

「似てる似てる！」。ピンキーがぎゃはぎゃはと笑い転げた。

「じゃ、リオ中学とアマゾン中学を比べてみよう」

よい点・悪い点リスト

	よい点	悪い点
リオ中学	緑国でサッカーが一番強い（昨年全国大会優勝校） カカー、リナウディなど有名選手が卒業した ホームページがいろいろな言語で書かれている（赤語も！） 留学生向けプログラムがある 留学生がたくさんいる（現在、赤国からも30人） 有名なサーフィンスポットに近い 留学費用は年間300フィマーで予算内	特になし
アマゾン中学	緑国でサッカーが2番目に強い（昨年全国大会準優勝）	（今知っている範囲では）特に有名な選手は卒業していない 留学生向けプログラムがない、留学生がいない 山奥にあるので気軽にサーフィンができない 留学費用は年間500フィマーで、予算を超えている

書き上げたリストを見て、ピンキーはご満悦。

「やっぱり断然、リオ中学だな。そもそもアマゾン中学は予算オーバーだし」

「でも、本当にリオ中学にマイナス点はないのかな。アマゾン中学はほかにもよい点はないのかなあ」とブーがつぶやいた。

「ないない。リオ中学、サイコー！」

そこからふたりは、留学生活をあれこれ想像したら止まらなくなってしまい、ブーがいつ遊びに行くかまで話し合った。「ブー、本当にありがとう！」

野球コメンテーターのある一言

翌日の夜、ピンキーはお風呂上がりに欠かさず見るスポーツニュースにチャンネルを合わせた。今日の特集は「なぜミンキーズは勝てないのか」。

早くサッカーの放送にならないかなと、ぼーっと眺めていると、あるコメンテーターにふと釘付けになった。

「スーパースター集団のミンキーズが勝てないのは、当たり前ですよね」

「といいますと？」。キャスターは身を乗り出した。

「選手の気持ちを想像してみてくださいよ。ようやくレギュラーになれるという時に、野球を知らないオーナーが、大金を積んでスーパースターを次から次へかき集めてくるんです。それは、やる気をなくしますよね」。このコメンテーターはかつて自身も選手であり、実感を込めて強調した。

「ですが、それもひとつのやり方ではありませんか？　実際、ミンキーズは長らく王者として君臨し続けていたわけですし」

コメンテーターは、キャスターに向き直って答えた。

「まぁ、確かにひとつのやり方ではあるかもしれませんが、あれでは、新人や若手がかわいそうですよ。実力を磨くには、試合に出て、観客に見られて、プレッシャーの中で経験を積む機会が必要なんです」

「なるほど」。キャスターも少し思い当たる節があったようだ。「確かに、活躍を期待されていた大型新人で、今はどこにいるかわからない人がたくさんいますね」

「そうなんですよ。皮肉なものですね。強いチームは、成長するのに最適な環境とは限らないんです」


ピンキーは、最後の言葉が妙に引っかかった。

本当に、留学先はリオ中学でいいんだろうか。


「そもそも何のために留学したいんだっけ？」

「どうしたの、そんなに難しい顔をして」。マーが穏やかに声をかけた。
「わからなくなってきちゃった」
「留学のこと？」

「うん。絶対にリオ中学がいいと思ってたけど、パーが言ったじゃない、納得した形で行けって。そこまで言い切れるか自信がなくなってきた。マーは、どう思う？」

「私にはわからないわ。ピンキーは、そもそも何のために留学したいんだっけ？」

「サッカーがうまくなること。あとは、パーが言うように、バイリンガル・バイカルチャルになることかな」

「じゃあ、どういう環境に行けば、一番サッカーがうまくなれるの？　どういう環境に行けば、一番バイリンガル・バイカルチャルに近づけるの？」

しばらくピンキーが悩んでいると、マーが温かく言った。「それがわかれば、また一歩答えに近づくんじゃない？」

「そうか。自分が何を求めているかがはっきりしていないと、そもそも比較しようがないんだ……」。ピンキーはつぶやき、しばらく空を見つめていた。

「リオ中学のサッカー環境は、どういうところがいいと思ったの？」

「昨年優勝したから。あとカカーが通ってたし」

「バイリンガル・バイカルチャルになるためにも、よさそうなの？」

「だって、すごいんだよ！　ホームページは緑語だけじゃなくて、赤語とか紫語とか、5カ国語で書かれているんだ！　留学生向けのプログラムもあるし、赤国からの留学生もたくさんいるよ」

興奮気味に語る息子の姿に目を細めたあと、マーは言った。

「有名なもの、華やかなものが一番とは限らないんじゃない？　書いてあるからと言って、そうだとは限らない。みんなにとってベストなものが、あなたにとってベストだとは限らないでしょ」

確かに、単にホームページの情報を見ただけで、勝手に期待を膨らませていたのかもしれない。しかし、もうひとつ大事なことを思い出した。

「それとね、予算内で行けるのはリオ中学だけなんだ」

「何かの条件が満たされないからといって、今の段階で切り捨てちゃダメよ。あとで何か方法が見つかるかもしれないわよ」

その時、プルルルと電話が鳴った。ちょっと待ってて、とマーが席を外した。

「田舎のおばあちゃんからだったわ。明日、薬草人参をまた送ってくれるって。ピフィーが喜ぶわね。大好物だもんね」

ピンキーは、はっと気づいて聞いた。

「ねぇ、その人参って体にいいんだよね?」

「そうよ。本当は薬として煎じて飲むものだから。ピフィーは生でバリバリ食べちゃうけど。だからあの子はあんなにやんちゃなんだわ」。マーがくすっと笑った。

「ブーのお母さんにあげてもいいかな?」

「もちろんよ。具合悪いの?」

「うーん。よくわからないけど、必要としていると思うんだ」

「届いたらブーちゃんのおうち用に包んでおくわね」

ピンキーは嬉しそうに大きくうなずいた。

「さっきの話なんだけど、どんな環境がいいのかなぁ」

マーはしばらく静かに考えを整理して言った。

「それは私にはわからないわ。でも、全部自分で答えを出す必要はないと思うの。ピンキーにはわからなくても、経験を積んだ人なら見えることもあるし。いろんな方に聞いてみたら？」

「そうか、クラゲコーチに聞いてみよう！」

マーとのやりとりで、もやもやした気持ちがいつの間にか少しすっきりしていた。

ブーからのメール「評価軸×評価シート」

部屋に戻ると、パソコンの光が点滅していた。ブーからのメールだった。

ピンキー

昨日、留学先をリオ中学って決めたけど、やっぱり気になってね。

海亀さんが教えてくれた「評価軸×評価シート」、覚えてる？ 判断の基準をはっきりさせた上で、複数の選択肢から一番いいモノを選ぶための方法なんだけど。

このシートを使って、もう1回考えてみない？ 念のため添付しておくね。

何かあったら電話してね。12時ぐらいまでは起きているから。

じゃあね！

ブー

評価軸×評価シート

評価軸	重要度	リオ中学	アマゾン中学
サッカー選手として成長するためによい環境がある	高	?	?
バイリンガル・バイカルチャルになるためによい環境がある	中	?	?
留学費用が安い（学費＋寮費＋生活費で年間300フィマー未満）	高	+++ 年間300フィマー	~~年間500フィマー~~
サーフィンができる	低	+++++ サーフィンスポットは歩いてすぐ	+ サーフィンスポットまで2時間

留学生向けプログラムの質は？赤国から留学生が30人もいるのはいいことなのか？

具体的にどのような環境だと成長しやすいのか？

どうにかならないかな？

ブーはいつも、いいアイデアが浮かぶと、すぐに連絡をくれる。ピンキーは添付ファイルを開けてみた。「あー、あったな、こんなの……」

表の項目の中に、「リオ中学」「アマゾン中学」と書き入れてくれているところが、いかにもブーらしい細やかな気遣いだ。

基準がはっきりしていなければ評価できないっていうのは、マーが言ってくれたことと同じじゃないかな？

早速、「評価軸×評価シート」に留学先を選ぶ際の評価軸と、それぞれの重要度を書き出し始めた。

評価軸を書いてはみたものの、どうにもまだ曖昧だった。もっと具体的な要素を特定しないと、何

やるべきこと

質問	やるべきこと	いつ
❶サッカー選手として成長するためによい環境がある ・具体的にどんな環境に行けば最も成長できるのか？	クラゲコーチに「よい環境」の具体的な要素を聞いてみる	明日の放課後、練習の前
❷バイリンガル・バイカルチャルになるためによい環境がある ・リオ中学の留学生向けプログラムはよさそうに見えるが、実際はどれぐらい質が高いのか？ ・赤国からの留学生が30人もいるのは本当によいことなのか？		
❸留学費用が安い ・アマゾン中学の場合、足りない200フィマーをどうにかできないか？		

を調べていいか見当がつかないのかもしれない。

ピンキーは忘れないように、気づいたことをノートに書き出しておいた。

❶サッカー選手として成長するためによい環境がある：「僕は具体的にどのような環境に行けば最も成長できるのか？」

❷バイリンガル・バイカルチャルになるためによい環境がある：「リオ中学の留学生向けのプログラムは、実際はどれだけよいのだろうか？」「すでに30人も赤い魚の留学生がいるのは本当によいことなのか？」

❸留学費用が安い：「アマゾン

中学に行くのには足りない200フィマーをどうにかできないかな?」

❹**サーフィンができる：**「これはあくまでオマケだな」

それにしても、どこでどうやって答えを探せばいいんだろう。①は明日クラゲコーチに聞くとして、他はどうしよう。留学したことのある知り合いはいないし……。

すっかり疲れて、頭は堂々巡り。「わ! 3時だ。もう寝なくっちゃ」

あわててベッドに飛び込むと、一瞬でコテンと眠りに落ちた。

クラゲコーチの忠言

翌日の放課後、ピンキーは早速クラゲコーチに会いに行った。

ドアをノックして部室に入ると、クラゲコーチは入り口に背を向けて椅子に座り、足をテーブルの上に載っけてサッカー雑誌を読んでいた。

「おー、どないしたん?」

「僕、留学することにしました」。ピンキーはおもむろに報告した。

クラゲコーチは壁の方を向いたまま、「ギロリ」と目を光らせた。

「ええんちゃうか。で、なんや? 別れの言葉でも言いに来たんか?」

「実は、リオ中学かアマゾン中学かで悩んでるんです。どういう基準で選べばいいんでしょう」

クラゲコーチはピンキーの方に向き直り、熱く語り出した。

「できる限りうまい選手の中に身を置くことや。日々共に練習して試合して、競い合って刺激し合って、選手はグングン伸びる。

それと試合の経験を積むことや。技術を磨くんも、体と心を鍛えるんも、判断力を高めるにも、試合が一番や。お前なんぞ3軍からスタートやからな。気をつけや、3軍には試合させんとこあるで。留学して一試合も出ないで帰ってきたちゅうことにならんようにな」

なるほど、ピンキーにはまったく欠けていた視点だった。

「あとは、コーチングやな。ワシみたいな素晴らしいコーチがいるどうかが重要ちゅうことや。ま、でも、さっきの2つの方が断然大事やけどな」

「そうすると、リオとアマゾン、どっちがいいでしょうか?」

「んなこと、知るかいな」。クラゲコーチはくるっと背を向けて、また雑誌を読み始めた。

突然のことに、ピンキーはキョトンとした。いつ何を聞いても、何でも知っているかのように答えてくれるのに。

「その質問には答えられへん。リオのこともアマゾンのこともワシは直接知らんからな。適当に意見言ってもしゃあないやろ。ちゃんと答えられる人を捜せ」

「わかったら、はよ行けや」と手であしらわれ、ピンキーがお礼を言って部屋を出ようとすると、急に呼び止められた。

「そや、お前の携帯番号は?」

「○×▲※☆*ですけど」

「ほな、ばいなら」

結局、リオ中学に行くべきか、アマゾン中学に行くべきかの答えはもらえなかったが、サッカー選手にとってよい環境の「評価軸」は明確になった。

そして同時に、実はリオ中学とアマゾン中学を評価するために必要な具体的な情報がまだほとんどないことに気がついたのだ。

突然の電話

「リオとアマゾンの環境を比べるための情報か。どうやって集めたらいいんだろう。現地に行って見てくるわけにもいかないし」

あれこれ考えながら歩いていると、ピンキーの携帯電話が鳴った。

「もしもし、ポコだが。ピンキーかな?」。受話器の向こうから低く響く大人の声が聞こえてきた。

「は、はい。そうですけど」

「クラゲコーチから、君がリオ中学に行くべきかアマゾン中学に行くべきか悩んでいると聞いた。私は両校で長い間コーチをしていたから、たいていのことは答えられるだろう。何でも聞いてくれ」

ピンキーはあわてて近くのベンチに腰をかけ、たくさん質問をした。

ポコはサッカー選手として成長するために重要な要素は、クラゲコーチとまったく同意見であることを述べた上で言った。

「君にはアマゾンを強く勧めるよ」

両校ともレベルが高く、素晴らしい選手が揃っているが、その他の環境が大きく異なるようだ。

「リオは1軍にしか試合をさせないことで有名だ。1軍に入れなければ、ほとんど試合ができないと考えていいだろう。アマゾンは1軍だろうが3軍だろうが全員に試合をする機会をたっぷり与える。これは大きな違いだ。ピンキー、君はおそらく3軍からのスタートとなるだろう。リオに行ったら、君が持っている才能が花開くチャンスはないかもしれない」

さらに「コーチングの質」もアマゾンの方がよいと考えているようだ。

リオ中学のコーチは、緑国の大人代表チームのコーチを兼ねるような名の通った人が多く、重要な大会があると大人チームに時間を取られてしまうようだ。それに対して、アマゾン中学には有名なコーチは少ない。

「だからといって、優秀ではないというわけではない。私は世界中のチームを見て来たが、アマゾンには最高のコーチが揃っていると思う。選手一人ひとりに対して親身に時間も割いてくれる」とポコは力説した。


両校での経験に裏づけられたポコの話は、非常に説得力があった。おかげで、生の情報を基にサッカー環境に関する評価を下すことができた。

サッカー選手として成長するための環境は？

評価軸		重要度	リオ中学	アマゾン中学
❶サッカー選手として成長するためによい環境がある	Ⓐまわりの選手のレベルが高い	高	+++++ 素晴らしい選手が集まっている。昨年度優勝校	+++++ 素晴らしい選手が集まっている。昨年度準優勝校
	Ⓑ試合の経験をたくさん積める	高	++ 1軍しか試合に出られない	+++++ すべての選手が試合の経験をたくさん積める
	Ⓒよいコーチングが受けられる	中	++ 有名なコーチ陣。だが、あまり時間を割いてくれない	+++++ 有名ではないが素晴らしいコーチ陣。しっかり時間を割いてくれる
		高	+++	+++++

ありがたや〜、ありがたや〜。クラゲコーチとポコのやさしさに浸っていると、はっと気づいた。

「やばい！　練習に大遅刻だぁ！」

ブーのお母さんに薬草人参

「薬草人参、届いたー？」。ピンキーは帰るなり、マーに聞いた。

「はい、ブーちゃんのお母様へのお手紙も入れておくから、忘れないでね」

白を基調に、水色とピンク色の線が入った品のある紙袋を手渡した。

「わかった！　今日はそのあと、ブーの家

で留学会議してくるね！」

「おばちゃん、薬草人参！　これで、早くよくなってね」

ブーの家に着くなり、ピンキーが紙袋を手渡そうとすると、せっかくマーがきれいに包んでくれた包装が、走って来るうちによれよれになっていた。

「あ、しまった」。ピンキーは一生懸命、しわを伸ばそうとしている。

「ありがとう。気にしないで」。ブーのお母さんは本当に嬉しそうだった。

「めっちゃ効くよ！　うちのピフィーは生でボリボリ食べちゃうけど、苦いから、煎じて飲んだ方がいいかも」

ピンキーはガサゴソと、体じゅうのポケットを探り始めた。

「あれ？　昨日おばあちゃんに電話して、作り方メモしてきたんだけど」

マーが知ってるかもしれない、と言うと猛ダッシュで飛び出していった。

「ピ、ピンキーちゃん……」

ブーのお母さんが引き留める間もなくいなくなった。

バタン、というドアの音を聞いて、2階からブーが下りて来た。

「あれ、ピンキーは？」

「薬草人参をいただいたんだけど、煎じ方を聞きに帰ってしまったわ」

「電話で聞けばいいのに？」

ふたりは顔を見合わせて微笑んだ。すると、紙袋の中に手紙が入っていることに気づいた。

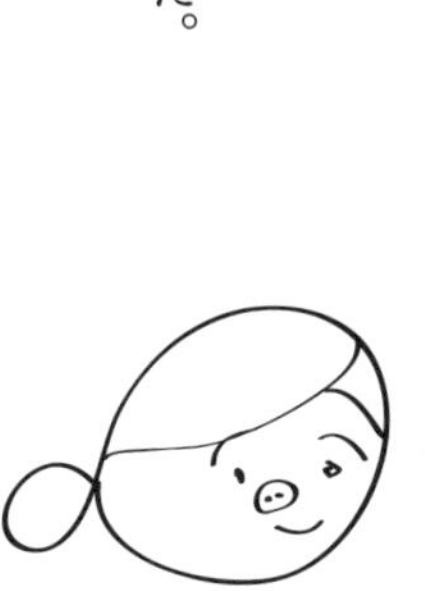

ブーちゃんのお母様へ
いつもピンキーとピフィーが大変お世話になっています。

うちの田舎でできる薬草人参なのですが、体によいので、よろしければ召し上がってください。

生でも食べられますが、少々苦いので、煎じて飲まれることをお勧めします。

煎じ方は……。


さすが親子。考えることは一緒である。「やさしいご家族ね」

そこにピンキーが戻ってきて、ゼーゼー言いながら、しわくちゃの紙を差し出した。

「筆箱の中に入れといたの、途中で思い出したんだ」

ふたりはやわらかな顔で、マーの手紙のことには一切触れずにお礼を言った。

バイリンガル・バイカルチャルになるために必要な環境とは

「バイリンガル・バイカルチャルになるための環境って、どんなんだろう？　サッカーの方は、クラゲコーチとポコさんに教えてもらってわかったけど」

「留学したことある人、まわりにいないもんな」

5分も考えると、ピンキーはポンと手を叩いた。

「ま、しょうがない。電話帳があるわけじゃなし。割り切りも肝心だよね」

すると、ブーは「ねえ、リオ中学に聞いてみようよ。赤い魚の留学生を紹介してくれるかもよ?」

「えー、無理でしょー」

「やってみないとわからないじゃん」

「絶対ありえないよ。どこの誰だかわかんない人に、わざわざ紹介なんかしてくれるわけないじゃん」

「そうかな、だって学校は学校で生徒に来てもらいたいだろうし。ほら、悩んでないで、聞いちゃった方が早いよ」

ブーは受話器をつかむと、ホームページで電話番号を探し始めた。

「ブー、まさか、本気じゃないよね」

本気に決まってるじゃん、何言ってんの、と当たり前の顔で答えた。

「ちょ、ちょっと、冗談よしてよ」

ブーはピポパッと番号を押し、しばらく待った後、「Hello, just a moment please」と答えてピンキーに受話器を差し出した。

「またまたぁ。演技うまいんだからぁ」。ピンキーは顔を引きつらせた。

「もうつながっているよ。早く早く!」

「This is Rio Middle School Admission Office. Hello? Hello?」。受話器から緑語が漏れ聞こえてきた。

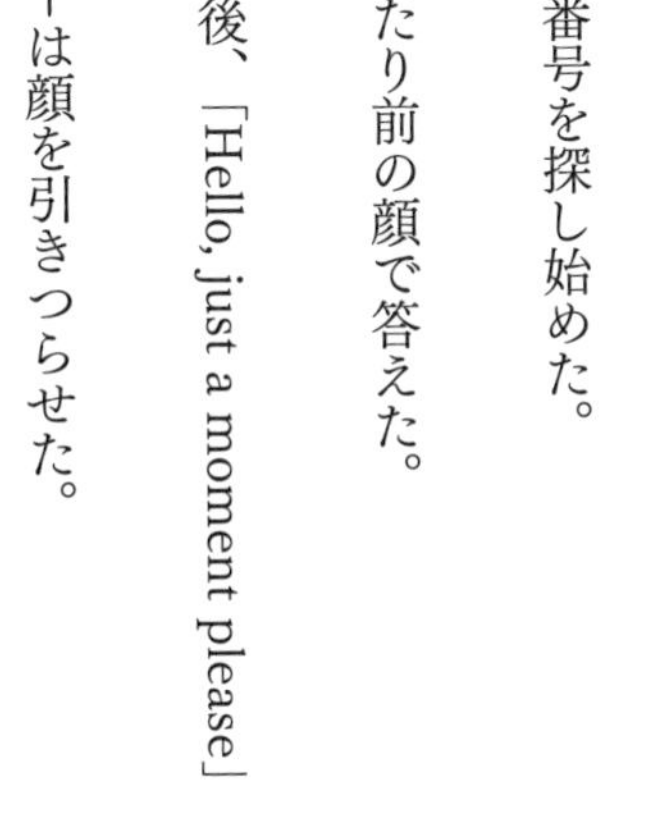

「うわー！　無理、無理、無理！　ブー、は、話してよ！」

「そんなこと言ってたら留学なんてできないよ。ほらほら」

「！！！」

ピンキーは必死に話しかけた。「あー、あいあむ、あ、ゆ、のー？」

すると、いたずら電話だと思われたのか、ガチャンと切られてしまった。

「ぎゃははは」とブーが笑い転げた。「何だって？　紹介してくれるって？」

ピンキー、かなりご立腹である。

「いくらなんでも、いきなりはないだろ！　心の準備が必要なんだからさぁ」

ピンキーがこんなに顔を真っ赤にして、あわてふためくのを見たのは、小学校5年生で初恋の相手に告白した時以来だろうか。

「ごめんごめん、悪かった。メールにしよう。メールなら何とか伝わるよ。留学生さえ紹介してもらえれば、あとは赤語でいいんだから」

ブーがノートを開いて何やら書き始めたので、ピンキーもふてくされるのをやめた。

「書き出しは、Dear Rio school でいいのかな。学校にこんにちはって挨拶するの、変かな？」と、ブー。

「最後にpeopleってつければいいんじゃない？」と、ピンキー。

「いきなりお元気ですか、ってアリ？」

「気持ちが伝わればいいんだよ」「そっか」

「せっかくだから、めっちゃ元気ですかって言っとこう。めっちゃ、ってso muchでいいのかな」。ピンキー、乗ってきたようである。

ふたりは辞書を引き引き、文章を考えていった。

「最後はやっぱり、Thank youかな」

「違うよ、ブー。あっちの人はloveって書くんだよ。この間映画で見たもん」

わかってないなあと言わんばかりのピンキー。これだけは自信があるようだ。

「えー。愛って意味でしょ？　おかしくない？」

「きっと、緑国の人はみんなフレンドリーなんだよ」

4時間かけてやっと完成。パンッと送信キーを叩いた。

すると、ブーが急に凍った。「あれ。今、僕のアドレスから送っちゃったね」

「どんまい、どんまい」。ピンキーが笑った。

リオ中学からの返信

翌朝ブーが起きると、リオ中学から返信が届いていた。赤い魚の留学生3人の電話番号とメールアドレスが書いてある。ブーは喜びのあまり、すぐさまプリントアウトして、いつもより早くピンキーを迎えに行った。

「ピンキー！　リオ中学から返事が来たよ！」

「ま、まじで？　うわぁ！」。ピンキーは顔も洗わず駆け下りて来た。

学校から帰ると、早速、留学生たちに電話をしてみた。

ひとり目は、こんなアドバイスをくれた。

「うちは赤い魚の留学生が30人もいるから、授業も食事も放課後の遊びも、いつも一緒だよ。なんだか、赤国にいながら緑国のインターナショナルスクールに通っている感じかな。だから未だに緑語がよく話せないんだ」

ふたり目も、少し後悔がちに打ち明けてくれた。

「現地人の友だちはほとんどいない。緑語を話せるようになりたいとか、文化を肌で感じたいんだったら、赤い魚がひとりもいない学校に行くべきだよ。留学生向けのプログラムがあるかどうかより、その方がよっぽど大事だと思う」

3人目は電話がつながらず、メールで頼んだところ、すぐに返信をくれた。

「留学生向けプログラムは、確かによく出来ているよ。授業でも緑語をゆっくり話してくれるから、語学が苦手でも何とかなるんだ。

でも、本気でバイリンガル・バイカルチャルになりたいなら、アマゾン中学を勧めるよ。こんなことを言ったら学校の人に嫌がられそうだけど、大事なのは、留学生に合わせてプログラムを組んでくれることじゃなくて、可能な限り現地の人と同じ生活をすることなんだ」

3人とも、ほぼ同意見。ピンキーとブーはショックを受けた。そしてリオ中学の事務局の紹介にもかかわらず、本音で話してくれたことにも驚いた。

もっと多くの意見を聞ければ理想的だが、時間も限られている。それに、彼らの話バイリンガル・バイカルチャルになるための環境は？

評価軸		重要度	リオ中学	アマゾン中学
❷バイリンガル・バイカルチャルになるためによい環境がある	Ⓐ赤国からの留学生が他にいない	高	++ 30人	+++++ 0人
	Ⓑ留学生向けプログラムの質が高い	低	+++++ “よい”プログラム	+ プログラムなし
		中	+	++++

はとても説得力があったので、そのまま受け入れることにした。

「複雑になってきたなぁ」とピンキーはつぶやいた。

当初の予想とは違って、アマゾン中学の方が「サッカー環境」「バイリンガル・バイカルチャルになるための環境」共にリオ中学より魅力的なようだ。

しかし、留学費用の問題がまだ残されている。

もし、本当にアマゾン中学に行きたいのなら、200フィマーをどうにかしないといけないのだ。

残り200フィマーを求めて

「どうしよう、残りの200フィマー」

「結構、大金だからね」

ピンキーはふとひらめいた。「奨学金と

か、ないのかな？」

「そうか！」

ふたりはすぐさまネットで検索。そして学校の事務局だけでなく、国やサッカー協会、財団などにも電話をかけてみた。

しかし、全滅。

アマゾン中学には奨学金がなく、国や財団にはあったものの、願書を提出する期日がとうに過ぎていた。サッカー協会の場合は、中学生は対象外だった。

ピンキーも、この時ばかりは落ち込んだ。2日間、ふさぎ込んだままだった。やっとの思いで自分の希望に合うのはアマゾン中学だとわかったのに、このままでは、そのことを知りながらもリオ中学に行かねばならないのだ。無理もない。


その日の夜遅く。子供たちが眠りについた後、パーとマーは静かなリビングで話をしていた。

「あなた、ピンキーはアマゾン中学に行きたいようよ。でも、予算が足りないみたいなの。出してあげましょ？」

するとパーは、しばらく考えた後、おもむろに言った。

「もうちょっと、頑張らせてみよう」

「私のへそくりもあるし、3年ぐらいだったらどうにかなるわ」

「いや。それはダメだ。これぐらいのことはひとりで乗り越えられないと」

パーは気持ちを押し殺して、遠くを見た。マーはにこやかに答えた。

「そうね。わかったわ」

ニュース番組

翌日の夕方。ピンキーたちはブーの家のリビングでボーッとテレビを見ていた。奨学金の件がこたえているのか、ふたりとも元気がない。

すると、ニュース番組の特集が流れてきた。

「経済が急成長する黄国の若者は今」――黄国では、急成長を遂げる経済を支えるために、少年たちも現場に駆り出されているという。

ジャーナリストが「何時から何時まで働いているの？　学校は？」と質問すると、ある少年が答えた。

「朝5時に起きて、6時から12時まで働いています。昼はさっとパンを食べて、あとは友だちと缶蹴り。午後はまた仕事です。学校には行っていませんが、夜仕事が終わってから、自分でビジネスの勉強をしています」

「かなりハードだね。辛くない？」

「全然苦になりません。僕には夢があるんです。黄国の人が誇りに思えるような、世界から注目される会社を立ち上げたいんです。だから、ここでの仕事は勉強にもなるし、すごく楽しいです」

ジャーナリストは視聴者に問いかけた。「この子は何歳だと思いますか？」

一呼吸置いて続けた。「14歳です」

「この少年は厳しい毎日を過ごしていますが、目がきらきらと輝いている。我が赤国は何十倍も経済的に裕福ですが、はたしてどちらが幸せなのでしょうか。どちらが希望を持って生きているのでしょうか。我々はこれをどのように受け止め、何をすべきなのでしょうか。以上、黄国からのリポートでした」

「す、すごいなぁ。僕らと同い年だってよ」。ふたりはあ然とした。

ピンキーは、ソファーから急に立ち上がった。そして、ブーの方を見た。

「ブー、僕もやってみるよ。聞いてみる。何でもいいから、アマゾン中学で働かせてもらえないかって」

「うん！」

ブーは、ものすごく嬉しかった。とてつもなく前向きで力強いエネルギーをピンキーから感じたからだろう。

ピンキーはすぐさま、留学するのに足りない200フィマーを稼ぐために、何か仕事をさせてもらえないか、とアマゾン中学にお願いのメールを送った。

緑茶を飲みながら

翌週のこと。夕飯も終わり、リビングでパーは夕刊を読んでいた。子供たちは2階で学校の宿題をしており、1階はしーんと静まり返っている。

聞こえるのは、たまにパラッとめくられる新聞の音ぐらい。そこにピーッとヤカンが沸騰する音が鳴り響いた。

マーはお盆にきゅうすと湯のみを載せてくると、パーに緑茶をいれてあげた。

「はい、どうぞ」

「ありがとう」

パーは、早速飲もうとして、「アチ！」とあわてて湯のみを置いた。

「あら、熱すぎたかしら？」

「大丈夫だよ」。パーは子供のようにフーフー冷ましてお茶をすすった。

「ピンキーね、アマゾン中学の寮で、アルバイトさせてもらうことになったみたいだわ」

「何をやるんだ？」

「早朝の掃除と、朝晩の食事のあとの食器洗いですって。朝1時間半、夜1時間半、合計3時間を毎日ね。それで寮代と食事代、年間200フィマーを免除してくれることになったそうなの」

パーは大きくうなずいた後、ちょっと浮かない顔をした。

「なぁ、ピンキーにちょっと厳しくしすぎたかな？」

「そんなことないんじゃない？」とマーはにっこり。

「全部できるかな？　新しい環境に馴染むのも、サッカーも、勉強も、仕事も」

「あの子なら大丈夫よ。そのぐらい追い詰められてちょうどいいわ」

「お前はそう見えて、なかなか厳しいなぁ」

たいしたもんや、とパーは大きく笑った。

いざ緑国へ

1カ月後。とうとうその日が来た。ピンキーは今日、緑国に旅立つのだ。

家の前にみんなが集まっている。両親、ピフィー、ブー、クラゲコーチ、チームメイトたち一人ひとりとお別れの挨拶を交わした。

「クラゲコーチ、必ず成長して戻ってきます」

「はよ行けや。絶対にあきらめんな。逃げて帰って来たらマジでしばいたるからな」

クラゲコーチは照れ隠しに目をそらしながら言った。

「パー、マー、本当にありがとう。行ってきます」

「ピンキー、ちゃんとご飯食べるのよ。しっかり栄養とってね」

「ピフィー、いい子にしているんだぞ」

ピフィーは目を真っ赤にしているが、みんなの前で涙を見せないよう、必死に唇を噛み締め、足をつねってこらえている。

ピンキーは、ブーに最後に挨拶をした。

「ブー、本当にありがと」

ブーは静かにうなずくと、「母さん、調子悪くて来られないんだ。ごめんね。元気でねって言ってた」。

「お母さんのこと大事にな」。ピンキーは照れ臭そうに笑うと、「僕、頑張るよ。ブーもね。おてんばで大変だけど、ピフィーのこと、よろしくな」。そう言ってピフィーにもお辞儀させた。

「当たり前じゃん。任せといて！」


いよいよ時間だ。

ピンキーはカバンを背負い、いつも通り白い小さなボールを脇に抱えると、挨拶をして出発しようとした。

すると、マーがそれまで隠していた袋を取り出した。いや、隠そうとしていた、と言った方が的確だろうか。

さっきから「お父さん、そこに置いておくと見えちゃうわよ」「そうか？」とヒソヒソ声で話していたので、まわりのみんなに気づかれていたのだ。

いつも通りの、温かく平和なやりとりだ。

「今まで小さいのをよく大事に使ってきたわね。はい、新しいボール。これでたくさん練習してね」。マーが正式サイズの青いサッカーボールを手渡した。

「ありがとう！」

ピンキーは振り返り、大きく手を振った。

「行ってきまーす！　みなさんお元気で！」

大きな夢と希望を胸に、大海に一歩を踏み出した。

column

海亀じゃ。

ブーがワシの物真似をして、ピンキーが「ぎゃはぎゃは」笑っていたのう。

これからピンキーには夢と冒険に満ちた人生が待ち受けているようじゃが、その前に、ちょっとジジイの話を聞いてもらえるかな。

たわいもない日常生活の中に、意外と重要なことが入っているのじゃ。せっかくだから、少し補足させてもらおう。

よい点・悪い点リスト

物事には必ず、よい点だけではなく、悪い点もある。

我々は、最初によい点を思いつくと、よい点ばかりが目につき、最初に悪い点を思いつくと、悪い点ばかりに目が行きがちじゃ。

そこに感情が加わると、何かをオーバーに評価したり、他によい点・悪い点があってもまったく見えなくなったりしてしまう。

我々は、この習性を乗り越えなければならないのじゃ。

ピンキーの例を思い出しながら、「よい点・悪い点リスト」を使う時の流れを簡単に振り返っておこう。

STEP1：選択肢を洗い出す

まずは選択肢を洗い出すことじゃ。ピンキーは当初、リオ中学しか検討していなかったが、ブーの言う通り、なるべく複数の選択肢を検討した方がよい決断ができる。

「留学する＝リオ中学」対「留学しない」

の2つから選ぶより、

「留学する＝リオ中学」対「留学する＝アマゾン中学」対「留学しない」

の3つから選んだ方が、まだよい判断ができるじゃろ。

STEP2：直感やその時点で知っている情報を基に、よい点・悪い点を書き出す

まずは、直感でもよいし、その時点で知っている情報を基にしてもよい。それぞれの選択肢のよい点と悪い点を書き出してみることじゃ。

リオとアマゾンのホームページを見終わった段階のピンキーの頭の中は、こんな感じだったのではないかな？　○や×の大きさは、ピンキーが受けた印象の強さを示しておる。

STEP2　まずはよい点・悪い点を書き出す

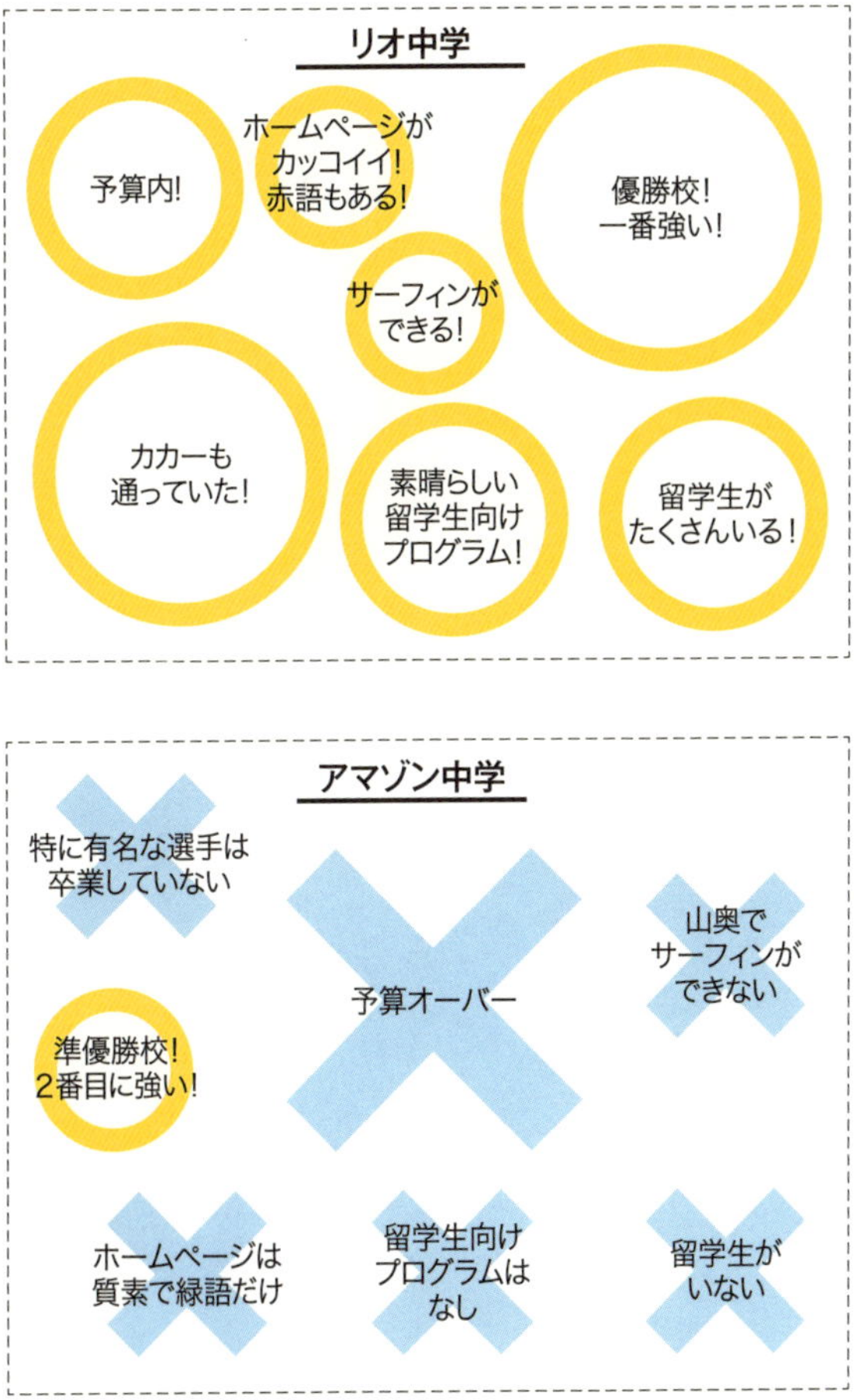
リオ中学
予算内!
ホームページがカッコイイ!赤語もある!
優勝校!一番強い!
サーフィンができる!
カカーも通っていた!
素晴らしい留学生向けプログラム!
留学生がたくさんいる!
アマゾン中学
特に有名な選手は卒業していない
予算オーバー
山奥でサーフィンができない
準優勝校!2番目に強い!
ホームページは質素で緑語だけ
留学生向けプログラムはなし
留学生がいない

STEP3：「つっこみ」を入れ、修正をする

それぞれの選択肢のよい点と悪い点を書き出したら、一つひとつに対して丁寧に「つっこみ」を入れていく。やることは以下の4つじゃ。

3A：真偽を明らかにする

まずは、それが「そもそも事実なのか」を確認することじゃ。

例えば、リオ中学は「海外留学生向けのプログラムを提供している」とあるが、このプログラムが今でも本当に提供されているのか、必ず受講できるのかを確認すべきじゃ。

もしかしたら、すでに中止になっているかもしれない。もしかしたら、人数制限があるとか、テストを受けて成績がよかった子だけしか受けられないかもしれない。せっかくプログラムがあっても受けられないなら、意味がなかろう。

○と×全部について、こうして真偽を確認するのじゃ。

3B：度合いを調整する

事実かどうかを確認したら、次は度合いを調整することじゃ。

例えば、ピンキーはリオ中学の「素晴らしい」プログラムを非常に高く評価したが、本当にここまで評価すべきものなのかを確認する必要がある。

まず、「素晴らしい」と言っていたのは誰か。よく考えてみると、リオ中学自身がホームページでそう宣伝していたから。たったそれだけの理由で、素晴らしいと思い込んでいたことに気づく。

ピンキーが単純すぎるのだろうか。いや、この程度の基準で評価していることの方が多いものじゃ。だから、意識してきちんと調べて、度合いを調整する必要がある。

プログラムの評判で言えば、実際に受けた生徒の感想を聞いてみたり、教育の質を客観的に評価する第三者機関の評価を調べたりするとよい。

さらには、○と×が逆転する可能性だってあるのじゃ。ピンキーは最初、「留学生が多い」ことを○だと評価していたが、実際の意見を聞いて×だと判断したじゃろ。早く気づいてよかったのう。

ちなみに、「サーフィンができる」項目みたいな楽しそうなことには、つい評価が甘くなりがちじゃ。そもそもの目的を忘れてはならない。

常に頭と心を開いて、「本当かな」という意識を持つことが重要じゃ。

3C：自分が気づいていない○と×がないか考える・調べる

最初にリストアップした点に「つっこみ」を入れると同時に、他にも載せるべきものがないかを確認する必要がある。

リオやアマゾンの学生に聞いてみたら、想像もつかなかったような○や×が見つかるかもしれない。

3D：仕掛けることによって変えられないかを考える

○や×をそのまま受け入れるのではなく、主体的に仕掛けて変えられないかを考えるのじゃ。

例えば、○をより大きな○に、×をより小さな×に、あるいは×を○に……。ピンキーは「アマゾン中学に行くには200フィマー足りない」という×を、アルバイトをさせてもらうことで消し去った。

このように、人生は、自らの手で切り開いていくことが可能じゃ。そして、これが人生の醍醐味じゃ。癖になるぞ。

要するに、「よい点・悪い点リスト」は、きれいにまとめて整理するだけでは意味がない。ここまで「つっこみ」を入れ、調べたり、考え抜いた上で修正したりして、初めて意味をなすのじゃ。

こんな具合に、「つっこみ」で真っ赤っ赤にならないといけないのじゃ。

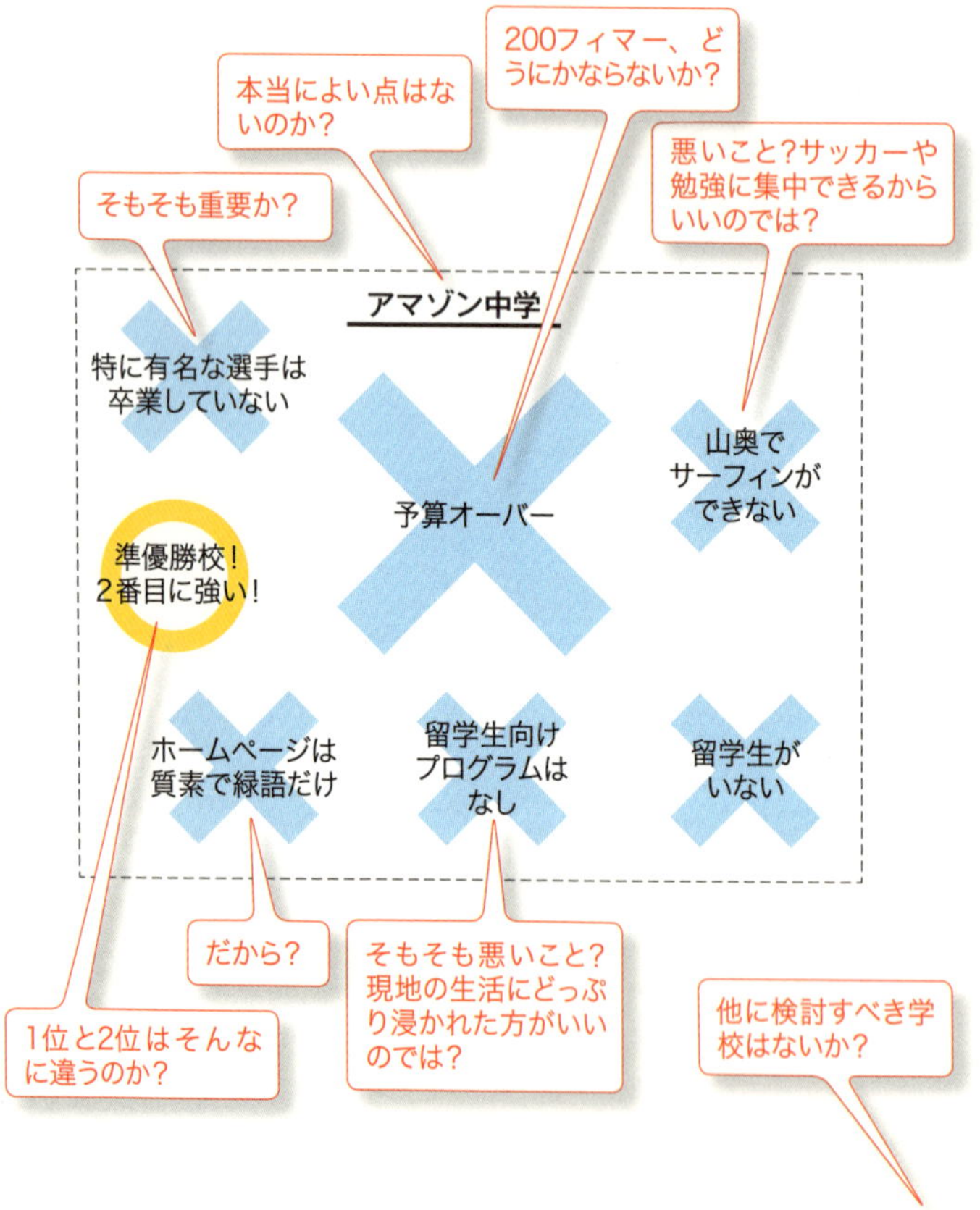
アマゾン中学
特に有名な選手は卒業していない
予算オーバー
山奥でサーフィンができない
準優勝校！2番目に強い！
ホームページは質素で緑語だけ
留学生向けプログラムはなし
留学生がいない
そもそも重要か？
本当によい点はないのか？
200フィマー、どうにかならないか？
悪いこと？サッカーや勉強に集中できるからいいのでは？
だから？
そもそも悪いこと？現地の生活にどっぷり浸かれた方がいいのでは？
1位と2位はそんなに違うのか？
他に検討すべき学校はないか？

STEP3　徹底的につっこみを入れる

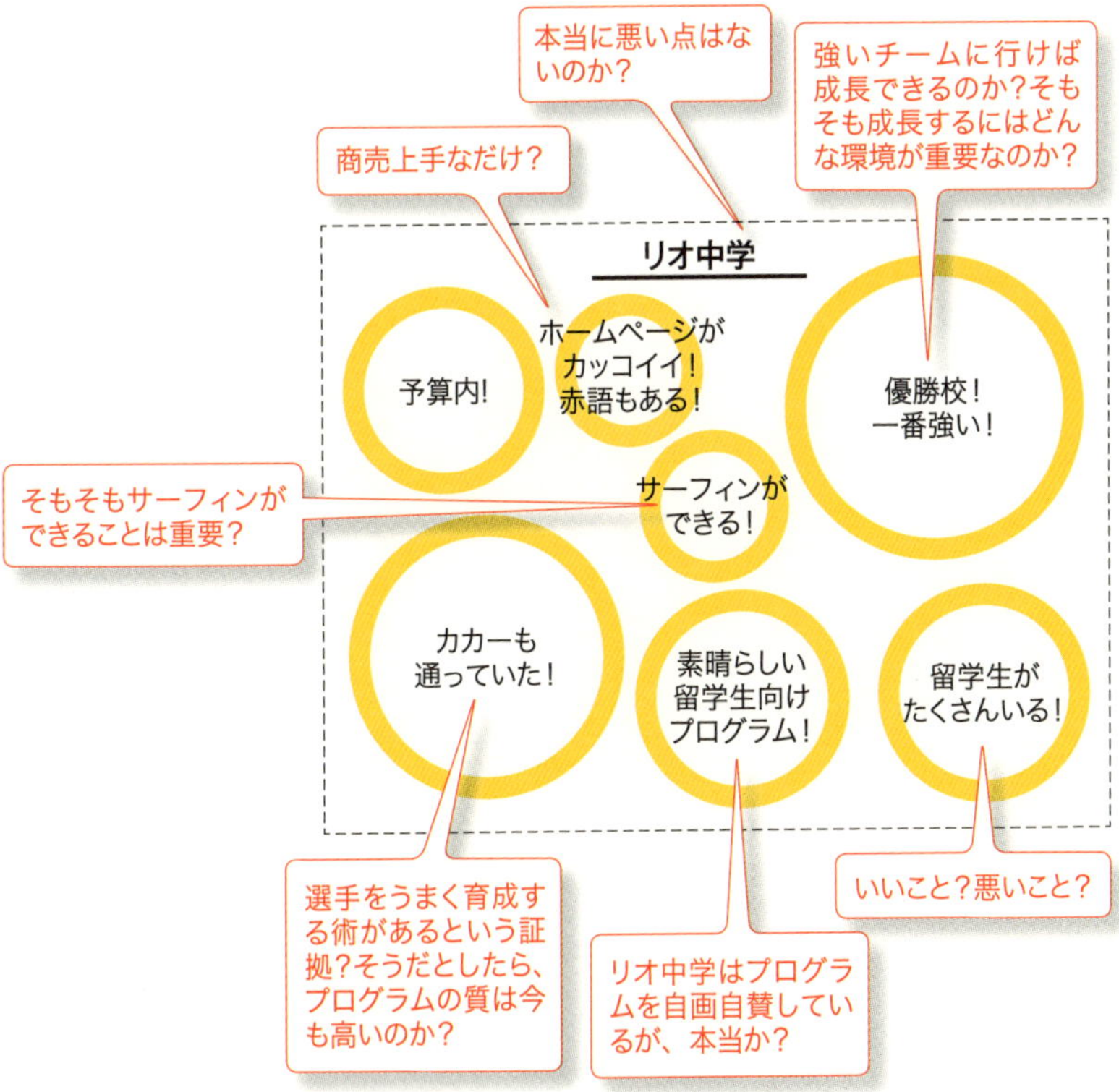
本当に悪い点はないのか？

強いチームに行けば成長できるのか？そもそも成長するにはどんな環境が重要なのか？

商売上手なだけ？

リオ中学
予算内!

ホームページがカッコイイ！赤語もある！

優勝校！一番強い！

そもそもサーフィンができることは重要？

サーフィンができる！

カカーも通っていた！

素晴らしい留学生向けプログラム！

留学生がたくさんいる！

いいこと？悪いこと？

選手をうまく育成する術があるという証拠？そうだとしたら、プログラムの質は今も高いのか？

リオ中学はプログラムを自画自賛しているが、本当か？

STEP4：天秤にかけて比較し、最も魅力的な選択肢を選ぶ

ここまでしっかりやって初めて、それぞれの選択肢のよい点と悪い点を天秤にかけて総合的な判断ができるのじゃ。

評価軸×評価シート

これも「よい点・悪い点リスト」と基本的には同じで、埋めるだけでは意味がない。「つっこみ」を入れながら、磨き上げた上で決断するのが重要なのじゃ。

STEP1：選択肢を洗い出す

よい点・悪い点リストと同じく、まずは選択肢を洗い出すことじゃ。

STEP2：評価軸を書き出す

ピンキーが一番最初の評価軸で苦労したように、「サッカー選手として成長するためによい環境がある」「バイリンガル・バイカルチャルになるためによい環境がある」といった抽象的なもの、曖昧なものでは判断もぼやけてしまう。

具体的に、どんな要素が必要なのかまで、突き止めないといけないのじゃ。

サッカー環境で言えば、

・まわりの選手のレベルが高い
・試合の経験をたくさん積める

評価軸を具体的要素にする

■曖昧な評価軸　■具体的要素

こうではなく……▶このように

こうではなく		このように
❶サッカー選手として成長するためによい環境がある	➡	❶サッカー選手として成長するためによい環境がある：Ⓐまわりの選手のレベルが高い／Ⓑ試合の経験をたくさん積める／Ⓒよいコーチングが受けられる
❷バイリンガル・バイカルチャルになるためによい環境がある		❷バイリンガル・バイカルチャルになるためによい環境がある：Ⓐ赤国からの留学生がいない／Ⓑ留学生向けプログラムの質が高い

・よいコーチングが受けられる

バイリンガル・バイカルチャル環境で言えば、

・赤国からの留学生がいない
・留学生向けプログラムの質が高い

STEP3：各評価軸の重要度を明確にする

次は、各評価軸の重要度を明確にすることじゃ。

クラゲコーチによると、「まわりの選手のレベルが高い」「試合の経験をたくさん積める」ことは、「よいコーチングが受けられる」ことより重要だった。だからピンキーは、それぞれの重要度をこう決めたのじゃ。

・「まわりの選手のレベルが高い」：高
・「試合の経験をたくさん積める」：高
・「よいコーチングが受けられる」：中

STEP4：各選択肢を質の高い情報を基に評価する

次は、各選択肢を、評価軸に基づいて評価することじゃ。どうすれば、なるべく客観的に、正確に評価できるかを注意して考えてほしい。

我々は常日頃、「なんとなく」というイメージとか、噂話とか、意図的に流された情報を信じてしまいがちじゃ。

そういう時は、リオとアマゾン両校でコーチの経験があるポコさんのように、「両方を知っているから比較できる」人であり「色のついていない」人の意見を聞くというのも手じゃな。

「リオ中学の留学生向けに開発されたプログラム」がどれだけよいものなのかを、リオ中学の「自己評価」だけでなく、実際に受講している学生の意見を聞くというのも、より客観的で、正確な評価を下すための術じゃ。

そして、評価をそのまま受け入れるのではなく、主体的に仕掛けることで、評価そのものを変えられないかと考え、行動をする姿勢が重要じゃ。ピンキーがアマゾン中学でアルバイトの口を見つけたようにな。

STEP5：総合的に判断して、最も魅力的な選択肢を選択する

ここまでやって初めて、どの選択肢が最も魅力的か判断できるのじゃ。

ピンキーの場合も、左の図の上にあるような単純な思いつきから、下のようにより具体的な情報を基に、どこに留学するべきかを判断することができた。

このような決断が積み重なって、人生には大きな差が生み出されていく。

みなさんは、上のように決めておられるかな？　それとも下かな？

ピンキーの決断の変貌

before

リオ中学サイコー！

+緑国でサッカーが一番強い（昨年度全国大会優勝校）
+カカー、リナウディなどスター選手が通っていた
+ホームページがいろいろな言語で書かれている（赤語も！）
+海外留学生向け教育プログラムを提供している
+留学生がたくさんいる（赤国からも30人）
+有名なサーフィンスポットに近い
+留学費用は年間300フィマー（予算内）

after

評価軸		重要度	リオ中学	アマゾン中学
❶サッカー選手として成長するためによい環境がある	Ⓐまわりの選手のレベルが高い	高	+++++ 素晴らしい選手が集まっている。昨年度優勝校	+++++ 素晴らしい選手が集まっている。昨年度準優勝校
	Ⓑ試合の経験をたくさん積める	高	++ 1軍しか試合に出られない	+++++ すべての選手が試合の経験をたくさん積める
	Ⓒよいコーチングが受けられる	中	++ 名の通ったコーチ陣。だが、あまり時間を割いてくれない	+++++ 有名ではないが素晴らしいコーチ陣。しっかり時間を割いてくれる
		高	+++	+++++
❷バイリンガル・バイカルチャルになるためによい環境がある	Ⓐ赤国からの留学生がいない	高	++ 30人	+++++ 0人
	Ⓑ留学生向けプログラムの質が高い	低	+++++ “よい”プログラム	+ プログラムなし
		中	+	++++
❸留学費用が安い		高	+++ 年間300フィマー	++ 働けば年間300フィマー
❹サーフィンができる		低	+++++ サーフィンスポットは歩いてすぐ	+ サーフィンスポットまで2時間

最後に、「評価軸×評価シート」に関してもうひとつ話がある。

まず、我々が判断を誤るのには、パターンがあるということじゃ。

・「選択肢にモレがあるから」
・「評価軸が間違っているから」
・「評価・情報が間違っているから」

要するに、常にこの3つの問いかけを意識しておくことが重要じゃ。

例えば、ピンキーは、「リオ中学」と「アマゾン中学」しか検討しなかったが、緑国の中だけでも他にも学校はあるし、さらに言えば、黄国、紫国などにももっと魅力的な留学先があったかもしれない。

決断というのは、最終的には自分でしなければならないもの、自分で責任を負うべきものだ。しかし、決断を下すまでは、い

3つの問いかけ

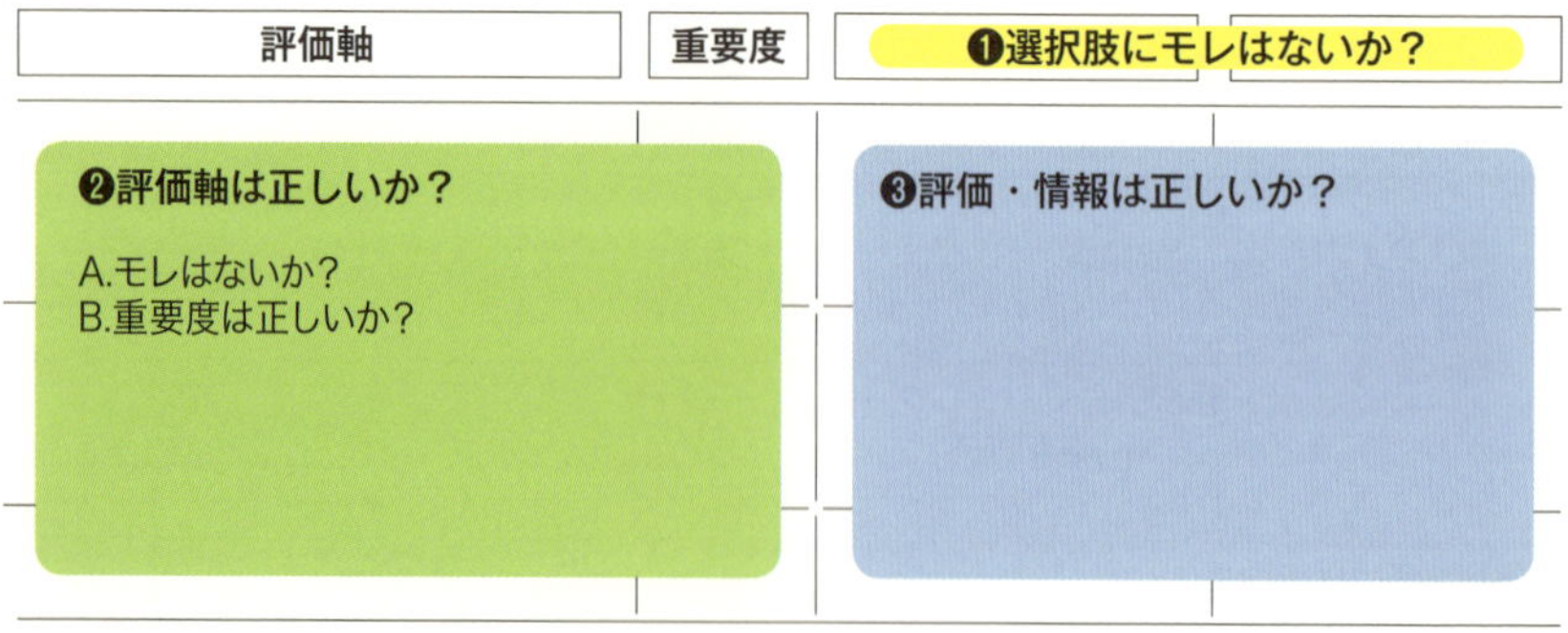
評価軸
重要度
❶選択肢にモレはないか？
❷評価軸は正しいか？
A.モレはないか?
B.重要度は正しいか?
❸評価・情報は正しいか？

ろんな人の手を借りるべきじゃ。

ピンキーの例で言えば、ブーが「アマゾン中学」という選択肢を広げてくれた。パーが「バイリンガル・バイカルチャルになる環境」も重要なことを教えてくれた。マーが「そもそも留学する目的は何なのか、それを満たす評価軸は何なのか」を再確認する重要性を気づかせてくれた。

クラゲコーチが「サッカー選手として成長するために必要な環境」とはどのようなものかを教えてくれ、ポコさんが両校を比較し、評価してくれた。

そして、リオ中学の留学生3人が「バイリンガル・バイカルチャルになるために必要な環境」と「リオ中学の留学生向けプログラムの質」についての現実を教えてくれた。

ひとりで悩まず、いろいろな人の助けを借りる

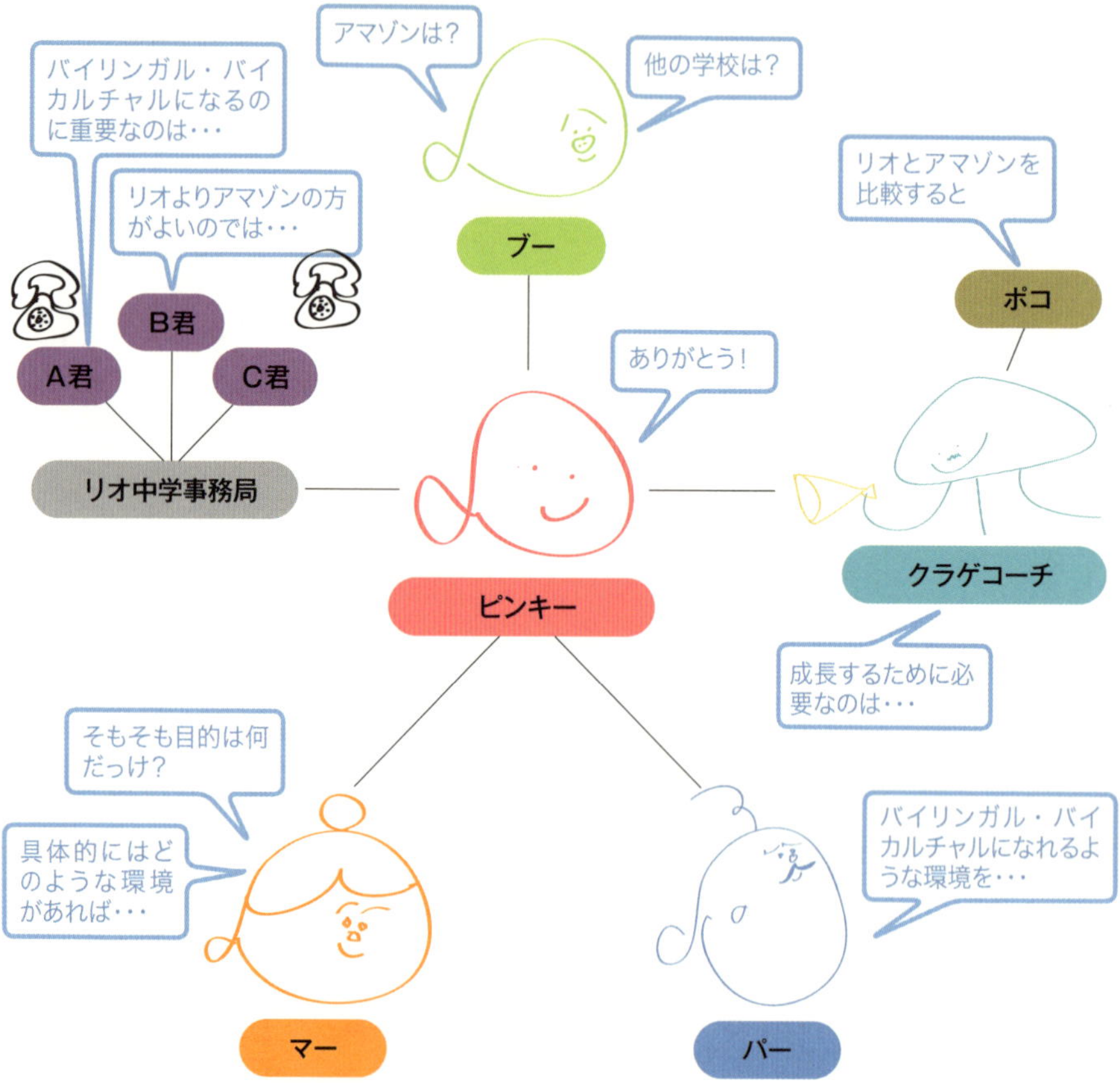

評価軸を具体的要素にする

いろいろな人の助けを得て、よりよい判断ができる

マー　評価軸		重要度	リオ中学	アマゾン中学
❶サッカー選手として成長するためによい環境がある	Ⓐまわりの選手のレベルが高い	高	+++++ 素晴らしい選手が集まっている。昨年度優勝校	+++++ 素晴らしい選手が集まっている。昨年度準優勝校
クラゲコーチ	Ⓑ試合の経験をたくさん積める	高	++ 1軍しか試合に出られない	+++++ すべての選手が試合の経験をたくさん積める
	Ⓒよいコーチングが受けられる	中	ポコ ++ 名の通ったコーチ陣。だが、あまり時間を割いてくれない	+++++ 有名ではないが素晴らしいコーチ陣。しっかり時間を割いてくれる
		高	+++	+++++
❷バイリンガル・バイカルチャルになるためによい環境がある パー	Ⓐ赤国からの留学生がいない	高	++ 30人	+++++ 0人 ブー
	留学生３人 Ⓑ留学生向けプログラムの質が高い	低	+++++ "よい"プログラム	+ プログラムなし
		中	+++	+++++
❸留学費用が安い	ホームページ		+++ 年間300フィマー	++ アマゾン中学 働けば年間300フィマー
❹サーフィンができる	ホームページ		+++++ サーフィンスポットは歩いてすぐ	+ サーフィンスポットまで2時間

ピンキーは、ひとりで決断するための材料を集めたのではなく、多くの人に助けられて集めたのじゃ。

経験していないと見えないことがある。しかし、経験のある人からアドバイスをもらえば、新しい評価軸の重要性に気づくかもしれない。

一人ひとりが持っている情報など限られている。他人の持っている情報や経験を借りて生かせば、よりよい評価ができる。

選択肢もひとりで考えるとたいして出てこないが、いろんな人に聞けば、気づかなかった魅力的なものが見つかるかもしれない。

他人が持っている経験、情報を生かして決断をすることで、よりよい判断ができるのじゃ。

ここまでの「よい点・悪い点リスト」「評価軸×評価シート」は、「考え方」についての話じゃった。

最後の3つは「生き方」に関してじゃ。もう少しだけ、お付き合いくだされ。

差を浮き彫りにする

絶えず進化して行くために重要なのは、差を浮き彫りにするということじゃ。

差を感じないと、なかなか変わろうという気にならない。点火しない。

変われない場合の多くは、「変わるためには何をしていいかわからない」のではな

「変われない」のはなぜ？

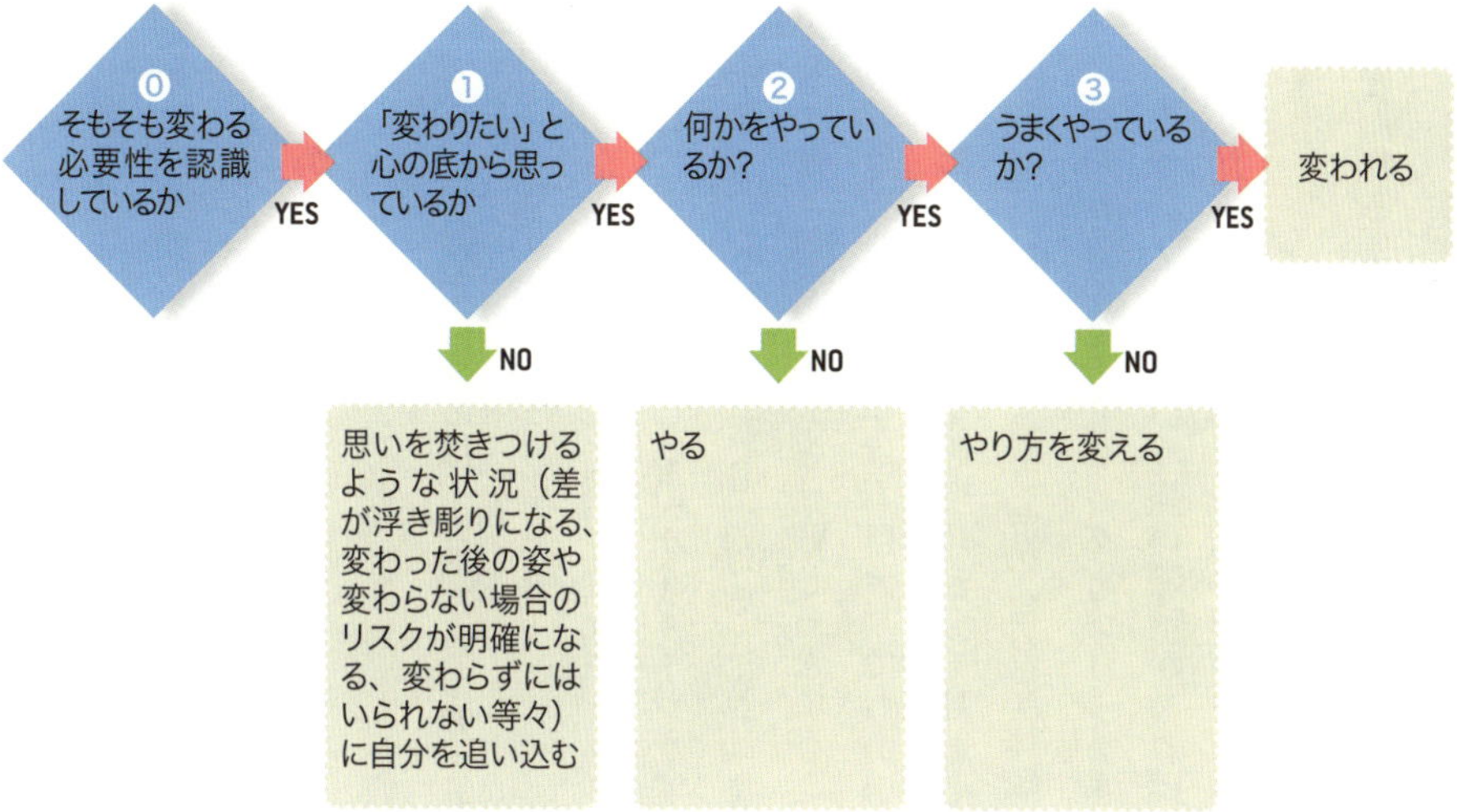

⓪ そもそも変わる必要性を認識しているか
YES
① 「変わりたい」と心の底から思っているか
YES
② 何かをやっているか?
YES
③ うまくやっているか?
YES
変われる
NO
思いを焚きつけるような状況（差が浮き彫りになる、変わった後の姿や変わらない場合のリスクが明確になる、変わらずにはいられない等々）に自分を追い込む
NO
やる
NO
やり方を変える

く、「そもそも本当に変わりたいと思っていないから」なのじゃ。

　ピンキーの場合、海外遠征でいろいろな国と試合をして初めて、緑国のプレイヤー、そしてブーとの間にものすごい差があることに、気づいた。

　そして、初めて「変わりたい」という願望が内側から湧いてきたのじゃ。

このように、「差を感じる機会」を自ら積極的に、絶えず生み出していくことが、成長していくためには重要じゃ。

みなさんが最近、自ら「仕掛けた」のはいつだったかな？


さらに、差というのは、「他」との差でも、「自分」との差でもよい。

すごい人に接すると自分の位置づけが明確になるし、どれだけすごいのかイメージが湧くから、「変わりたい」願望を焚きつけることができる。

じゃが、何でも他人と比較しろということではない。差を感じる相手は「自分」でもいいのだ。

例えば、過去の自分と今の自分を比較してみる、自分がなりたい人物像と今の自分を比較してみる。自分がどうありたいかのイメージが鮮明にあり、そうなりたいという強い願望があれば、自らを引き上げることも可能なのじゃ。

進化したいなら、差が浮き彫りになる機会をどんどん作るとよい。

差を明確にする

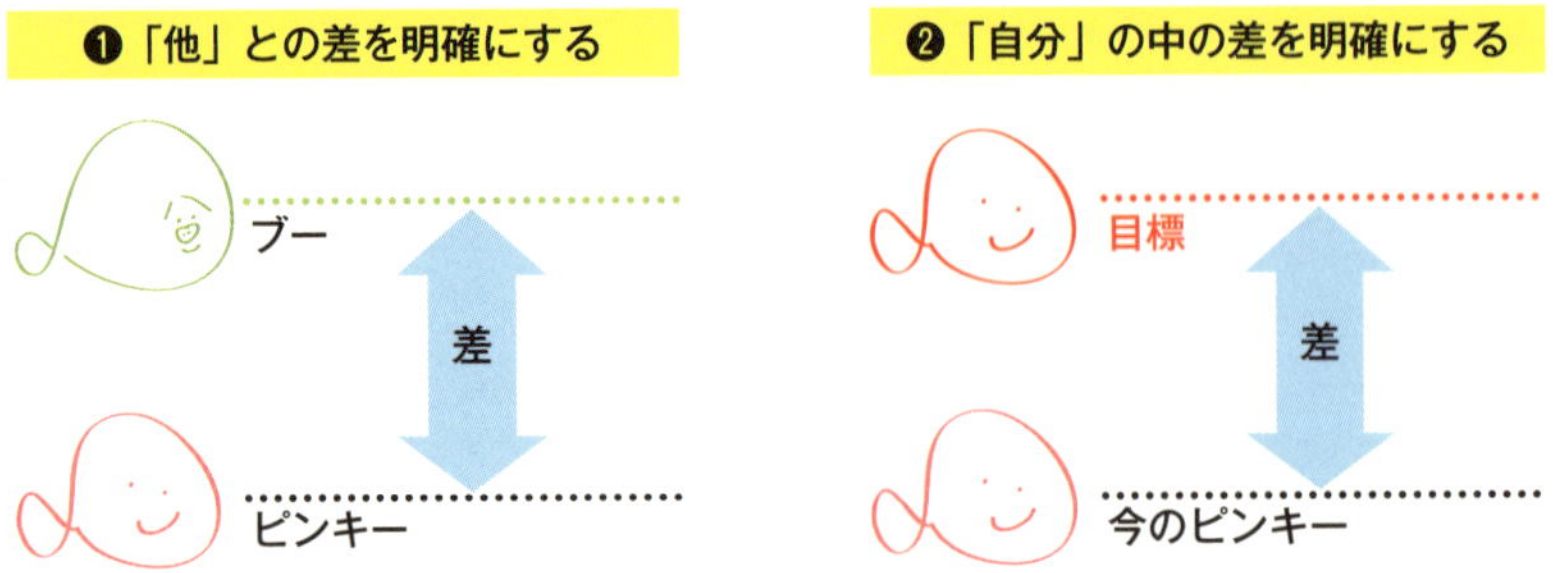
❶「他」との差を明確にする
ブー
差
ピンキー
❷「自分」の中の差を明確にする
目標
差
今のピンキー

すごい人に出会える環境に、どんどん飛び込んでいくとよい。

ただし、他人と比較ばかりして、自分の至らなさに落ち込んだり、嫉妬して他人の足を引っ張ったりしては絶対にいかん。比較は、負の方向ではなく、前向きに変わっていくためのきっかけにしなくてはならない。

他人との「差」を浮き彫りにするのは、あくまで自分が「変わりたい」という願望を感じ、変わるために前向きに行動を起こすためじゃ。

等身大の自分を受け入れると、他人との比較から自由になれる。

持って生まれたものをそのまま受け入れ、それをできるだけ引き出す。

そうすれば、自分の力が、少しずつでも、確実に進化することを楽しめる。

我々は本来、そんなふうにうまくできているのじゃ。

プリズムを外す

もうひとつ重要なのは「プリズムを外す」ということじゃ。

プリズムはレンズみたいなものでな、入ってくる光を弾いたり、屈折させたりしてしまう。

ピンキーが緑国に負けて「調子が出なかった」と謝った時、クラゲコーチがあんなに怒った理由は、そこにある。防衛本能を働かせてしまい、起きたことをありのまま純度高く受け入れていないと感じたからじゃ。

何かがうまくいかない時、その現実を「調子の問題」で片付けてしまうのか、真正面から受け止めて、根本的な原因を直視するのとでは、その後の進化のスピードも断然変わってくる。

他人から注意される時、叱られる時も同じじゃ。

「お前に言われたくないよ！」「うまくいかなかったのは、まわりがいけないんだよ」なんてことが、頭に浮かんでいないだろうか。

防衛本能が過度に働いて、自分に非があったなどとは考えもしない。そうなったら、いろんな意味で、「おしまい」である。

成長も「おしまい」。

誰も何も言ってくれなくなるという点でも「おしまい」。

反対に、まっすぐその言葉を受け入れて「どうすれば二度と過ちを起こさないようになれるだろう」と前向きに吸収しようとする人もいる。

「誰かが不快に思っていること」「好ましくないと思っていること」はまぎれもない事実として真摯《しんし》に受け止める。

「誰のせい」と犯人探しを始める、「お前はどうなんだよ？」と反撃するなどという無駄なことは一切せず、「次はどうすればもっとうまくいくか」「自分にできる最善のことは何か」に時間を割くのだ。

こんなことで、大きく変わってくるのじゃ。

どちらのスタイルを選ぶかはみなさん次第じゃが、選んだ結果どうなるかは、しっかり理解した上で選択してほしい。

誰にでも、防衛本能や知識や体験から生み出された偏見が、まぎれもなくある。そのために受け入れたくない情報を弾いてしまったり、都合のよいように解釈してしまいがちじゃ。

まずは、そのことを自覚し、何かあった時に気づけるような習慣を作ることから始めてほしい。

プリズムを捨てるのじゃ

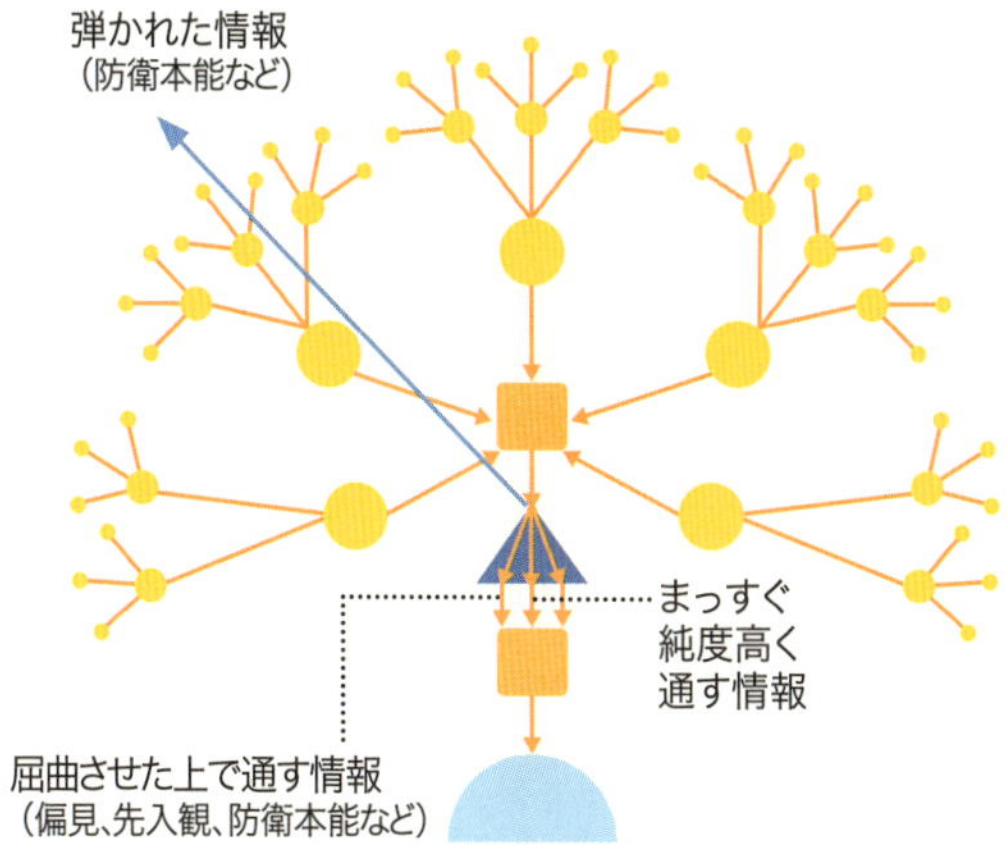

弾かれた情報
（防衛本能など）
まっすぐ
純度高く
通す情報
屈曲させた上で通す情報
（偏見、先入観、防衛本能など）

一歩踏み出す、たたみ込む

ピンキーも、最後は少しずつ「たたみ込む力」が高まってきたが、やっぱりブーはすごいのぉ。思ったらすぐやりよる。

ピンキーとブーの間に、成長のスピードの差が出てくるのも当たり前の話じゃ。「たたみ込む力」が格段に違うのじゃ。

まず、「思う（！）」。問題意識があるので、日々生活する中で、これが問題だ、これをやった方がよい、と感じることが頻繁にある。

そして、「必ずやる（DO/!）」。思ったら、必ず行動に移す。

しかも、「すぐやる（DO-speed）」。そのスピードがすごい。

さらに、「ちゃんとやる（DO-impact）」。やるとなれば必ず、納得がいく形になるまでやる。

ピンキーが1週間に1回思う（！）のに対し、ブーは1日3回。そのうちピンキーが行動に移す（DO/!）のが20回に1回なのに対して、ブーは、10回中9回。

ピンキーは重い腰を上げてやるまでに（DO-speed）、数日から数週間、時によっては数カ月かかるのに対して、ブーは0・0001秒。

そして、ピンキーが仮にやった（DO）としても「こんなものでいいかな」と適当

たたみ込む力の差

	ピンキー	ブー	差
思う❗	1週間に1回（年間52回）	1日に3回（年間1095回）	1043/年
必ずやる Do/❗	20回に1回（5%）	10回に9回（90%）	85%
すぐやる Do-speed	1週間、数カ月	0.0001秒	（1週間、数カ月）対（0.0001秒）
ちゃんとやる Do-impact	「こんなもんでいいかな」	「職人のように毎回納得がいく形で」	10-20倍

Doの差
983回/年

だが、ブーは職人のように毎回「納得がいく形」になるまでやるため、その質は10倍も20倍も高い（DO-impact）。

すると、1年当たりにやる(DO)回数は983回も違ってくる。

その上、やる質の高さ（DO-impact）が10〜20倍も違えば、大きな差ができるのも当たり前じゃ。

これは才能というよりは、習慣の問題なのだ。

当たり前の話だが、思っていても、たたみ込まないと、意味がない。

例えば、リオ中学に留学生を紹介してもらえないか、リオ中学に問い合わせるシーン。ブーの基本姿勢は「やってみよう」。対してピンキーは、「そんなの絶対無理だよ」だった。

この「無理だよ」を「とりあえず、やってみよう」に切り替えてほしいのじゃ。この積み重ねで大きな差が出てくるのじゃ。

ブーは、何でも意義がありそうであれば、とりあえずやってみる。それに対してピンキーは絶対にうまくいくものにしか手を出さない。

しかし、この世には絶対にうまくいくものなど、ほとんどない。

毎回100点などいらない。打率3割だっていらない、1～2割当たればもうけもの、ぐらいの気持ちで、どんどんやってみることが重要じゃ。

「悩む」と「考える」は違う。悩むな、考えろ、どんどん行動しろということじゃ。

まぁ、いろいろ言ったが、本当にピンキーは人に恵まれているな。彼らがいつまでもいてくれればいいのじゃが……。

では、ジジイの話はこのへんにしておくかの。

第2章

新しい環境、新しい自分

ピンキーが緑国に来て、3カ月が経った。

あふれんばかりの刺激を一気に受け、気づいたことや感じたことをまだ咀嚼《そしゃく》しきれていないが、芯から何かが揺さぶられていることだけは確かだ。

では、どのように揺さぶられ、何を想い、どのような生活をしているのか。

そんなピンキーの奮闘ぶりをちょっと覗いてみようか。

そりゃあ、大変だよ

そりゃあ、異国の地でひとり生活するのは大変である。

何も理解できない。

何も伝えられない。

右を見ても、左を見ても、ずっとCNNがかかりっぱなしのようなもの。しかも、字幕なしである。字幕さえあればだいぶ違うのだが。

何か伝えようとすれば、相手は首をかしげるか、気を使って愛想笑いをしてくれる

か、発音の悪さをあざ笑うかのどれかだ。

仮に理解でき、伝えられても、共通の話題はない。見てきたテレビ番組も、映画も、読んできた本も漫画も違う。笑いのツボが違う。

誰もピンキーのことなど知らないし、もちろん、誰も寄ってこない。ずっと幼なじみに囲まれて育ってきたピンキーにとっては衝撃だった。

みんなのことを知っていること、みんなに知られていること。昨夜のテレビや5年前の出来事で笑い合えたこと。すべてが当たり前だったのに……。

ある日のお昼。食堂のテーブルで給食を食べていたら、風船のように体がパンパンに張った筋肉モリモリボーイがやって来た。

ピンキーは、「こんにちは！」と元気に挨拶し、隣の席を空けようとして、テーブルの上に置いてあった自分のカバンを床によけた。

ふと顔を上げると、あっという間に筋肉モリモリ軍団10人に囲まれていた。

どうやら、ここは彼らの縄張りのようだ。正式な席順がなくても、陣地が分かれていたのだ。暗黙の「国境」など、異国の地から来たピンキーに見えるはずもない。

ピンキーは「ごめん」とあわてて席を立った。

とはいえ、ほかに空いているテーブルもない。静かに食事をしていたふたりのところに「すみません」と頼むと、笑顔で受け入れてくれた。

（あぁ、やさしい人もいるんだ）と思って給食を食べようとすると、いろいろ話しかけてきた。

ピンキーはふたりが何を言っているのかまったく理解できず、愛想笑いをしていると、言葉が通じないことに気づいたようで、やがて会話はなくなった。

翌日、同じ席に座ろうとした瞬間、ドカッとカバンを置かれて阻まれた。

「……」

その子たちは、何もなかったように給食を食べ続ける。

「あ、ごめんね。誰か来るのかな」。ピンキーは赤語でつぶやきながら立ち去った。こんな体験は生まれて初めて。えらいこっちゃ……と思った。


サッカーも散々だった。みんな、めちゃくちゃうまかった。

ピンキーも俊敏さや技術面では捨てたものじゃないが、他のフォワードは体格がいいし、勝負する時の執着心やタフさが半端じゃない。命がけでサッカーをやっている。

ピンキーは、アマゾン中学でもちろん3軍。その中でも、下の下。部員47名にあえてランキングを付けるとすれば、断トツ異議なしの47番だ。

「なんでこんな下手くそがこのチームにいるのか。」

「なぜ俺がこんな下手くそと一緒に練習をしないといけないのか」

と、露骨に態度にも、言葉にも出す輩《やから》もいる。

年度が始まって3カ月も経たないうちに、すでに3人がチームから離脱した。もうついていけないと、あきらめたのである。しかもその選手たちは、ピンキーより明らかにレベルが上だった。

しかし、ピンキーは帰るわけにいかないのだ。

そして、学業。パーと「サッカーと学業を必ず両立させる」と約束を交わして来たが、こちらは壊滅状態だ。

言葉の負担の少ない理数系の授業でさえ大変。ほんの数行の設問や解説を理解するにも、いちいち辞書と格闘しないと始まらない。

もちろん、授業での解説なんぞ理解不能。国連みたいに、同時通訳が流れるイヤホンがあったらいいのに……。

サッカーだけでもへし折れそうなのに、学業と私生活も崖っぷち。ピンキーの前に大きな壁が立ちはだかったのである。

親身になって支えてくれるブーはいない。愛情をもって導いてくれる両親も、厳しく叱ってくれるクラゲコーチもいない。

抜け道を探すなり、正面から壁をなぎ倒すなり、どうにかしなければならない。すべては自分ひとりにかかっているのだ。

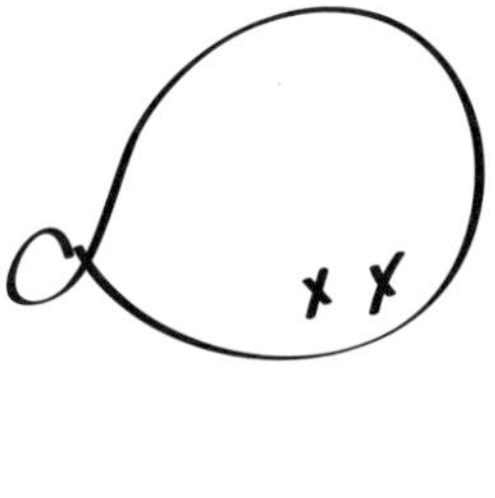

「ピザが1枚もなくなる国」対「1枚必ず残る国」

そして、ピンキーはさまざまな文化の違いに直面している。

今日も練習の最後に、グランドに散乱したボールを一つひとつ拾い歩いている。

この国の選手たちは、使ったボールを片付けずにやりっ放しという子も多い。「誰かがやってくれるだろう」とまったく意に介さず帰ってしまうことがよくある。

赤国では「適当代表」だったピンキーさえ、この国では「実直」で「勤勉」なタイプに映る。

でも、こうしてボールをひとりで拾っていても苦にならなかった。不思議と落ち着くぐらい。その日の練習を振り返るよい時間にもなっているのだ。

少しずつではあるが、こっちに来てから、まわりのことは気にせず、自分の思うことをただ愚直に続けられるようになってきた。

（ブーはいつもこんな感じだったのかな）と、ふと思った。

「ピィンキィーチヤン！　アーソボウヨウウッ！」

「ヨウヨウ！」

振り返ると、チームメイトのライとレフがいた。このタコの双子は最近、家で一緒に遊ぶように声をかけてくれるようになった。

ピンキーが教えてあげた赤語が面白かったのか、ふたりは腹を抱えながらゲラゲラ笑っている。陽気な、チームのムードメーカーだ。その存在とユーモアだけでチームの雰囲気を明るくし、楽しくしてくれる。

「今日は、うちでゲームしない？」

レフが、今度は緑語で叫んだ。

ピンキーは、まだ緑語を完璧に理解できないが、相手の表情や手振り身振りと組み合わせれば、日常会話なら少しわかるようになってきた。

「うん！」と嬉しそうにうなずいて、ついていった。


家に着くと、双子はカバンをほっぽり投げて早速ゲームを始めた。

しばらくすると、お母さんが、「みんな、お腹空いているでしょ？」と、ピザとコーラのドでかいペットボトルを差し入れてくれた。

温かいチーズとパン生地のよい香りが漂ってくる。

ライとレフは「ピザ！　ピザ！」と一瞬横目でチラッと見ながらも、夢中でゲームを続けている。ライが「ちょっと中断しようか？」と言うと、「ダメダメ、続行！」とレフが叫んだ。

ピンキーは、ふたりが何を言い合っているのか聞き取れなかったが、ゲームをしながらピザを食べたいのかなと察して、ボックスを開き、ナプキンを取り出し、コーラを人数分コップに注ぎ始めた。

「ここに置いておくね」と言って近くに用意してあげると、双子は画面に釘付け、2本の手でコントローラを操ったまま、「サンキュ」と言ってもう1本の手でピザをほおばり、もう1本の手でコーラを飲み始めた。

(同時に3つのことできるなんて器用だな。サッカーもうまいわけだ)

ピンキーはとことん感心した。ライはフォワード、レフはミッドフィルダー。ふたりはアマゾン中学のエースプレイヤーなのだ。

思い出したように、「グ〜」とお腹が鳴った。

(練習で走りまくったから、腹ぺこだ。僕もピザをいただこうかな)

ピンキーがピザのボックスに目をやると、すでに1枚残らずなくなっていた。

ふたりはどうやら、ピンキーが1枚も食べられなかったことに気づいていない。自分たちのためにコーラを注いでいる間に食べそびれてしまったことにさえ。

育ち盛りのピンキーのお腹が、空しく音を立てた。


こんなことは緑国では、日常茶飯事だ。

「遠慮の固まりのピザが1枚残る赤国」と「気づかぬうちにピザが1枚残らずなくなる緑国」。

ピンキーは、この時初めて、赤国の価値観が必ずしも世界の常識だとは限らないことに気づいた。

そして、これまで「自分の価値観」だと思っていたことが、実は自ら意識して選んだものではなく、単に生きてきた環境の価値観をそのまま受け入れていただけだということに気づいた。

どうやら、自分の価値観、そして自分の「憲法」をゼロから築き上げていく必要がありそうである。


ピザのことも、小さいけれど「文化の違い」のひとつである。

文化の違いに合わせて自分のスタンスを変えるのか、それとも変えないのか。ピンキーは決断を迫られている。

このままどこへ行っても遠慮しているのはなんだし、かといって、みんなに合わせて我先にと競ってピザに手を伸ばすのも性に合わない。どうしたものかと悩みつつ、数カ月はお腹がグーグー鳴り続ける生活を送った。

しばらくして、これではこの国では生き抜けないと決心し、ちゃんと「1枚だけ」はいただくことにした。空腹を最低限満たすには、1枚で十分だ。残りは、競ってでも食べたい人たちに譲ると決めたのだ。

これはピンキーの美意識である。環境の必要性と照らし合わて、自分で意識的に決めたのだ。

ピンキーは自分の「憲法」を一条書いたのである。

だからといって、緑国の人々が「自己中心的」で「冷たい」のかというと、そんな単純な話ではない。

例えば、この双子は、言葉もしゃべれない、知り合いもいないピンキーに最初に声をかけてくれ、遊び仲間に入れてくれたのだ。

そしてある日、遠征帰りにチームメイト全員に向かってレフが話し出した。

「みんな聞いてくれ！　赤国から留学してきたピンキーだ。発音が悪くて何言ってんだかわかんないし、笑ってうなずくだけだけどさ。って、いいとこないじゃん。ライ～、何かない？」

「サッカーもイマイチだしなぁ。まだ1点も入れてないもんな」

「それ言っちゃおしまいでしょ」

レフもライもゲラゲラ笑い出した。

「でも、すごくいいやつだよな？」とライ。

「それは間違いない。俺が保証するよ！」とレフ。

「まぁ、みんなかわいがってやってよ」

ピンキーは事態をよく飲み込めなかったが、その場の雰囲気にはどこか温かみがあり、ふたりから肩を組まれて拍手喝采を浴びたことだけはわかった。

その日からチームメイトの対応がガラッと変わり、少しずつ話しかけてくれるようになった。ライとレフは、そんな思いやりがあるふたりなのだ。


赤国では、個々が配慮して阿吽《あうん》の呼吸で調整し、みんなに同じ数だけピザが渡るようにする。目上の人やお客様には、より多く渡るように配慮する。

緑国では、個々が自分の意志を貫けば、自然にうまく分配されるというのが基本的な考え方だ。これは善しあしではない。それぞれのやり方なのだ。

では、その中で自分はどうするのか。

自分のスタイルを変えるのか、変えないのか？　それとも、緑国では緑国のスタンス、赤国に戻ったら赤国のスタンスというように、その場に合わせて変えるのか。

中学生のピンキーにとっては、なかなか難しい問いである。この悩みを理解してくれる仲間もいない。譲るもの、譲らないものを一つひとつ自分で決めていくしかない。

こうして、自分の憲法をゼロから書き上げる日々が始まった。
そして、己れに問いかけた。
赤国と緑国、どっちつかずの考え方を持つようになってしまうのか。それとも、国を超越してどちらでも通用する考え方、あり方があるのか。
ピンキーは、超越するものは何かを問いかけながら、自分の憲法を書き上げていったのである。

「大きいこと」にやたらこだわる国

もうひとつ気づいたのは、緑国の男の子たちは、やたら「大きいこと」にこだわるということだ。筋トレしすぎて肩が盛り上がり、腕が曲がっているように見えるほど。モリモリして、実に歩きにくそうである。

威嚇《いかく》するためか、女の子にモテるためか。ピンキーは、大きく襟を広げて相手を威嚇するエリマキトカゲや、精一杯羽根を伸ばして求愛ダンスをするコウロコフウチョウを思い出した。これは動物の本能なのだろうか？

面白いのは、あんなに筋肉をつけているのにもかかわらず、まったく運動神経がない子もたくさんいることだ。使うためではなく、

見せるための筋肉。ピンキーにとっては新鮮だった。
しかも「大きくなる」作戦はそれなりに効くようで、モリモリくんに黄色い歓声をあげる女の子グループもいた。

ある夜更け、ピンキーは夕飯後の食器洗いの後、寮の地下にあるトレーニングルームに行った。誰もいないだろうとノックせずにドアを開けたら、分厚い眼鏡をかけたガリ勉のガリオが、鏡の前でポーズを取っていた。か細い両腕をプルプルさせて力こぶを作っている。

これは、相当恥ずかしかったようだ。ガリオは顔を真っ赤にして、「あーぁ。もう1時か。眠い、眠い」と、伸びをするふりをしてごまかした。

ガリオは勉強が得意で授業中はやたらと手を挙げ、他の人が少しでも筋違いのことを言うとバッサリ切り捨てる。でも、体育の授業では隅で縮こまる運動が苦手なタイプ。そんな子でも筋トレをする国なのだ。

ピンキーが来たあとも、ガリオは鏡をチラチラと見ては、にやりとしている。しかも、分厚い物理の本まで持ち込んで、トレーニングの間の3分のインターバルも無駄にせず、読書に充てている。

実に、効率を追求する生き方だ。

では、ピンキーも「大きくなる」ことにこだわるべきなのか？

この問いに関しては、1秒も悩まなかった。目指すべきは、本質的な大きさであり、強さである。肉体面にしても、サッカーに必要な筋肉をつけることだけに集中すればよいと再確認した。

ただ、ひとつだけ心配があった。ピンキーには気になっている子がいて、その子がモリモリ好きだったらどうしよう、ということだった。

翌日、ピンキーが学校でガリオを見かけると、彼はさっと目をそらし、下を向いて足早に脇を通り過ぎて行った。

自分を過剰にアピールする国

「ピータンくん」

「はい！」

呼ばれた生徒は元気よく返事をして成績表を受け取りに行く。あっという間に、1学期の終わりを迎えようとしている。

こんなことは初めてだ。ピンキーは、成績表を見るのが待ち遠しかった。

よい成績が取れるどころか、ほとんどが落第点かもしれない。それでもやることはすべてやったと一分の隙もなく思える爽快感、その心地よさを初めて体感したのだ。

国語や歴史はおろか、理科や数学の設問の意味すらわからないところからスタートした。宿題も深夜まで緑赤辞書を引き引き挑んだ。それでも3割もわからない。試験で辞書を使っていいと許可が出たほどだ。

順番を待ちながら、そんな思い出が脳裏によみがえって満たされた気分になった。

どんなささいなことでも「今回は頑張った」と胸を張れる時、充実感が湧いてくる。結果が、一般的にはイマイチでも、やれることをやりきれば、何物にも代えがたい満足感を得られるのだ。ピンキーはそんな心境に至る心地よさを知り、そう居続けられることを自然に欲するようになってきた。

とうとう、ピンキーの名前が呼ばれた。幸せな気持ちで成績表を受け取ると、先生も温かい笑顔を返してくれた。

成績表は、「C」の嵐。だが、2つだけ「B」があった。ひとつはクラスの担任が教えている理科の授業。もうひとつは、歴史の授業だ。

ピンキーは、めちゃくちゃ嬉しかった。

正直、「B」はそれほどの成績ではないし、「D」が落第点だから、「C」は落第すれすれである。しかしピンキーにとっては、深い意味がある。生まれて初めて自分の力で、しっかり努力した上でつかんだ「勲章」なのだ。

すると、右隣のチェルシーちゃんが美しい髪をなびかせて、チラッとこっちを見た。肌が透き通るように白い。

「チェ、チェルシーちゃん……」

ピンキーは目が点になった。（うわ、かわいい……）

チェルシーは自分の手元にある紙を見ては、こちらを見る。どうやら、気にかけているのは、ピンキーの成績表。自分の成績表と比べているようだ。

すると、口をパカッと開け、急に不機嫌な顔をした。

「先生！　お話があります！」と成績表を机を叩きつけた。

「あぁ、ちょっと待ってね」。先生は困ったように返事をして、引き続き生徒の名前を読み上げた。

チェルシーは、隣のエミリーにヒソヒソと話し始めた。

「あいつ、理科Bだって。おかしくない？　言葉もろくに話せないのにBなんて取れるはずないわ！　辞書に答えを書いて試験を受けたに決まってる！」

「うわ、ひどいね」。エミリーも、まるで容疑者を見るような目つきだ。

ふたりがこちらをチラッと見た時、ピンキーは目が合ってしまった。

ピンキーは何も悪いことはしていないのに、愛想笑いをするしかなかった。

悲しいのは、授業の話はあまり聞き取れないのに、この子の言った悪口だけはしっかり理解できてしまったことだ。いっそわからない方がよかったのに。

しかも、かわいいチェルシーちゃんがいるからこそ、もう無理という時にあと一歩踏ん張れたのに。いつもより2割増しで頑張れたのに。

ピンキーは、ドーンと落ち込んだ。

授業の後、チェルシーは、黒板を消している先生にすぐさま駆け寄った。

「先生、なんでこのピンク魚が、私より成績がいいわけ？　何言っているかわかんないし、こっちの話も理解できないのに？　それより私が下ってこと？」

「いやいや、ピンキーは筆記もよかったし、実験も頑張っていたじゃないか」

すると、チェルシーは、ピンキーが小脇に抱えている緑赤辞典を指差して、苛立ちを露わにして続けた。

「先生は騙されているのよ！　辞書に答えを書いておいたに決まってる！　じゃないと、Bなんて取れるわけないじゃない！」

「そんなことないよ。ピンキーは、設問さえ理解できない時があるから、辞書を使っていいと私が許可したんだ」

「先生。私はCではなくB、いやAをもらうべきです。試験の平均は75点ですが、素晴らしい発言で授業に貢献しています。例えば、あの授業の時……」

すごい迫力だ。いかに自分が素晴らしいか、どれだけAをもらう権利があるかを延々と主張している。

すると、先生が途中で遮って、「ピンキー、気にしないでいいから行きなさい。次の授業に遅れるよ」と促した。

しかし、ピンキーはここでも考えさせられた。緑国では、このぐらいアグレッシブにアピールしていかないと、生き残れないのかと思った。

もちろん、彼女が行き過ぎている面もある。たった数人の特性で、国の文化を語ってはならない。

とはいえ、底流に文化の違いの種があることも確かだ。緑国では、基本的に、自分を積極的にアピールする。納得がいかなければ、徹底的にオープンに意見を言い合い、納得いくまで議論し合った上で折り合いをつけるのだ。

こんな例は、サッカーでも学業でも普段の生活でも、よくあった。あることないこと含めて自分を最大限にアピールする者が多い中、ピンキーは自分のことを何も語らないので、チャンスを失ってしまうのだ。

ピザの話にも通じるかもしれないが、譲り合ってうまく成立するのが赤国、主張し合ってうまく成立するのが緑国である。

しかし、ブーに冗談で言うのは別として、自分をそこまで押し出すのは、ピンキーの美学に反する。普段の生活でも常に、アピールと交渉のオンパレードでは、性に合わないだけでなく、ちょっと疲れてしまうとも思った。

しかし、これはこれで、確かにひとつのやり方だ。

赤国の阿吽の呼吸にしても、言いたいことや議論したいことをオープンにしないいため、陰湿な形になってしまうこともある。そういう面では、緑国のやり方は開けっ広げで、ある種の爽快感がある。

（うーん、どうしたものか）。ピンキーはこの件では、かなり迷った。

しばらくすると迷いが吹っ切れ、「僕は等身大で行こう」と決めた。

ピンキーは、自分ができることをしっかりアピールするのも時には重要だと決めた。

しかし、ありもしないことを言うのはもちろん、絶対に誇張もしない。

どうしても伝える必要性があれば、できることだけでなく、できないことも明確に示した上で「等身大」の自分をポイントを絞って簡潔に伝える。

そして、それ以上は、聞かれない限り、自分からぺちゃくちゃ話さないことを心に誓ったのだ。

それと同時にもうひとつ誓ったことがある。

過剰にアピールせず、等身大の自分を見せて損をすることがあってもよい。しかし同時に、黙々と自分の美意識を信じて邁進《まいしん》し、力と強さを何倍にも高め、アピールの必要がないレベルにまで自分を高めようと思ったのだ。

例えば、1の力しかない人が、うまく誇張して5に見せたとする。ピンキーの力が3であれば、他の人より力は勝っていたとしても、アピールの面で負けてよい機会は巡ってこない。

だからこそ、自分の力を10、50、100以上というように引き上げなければ、等身大のやり方は通用しないと気づき、覚悟を決めたのである。

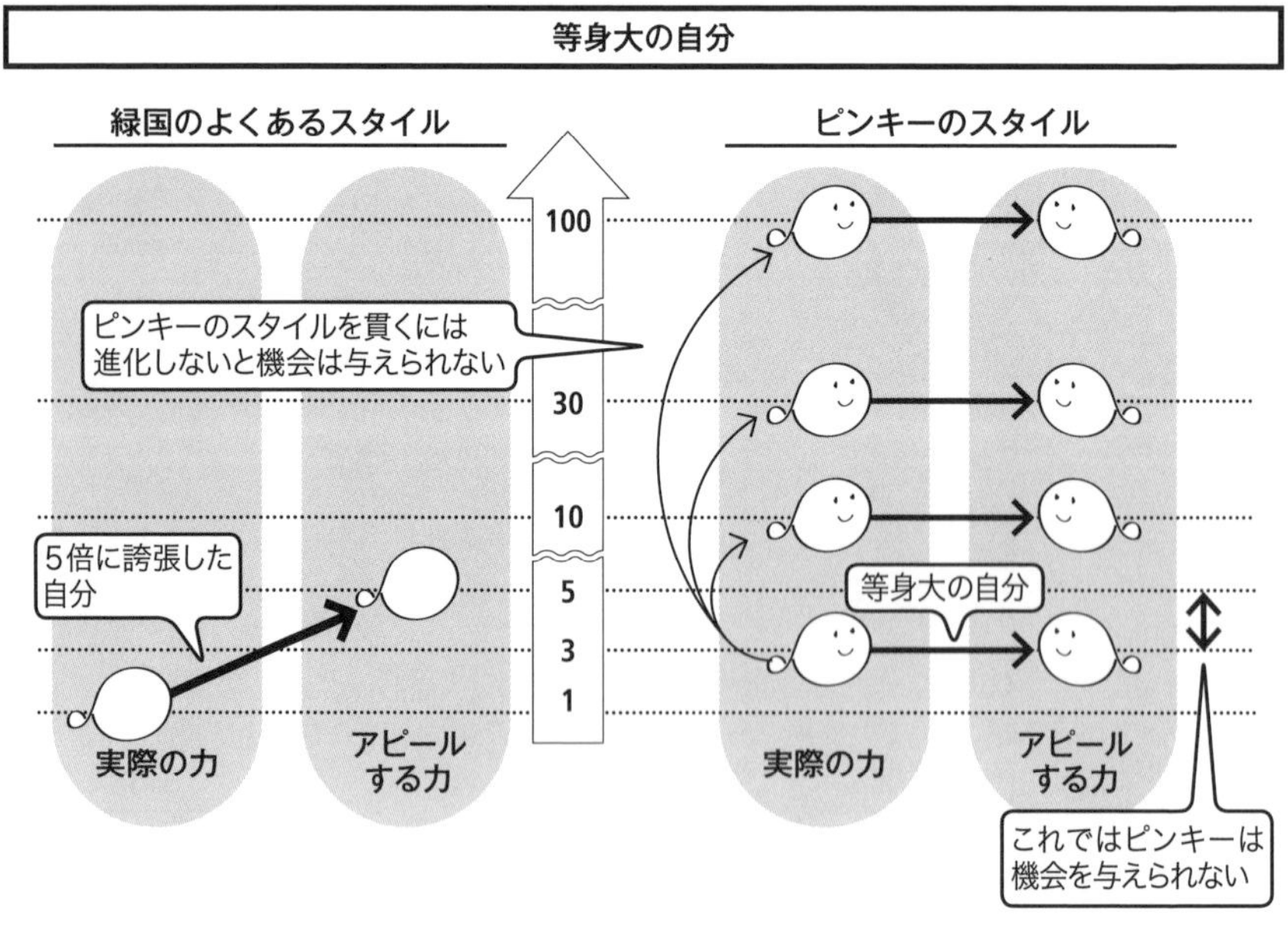
等身大の自分
緑国のよくあるスタイル
ピンキーのスタイル
100
30
10
5
3
1
ピンキーのスタイルを貫くには
進化しないと機会は与えられない
5倍に誇張した
自分
等身大の自分
実際の力
アピール
する力
実際の力
アピール
する力
これではピンキーは
機会を与えられない

ピンキーはここでも、自分の憲法を書いたのである。

文化の違いだけでなく、立場の違いも

1学期が経ってみて、もうひとつ思うことがある。

自分らしさや自分の価値観を問い直すようになったのは、異なる文化だけでなく、異なる「社会の中での立場」を体験したことからも来ているのではないか。

赤国にいた頃は、顔見知りの仲間に囲まれ、ブーのような信頼できる友だちがいたし、サッカーではエースストライカーとしてそれなりに活躍していた。友だちが自然にピンキーのまわりに集まって来てくれた。

でも、それはあくまで「赤国という環境を前提とした自分」だったのだ。

それに対して、緑国に来たばかりのピンキーは、言葉はしゃべれない、相手の言葉も理解できない、共通の話題についていけない、サッカーも3軍だ。

その前に「そもそもピンキーって誰？」と存在さえも知られていないのだ。ある意味、突然、透明人間になったようなものである。

幸い、サッカーでは多少なりとも交流の機会があり、共通の会話があり、厳しい練習や試合を通じて精神的なつながりもできてくるので救われた。

しかし、言葉もしゃべれない、理解できない、会話にもついて来れない、赤の他人を誰が相手にするのか。よっぽどのお人好し以外いないだろう。

悲しいことに、憧れのチェルシーちゃんには、相手にされないばかりか、ズルをし

たとの濡れ衣さえ着せられた。

ピンキー自身は何ひとつ変わらなくても、環境が変われば社会の中での位置づけは、一瞬にして変わるのである。

ピンキーにとって、今は緑国での自分が、一番リアルな自分だ。食物連鎖の一番上にいた動物が、朝目覚めたら一番下にいたという感じだろうか。

自分が思い込んでいた「自分らしさ」とは、あくまで特定の環境を前提としていたこと、環境と立場が変われば一瞬にして吹き飛ぶものだったことを、身をもって体感したのだ。

ピンキーは改めて、環境を超えて自分の核となる「自分らしさ」

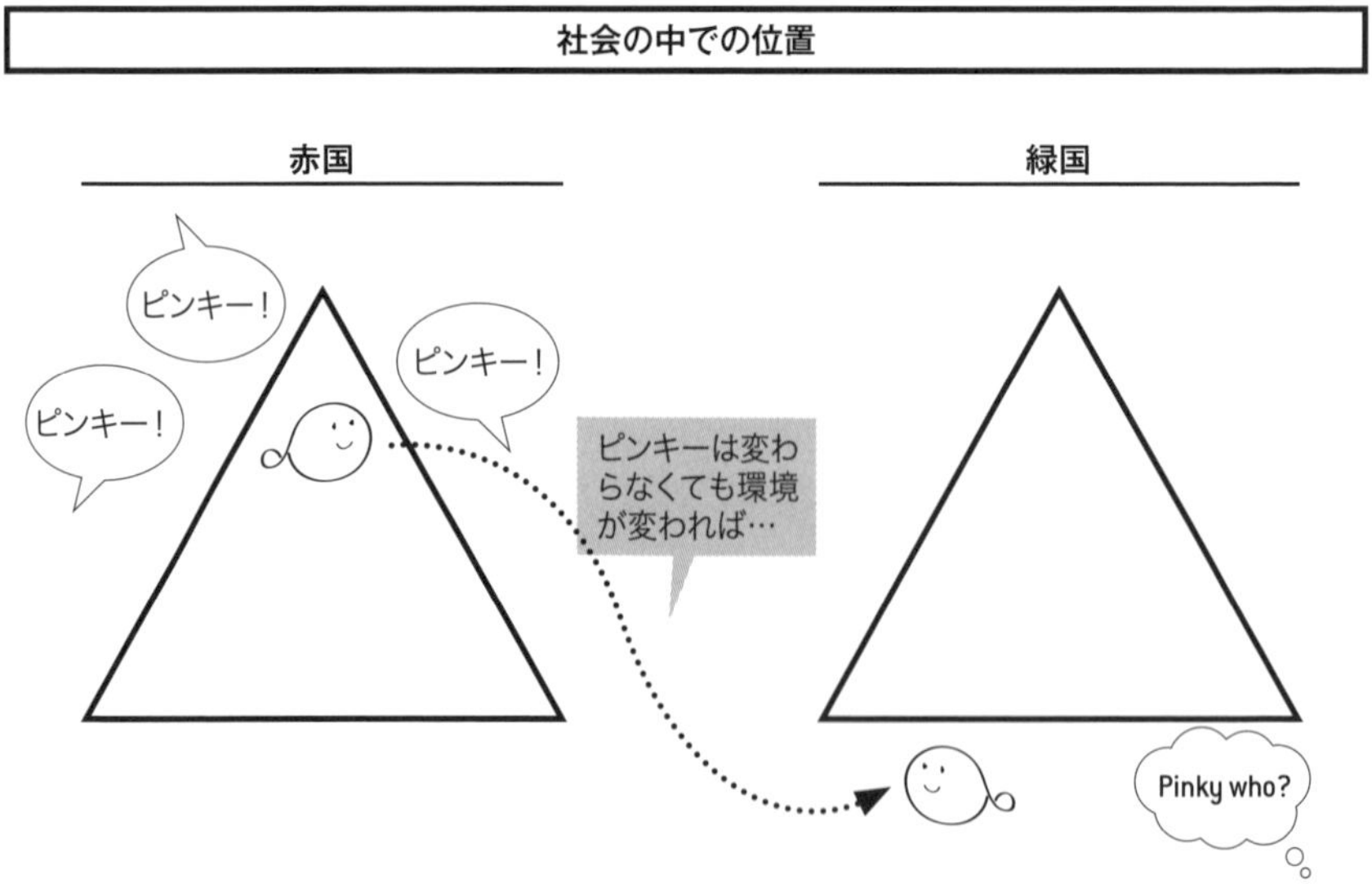
社会の中での位置
赤国
緑国
ピンキー!
ピンキー!
ピンキー!
ピンキーは変わらなくても環境が変われば…
Pinky who?

とは何かを問い質す必要性を再確認したのである。

この体験によって、ピンキーの想像力、感受性、共感力はグンと伸びた。

これまでどうしても、ある環境下での立場を前提とした視点でしか物事が見えていなかったが、文化の違いと立場の違いを同時に体験することで、多様な立場と視点から物事を考え、感じることができるようになった。

ある場面を正面だけでなく、頭上から、斜め左から、右下からと、多面的に撮影できるようになったとでも言うべきか。物語の主人公だけでなく、他の登場人物の気持ちや痛みを感じ取れるようになってきた、小説家の目線からものが見えるようになってきたのだ。

同時に、「社会的によしとされるもの」をやみくもに追求することが、あまり意味をなさないものだと知った。

上も下も身をもって体験すると、両方がどれほどのものかがわかる。社会的にどうだなんて表面的なことよりも、自分のモノサシを持って生きて行くことが一番重要だと実感できる。

異なるものをたくさん見れば美醜の感覚が磨かれ、「本物」「偽物」「ずっとそこに残る核を持っているもの」「すぐ蒸発してしまうようなもの」を見極める力がついてくる。そうすれば、特定の環境を超える美しいもの、すごいもの、素晴らしいもの、正しい姿を追い求めるようになるのだ。

ピンキーはまさしく、その前提となる自分の美意識や目的意識、価値観を磨くことに邁進し始めた。ピンキーの軸、核が出来上がっていったのだ。

サッカー少女、メグ

そしてもうひとつ重要な出会いがあった。女子サッカー部のメグである。

ピンキーは、メグにすごく助けられて来た。

この国に来てから、朝食の後のアルバイト、授業、練習、夕食後のアルバイト、宿題と、息つく暇もなく駆け抜けているので、いつも気が張りつめたまま日々を送っている。

それでもやはり、ふとした隙間が生まれた時、悩んだり、孤独感を感じたりして、少し寂しくなることもある。

日も暮れてきて、ピンキーが近くにあるボール3つを屈んで拾いあげようとすると、「パン」と背後から肩を軽く叩かれた。

びっくりして振り返ると、アマゾン中学のサッカーウェアを着た女の子が笑っていた。緑に澄んだ瞳が印象的で、屈託のない、ボーイッシュな子だ。

「ねぇ、名前、なんていうの？」

「ピンキー」

ピンキーは自分を指して首を傾げると、その子が笑顔でうなずいた。

「かわいい名前！　どういう意味？」とメグは興味津々に聞いたが、ピンキーには意味がわからず、首を振った。その時点で使える言葉は、「こんにちは」「ありがとう」

「ごめん」「はい」「いいえ」程度だった。

メグはそれを察知したようで、「まぁ、いいや。私はメグ！」と言って握手を求めてきた。

ピンキーは笑顔で握手をしながら頭を下げ、ゴツンとぶつけてしまった。まだ、お辞儀癖が抜けていない。

「ご、ごめんね！」ピンキーはあわてて謝ると、メグはおでこを手で押さえながら、「大丈夫、慣れているから」とヘディングのポーズを取ってみせた。

そして物珍しいのか、ピンキーのウロコを指差し、「ちょっと触ってみていい？」と無邪気に言った。

ピンキーは、その仕草でだいたい理解し、「うん」と頭を縦に振った。

その時、光が差し込み、ピンクのウロコがキラッと反射した。

メグは、「うわー、きれい！」と、声を上げた。

ふとメグの背後を見ると、なんとフィールドのボールはひとつもなくなっていた。

ピンキーが考え事をしながら拾っている間に集めてくれていたのである。

どこの国にも、温かい人、無邪気な人、心が澄んでいる人がいる。ピンキーはとても嬉しく感じて、気づけば悩みもどこかに吹き飛んでいた。

大変なのは自分だけじゃない

メグはまだ中学1年生なのに、アマゾン中学だけでなく、緑国の女子中学生代表チームのスター選手だった。背番号4、ディフェンダー。小柄だが敏捷で、巨大な女の子の間をスイスイと縫っていく。明るく無垢《むく》な性格で、男女の隔てなく愛されている学校の人気者だ。

そんな彼女と、気がつけばよく一緒に時間を過ごすようになった。

例えば、早朝のランニング。メグは言葉のわからないピンキーに、「朝、一緒に走らない?」と言って、「いっち、にっ、いっち、にっ」と腕を振るポーズをとってランニングに誘ってくれた。

ピンキーは即答したものの、今の生活でも精一杯なのに、どうやって走るのか。寝る時間がない。今さら断るわけにもいかず、毎朝眠い目をこすって、頑張って走った。

でも、後悔したことは一度もない。人っ子ひとりいない道、朝日が昇る中を走るのは爽快だ。なにより、朝一番にメグと会うと、その一日をすがすがしく前向きに過ごすことができるのだ。

後に、メグも女子寮で朝晩、食器洗いのアルバイトをしていることが判明した。そんなことはおくびにも出さず、何事も前向きに取り組むメグを見て、ピンキーは自分だけが大変だと思っていたことを恥ずかしく思った。

授業でも、メグはピンキーを救ってくれる。

ピンキーは語学力が追いつかないので、国語だけは1年生の授業

に出ているが、そのクラスでメグと一緒なのだ。日常会話ならばわかるようになってきたが、文学となるとそうはいかない。特に、詩はお手上げだ。

わからないことがあると、首をかしげたり、頭をポリポリかくのがピンキーの癖だった。それを見て、後ろの席に座っているメグが、「今のは、こういう意味だよ」などと耳元でこっそり教えてくれる。ノートをビリビリ破った紙切れに書いて渡してくれることもある。

「メグ、授業中におしゃべりはやめなさい」

「メグ、授業中に交換日記はやめなさい」

などと怒られたりするが、メグが無邪気に「ごめんなさ〜い」と謝ると、先生もそれ以上は言えなくなる。

異国の地で気を張って生活しているピンキーも、メグと一緒にいる時はバリアを下ろしてありのままの自分に戻れる。おちゃらけた自分や、やさしい自分が自然に出てくる。ブーと一緒にいた時の自分に戻れるのだ。

そんな彼女に、ピンキーは救われている。

Mr．Bの登場

ピンキーはいつも通り朝食の食器洗いを終え、猛ダッシュで学校

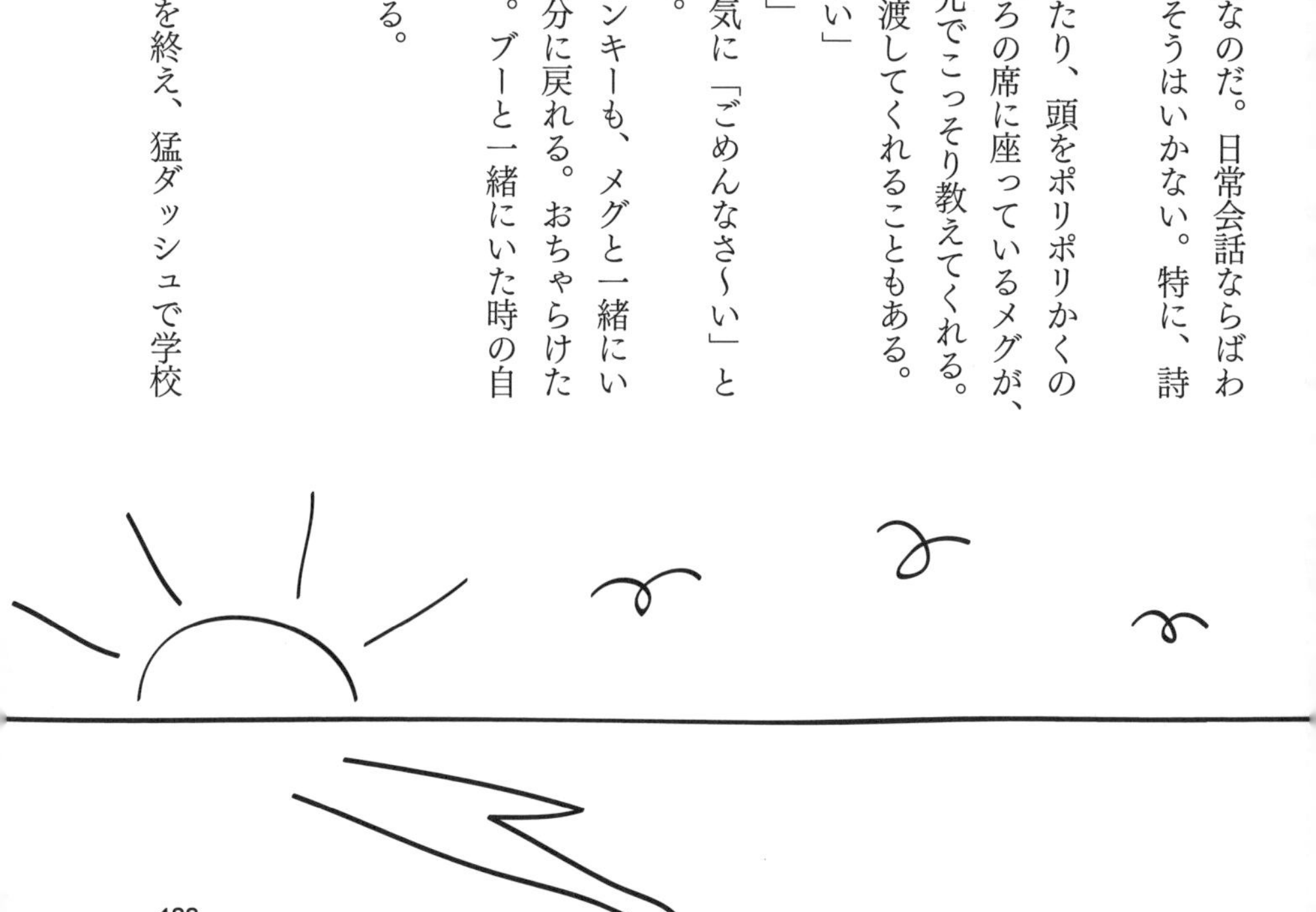

へ向かった。「ええと1限目は……。北西棟1階教室で、緑国の歴史の授業か」。スケジュール表が入った赤いバインダーを閉じて、また走りだした。

今日から2学期。新しい授業が始まる。誰と一緒かは行ってみるまでわからない。これがすごく楽しみだ。

教室に足を踏み入れると、「おー！　ピンキー！」と声がした。ライとレフだ。

「ライ、レフ！　よかった、同じクラスか！」

ピンキーはにっこり笑ってふたりの隣に座った。

さっと見渡してみると、筋肉モリモリ軍団が数人いて、両足を机に載せて大声ではしゃいでいる。ガリオは授業初日から予習に余念がなく、「60分でわかる緑国の歴史」を読みふけっている。

嬉しかったのは、チェルシーちゃんがいたこと。ガムをくちゃくちゃ嚙みながら鏡をチェックしている。多種多様な生徒たち。まるで水族館のようである。

すると、「ガチャ」と、ドアが開いた。

先生が足を踏み入れた瞬間、空気が変わり、あたりはシーンと静まり返った。他の授業では、先生が何度も怒鳴ってやっと静まるのに。

モリモリくんは足を机からさっと下ろし、ガリオは眼鏡を押し上げて〝戦闘準備〟に入り、チェルシーはガムをゴクンと飲み込んだ。

この人の持つ雰囲気、オーラとでも言うべきか。


先生の名前は、Ｍｒ．Ｂ。

Ｍｒ．Ｂは左手に抱えた10冊もの本をどさっと机に置くと、そのまま何も言わずにゆっくり教室全体を見渡した。

そして生徒一人ひとりの目を見終えると、やわらかく静かな笑みを浮かべた。「さぁ、始めようか」

緑紫の戦いの授業

2学期が始まって2カ月が経った。

Ｍｒ．Ｂはいつも通り本を机の上に置くと、みんなの顔を見渡し、手をパンッと叩いた。「いつもの体制にしてください」

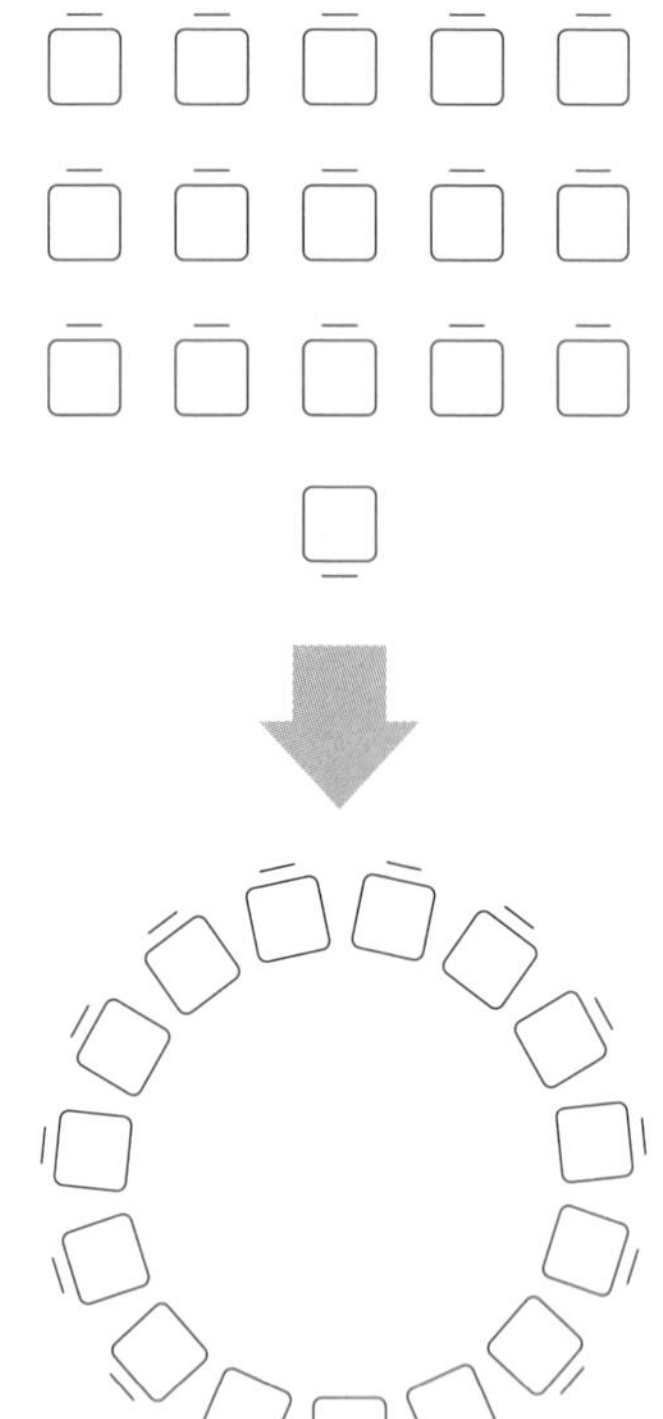

生徒たちは立ち上がり、机と椅子を円形に並べ替えた。

机の並べ方ひとつでその部屋のダイナミズムは変わる。

円形に並べ変えれば、全員が顔を見て議論しやすくなり、さらには「教える先生」対「教えられる生徒」という構造が崩れる。

議題は、50年前に起きた「緑紫の戦い」について。終結まで7年を要し、市民も子供も含め、両国でのべ100万もの命が失われた。この日は、5年経った時点を想定し、「軍を撤退すべきか否か」の大論争を行うのだ。

あらかじめ議論に備え、前回の授業で「緑紫の戦い」のドキュメンタリーを見た。一方的に戦争を肯定するのでも否定するのでもなく、視聴者それぞれに判断を問うものとなっている。

政治家、外交官、軍隊といった戦いの表舞台だけでなく、戦場の前線で戦う兵士、襲撃におびえる市民たちなど、さまざまな角度から描かれ、紫国側の視点までもが盛り込まれていた。


このドキュメンタリーは、ピンキーの喜怒哀楽、あらゆる感情を強く揺さぶった。特に印象に強く残ったことが2つある。

ひとつは、閣僚会議の音声記録。撤退すべきか否か、大統領と閣僚の緊迫した議論の応酬が残されていた。その時に撮られた写真も数枚あった。

肉声の強さ、議論の内容、そして写真に切り取られた大統領と閣僚の厳しい表情。それは生半可なものではなかった。

とてつもなく複雑で難解な問題、世界の情勢さえ大きく左右する重大な決断を今ここで迫られていた。その迫力のある眼差しはピンキーを釘付けにした。


ピンキーは、初めて思った。

政治家を批判するのは簡単だ。メディアも評論家も国民も、誰もが気軽に文句をつける。それらをすべて否定するつもりはない。しかし……。

本当に、そうたやすく言えるようなものなのだろうか?

ピンキーが見た人々は、体力的にも精神的にもぎりぎりの状況の中で、身を削り、死に物狂いで考えていた。

批判をする側にも、相応の心構えが必要なのではないか。

もうひとつ印象に強く残ったのは、前線で戦う兵士のインタビューだった。

彼は、「緑国のために戦えることを誇りに思う」と語った。

ジャーナリストが最後に「故郷で彼女が待っているそうですね」と問いかけると、少しはにかみながら答えた。

「はい。僕にとって一番大事なひとです」

「お名前は？」

「チーです」

「このテレビを見てくれるかもしれませんね。伝えたいことはありますか？」

すると、彼の表情がすっと和らぎ、まるで周囲に誰もいないかのような微笑みを浮かべ、言葉を大切に選びながらゆっくりと話し始めた。

「チー。元気ですか？　僕はここで、元気に頑張っています。また会えるのを……何も考えず、何も心配せず、ただ一緒にゆっくりと過ごせる日を楽しみにしています。ボウリング、行こうね。夏になったら、あの湖でキャンプしよう。チーに、会いたいです」

ついさっき、愛国心に満ちあふれ、意気揚揚《いきようよう》と語っていた兵士の顔が、誰かを心から愛するひとりの青年の顔に変わっていた。

ピンキーは人間の複雑さを知るとともに、軍人と生身の青年、2つの顔の狭間で揺れる心の葛藤を垣間見たような気がした。

数秒の静寂の後、1枚のメモが映し出された。翌日、彼が戦場で命を落としたという通知だった。そして、その日に亡くなった357人の兵士の名が連なった死亡者リストが映し出された。

最後にジャーナリストはこう締めくくった。

「インタビューに応じてくれた、あの爽やかな青年は、この国のために戦い、命を落としました。さらには、356人もの方々が……。あの青年にチーさんや家族がいるように、一人ひとりの死の背後に、心が引き裂かれるような深い悲しみがあります。撤退か否か。複雑な決断です。ただ、我々は、今起きていることを直視し、何らかの決断を下さなければならないことだけは、間違いありません」

ピンキーたちはこのドキュメンタリーに加えて、宿題として、歴史書、両国の大統領の自伝、戦時下に生きる人々の日常生活が記された小説など計5冊をあらかじめ読み、この戦争に関する映画を見た上でこの授業に臨んだ。

「あなただったら、どうする?」

「まずは簡単にこの緑紫の戦いの背景、そして戦争が始まって5年間経った時点でどのような状況だったかを、誰か簡単に説明してくれないかな?」

「はい!」。ガリオが待ってましたとばかりに手を挙げ、得意げに概略を説明した。

Ｍｒ．Ｂの授業は、時代背景や各国の状況など基本的事実をみんなで共有することから始まる。

「5年目のこの時点で、１日何人亡くなっただろうか？」

Ｍｒ．Ｂが問いかけたが、みんな考え込んでしまった。すると、Ｍｒ．Ｂがヒントを出した。

「ドキュメンタリーでもレポーターが言ってたよね。誰か覚えているかな？」

「20人ぐらい？」。ライが手を挙げて言った。

「３５７人だ」

Ｍｒ．Ｂはしばらく何も言わずにじっとライの顔を見た。

「このクラスには、私を含めて何人いる？」

「16人」。ひとりの生徒が答えた。

「そうだ。一人ひとりの顔をしっかり見てくれ。ここにいる我々全員よりはるかに多い方々が1日で亡くなっていたんだ」

生徒たちは、改めて互いの顔を見つめ合った。

「では、この学校には1学年に何人の生徒がいる？」

「１００人」

Ｍｒ．Ｂはうなずくと、「3学年で３００人、教師やスタッフを合わせて３５０人。この学校の人数プラス７人の命が1日で失われた」

「ドキュメンタリーに出てきた兵士のインタビューを覚えているよな？　では、その日に亡くなった残りの人々はどんな人だったのだろう。そして、その３５６人の家族の気持ちは……。それぞれに愛し、愛される人がいた」

誰もが、言葉を飲み込んでいる。

「これは緑国の話だ。同じ日、紫国では502人も亡くなっている。しかも兵士だけではない。一般市民が半数以上だった」

教室全体に、張りつめた空気が漂った。

「数字を暗記しなくてもいいが、どれだけのマグニチュードだったかはしっかり心に刻んでほしい。これは単なる数字ではなく、人の命だ。その中の1という数字は、隣に座っている人だったかもしれない。それを念頭に入れた上で撤退すべきか否か議論をしよう」。Mr．Bが眼光鋭く言った。

生徒たちは、深くうなずいた。


「エミリー。この時点で緑国は撤退すべきだったと思いますか？　それとも戦いを続行すべきだったか？」

「私は、絶対に戦争は反対です！」

「どうしてかな？」

「だって、子供も亡くなったんですよ。命はかけがえのないもの。いくら国家の戦略だからといって、命には代えられないと思います」

チェルシーが苛立ちを隠さずに言い放った。

「バッカじゃないの。それで済むわけないでしょ。そんなキレイ事ばかり言ってるから、すぐ男に振られるのよ！」

エミリーがしょんぼりしていると、Mr．Bが厳しく制した。

「チェルシー、反論するなら、なぜ相手の意見が違うと思うのかを具体的に指摘しなさい。そこまで考え抜かないうちは発言しなくてよろしい」

チェルシーが「だって、先生！」と食い下がると、「今はよろしい。放課後に来なさい」と切り捨て、Mr．Bは何事もなかったように授業を続けた。そして、エミリーの意見に付け加える意見、反対意見がないかを待ち受けた。


すると、モリモリくんが手を挙げて言った。

「多くの死者が出たのは確かに悲しいことですが、ここで撤退していたら緑国は国際的に大きな力を失ったはず。今日の地位もなかったことでしょう」

「どうやって人の命と国家の戦略を天秤にかけるんだ？」

強い眼光でMr．Bが見つめる。

「天秤にかけるというのは、ちょっと……」

「僕も戦わないといけない時もあると思います」。他のひとりも続いた。

「それはどんな時か」

「……」。彼は答えられなかった。

「どんな時には戦ってよくて、どんな時には戦ってはいけないのか？」

「何のためなら戦ってよくて、何のためなら戦ってはいけないのか？」

「みんなに聞いていているんだ。答えるのは誰でもいいよ」

しばらく沈黙が続いた。

ふいに、ピンキーの肩に誰かが軽く手を置いた。Ｍｒ．Ｂだ。

Ｍｒ．Ｂは授業中、常に歩き回りながら、自分では答えを言わず、指揮者のように生徒の議論を誘導する。議論に没頭していると、いつの間にか自分の背後にいる時もある。

Ｍｒ．Ｂはぐっと顔を近づけて、「ピンキー、君はどう思う？」と聞いた。

「……」。目を合わせるだけで圧倒される。

「いいんだよ。今、頭に浮かんでいることを言ってごらん」

「……」。ピンキーは何も言えなかった。


「では、何があっても戦争には反対という考えの人に聞きます。相手が攻め込んで来たらどうする？　略奪され、家に火をつけて回り始められたら？」

「……」

「そのまま好きなようにさせるのか。それとも戦うのか」

すると、ひとりの生徒が手を挙げた。

「その場合はもちろん戦うべきだと思います。他国にはどんな理由があっても戦争を仕掛けてはならないが、自己防衛のためには戦ってよいという憲法を持つ国があると聞きました。それがひとつのやり方だと思います」

「なるほど」

「他のみんなはどう思うかな？」

「そのやり方のよい点は？　反対に悪い点はあるのかな？」

ピンキーはMr．Bの議論の誘導の仕方、生徒に対する問いかけを見て、マーがいつも僕にやってくれていたのはこれだったのか、と気づいた。

「ピンキーは、そもそもどうして留学をしたいんだっけ？」

「どのような環境に行けば、ピンキーは一番サッカーがうまくなれるの？　どのような環境に行けば、一番バイリンガル・バイカルチャルに近づけるの？」

「それがわかれば答えが見えてくるんじゃない？」

留学先で迷った時も、自分では答えを言わず、僕に問いかけ、決断をするためのヒントを出してくれた。パーもそうだった。

ピンキーは改めて感謝の念を深めるとともに、ふと赤国が懐かしくなった。

みんな、どうしてるかなぁ……。


Mr．Bは授業の終わりに、いつも言葉を残す。

「戦争は繰り返されてきた。今、この瞬間でも世界の10以上の国々で起きている」

「そして、この世には戦争だけでなく、我々、そして地球がさまざまな問題に直面している。環境問題、貧困問題、核兵器の拡散、疫病……」

「この世の中は、みなさんが考えているよりもギリギリな状況にあるのかもしれない。いつ振り切れてもおかしくない。そして世の中が〝間違った方向〟に行かないよう、みなさんの見えないところで必死に考え抜き、水際で食い止めている人たちがいる」

「一方、単純に善悪で割り切れることはそう多くはないが、同時に、知力とエゴ、財力とネットワークを生かして世の中を〝悪い方向〟に持っていこうとする人もいる。今この瞬間に企み、仕掛けているのだ」

「今この瞬間、環境問題は、後戻りできない状況に向かって進んでいる」

「今この瞬間、貧困問題によって命を失う人々がたくさんいる」

「その中でみなさんはどのような役割を担うのか？」

「例えば、誰が大統領の役割を担うのか？」

「カイ、君か？」

「エミリー、君か？」

「誰がやる？　誰かがやらないといけないよな」

「その人はこのクラスにいるかもしれないし、いないかもしれない。でも、みなさんの世代の誰かがその責任を担わないといけないんだ」

「緑紫の戦いで交渉をしたような外交官の役割は、誰が担う？」

Ｍｒ．Ｂはゆっくり部屋を見渡した。

「ピンキー、赤国の外交官になるのは君か？」

「その決断を責任をもって下せるか？　その重圧に耐えられるか？」

とんでもない。ピンキーは、うつむき加減に小さく顔を横に振った。

Ｍｒ．Ｂは、にっこり笑うと、言った。

「そうだな、まだ今は準備ができていないかもしれないけど、まだ時間はある。いいか。誰かが、その責任を担わないといけないんだ」

「もちろん、全員が『その責任を担う仕事』に就く必要はない。それでもみなさんには、この民主主義国家に参加する一国民として、果たすべき責任がある。それは『正しい』方向を自分で考え、導く政治家を見極め、その人が選ばれるよう、投票するということだ」

「玉石混交の意見から、何が真実なのかを判断する力、知識、教養はあるかな？」

「それぞれの政策を理解し、よい点や悪い点を含めて、その政策が及ぼす影響を判断する力があるかな？」

「みなさんには、その力をつけてほしい」

「今ここにある世界は、もとからあったものではない。過去の世代の生き様の結果であり、絶対的なものではない。ある理由と経緯があってここにある」

「今後の世界を作るのは他の誰でもなく、みなさん次第。みなさんの世代次第だ」

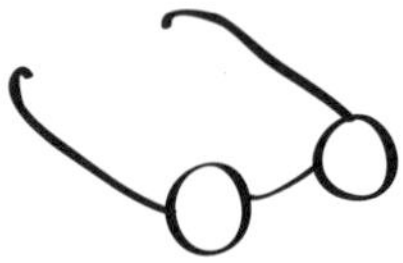

聞こえるのは、心臓の鼓動と時計の秒針の音だけ。
「では、今日の授業はここまで」。Mr．Bは微笑んだ。
そこでちょうど、チャイムが鳴った。

Mr．Bの課外授業

ピンキーはこの授業のために、毎日深夜まで辞書を片手に宿題の本を読み続けた。ちょっと空いた時間にも読めるよう持ち歩いていたので、本はボロボロに痛み、余白には赤語のメモがびっしり。徹夜もしばしばだったが、アドレナリンが出ているせいか、なんとか持ちこたえている。

そこまでしても、授業では「なかなか自分の意見を言えない」。

ひとりで悩んでいても前に進めないと思い、勇気を振り絞って放課後、Mr．Bを訪れた。赤国で先生にお叱りを受けるために呼び出されることは多々あったが、自分の意志で会いに行くなど初めてのことだ。

早速、Mr．Bに相談を打ち明けた。

「宿題の本を全部読んでいるし、ビデオも見ているんですが、なかなか授業で意見が言えません。どうすればいいのか、アドバイスをいただけませんか」

Mr．Bはちょっと間を置いて尋ねた。「ピンキーは今年、緑国に来たばかりだったかな？　ピラミッド・ストラクチャーは習ったことあるかい？」

「ピラミッド・ストラクチャー？」

Ｍｒ．Ｂは時計に目をやり、「今15分あるかな？」と聞いた。

「ポン、ポン、ポン」の並列型

「ピンキー、〝素直〟なのと〝何でも鵜呑《うの》みにする〟のは別だ」

「人の意見に耳を傾け、何かを学び取る姿勢や謙虚さは極めて重要だ。協調性も重要だ。しかし、そういった姿勢を保ちつつ、自立した考えを持つというのは別の話だ。そのことをまず認識してほしい。いいかな？」

ピンキーは深くうなずいた。

「君はどこかで、自分の意見を持つことと、過度に自己主張することを混同していないかい？　自分の意見を述べることは、協調性を損なう行為だと思っていないかな？」

ドキッ。ピンキーは心のモヤモヤを見透かされた気がした。意見を導き出す力が欠けているのも確かだが、自分の意見を述べることに対する躊躇《ちゅうちょ》、心理的なバリアがあったからだ。「は、はい、そうかもしれません」

「確かに、この国には意見を述べるばかり、自己主張をするばかりで聞く耳を持たない者も多いよな。知りもしないことを堂々と語る者さえ少なくない」

「目指すべきは、教養と知識と幅広い視野に支えられた自立した考え、そして協調性を兼ね備えた姿だ。わかるだろ？」

「赤国と緑国ではコミュニケーションの取り方が違うだろう。しかし、自立した考えを持つということと、それをいつ、どのような場で、どのように言うのかは別の話だ。

伝え方は、それぞれの環境や慣習によって大いに調整すべきだ」

そう、自立した考えを持つ必要性は、どこの国でも変わらない……。

「そこで必要となるのが、健全で前向きな〝批判的思考〟だ」

「他人の意見を鵜呑みにしたり、自分の意見をむやみに信じ込んだりする前にすべきことがある。まず〝理由〟や〝根拠〟を正確に理解し、〝本当にそうかな？〟と問いかけ、その上でその意見が正しいか否か、賛成するか否かを考え抜き、判断することだ。その際に、ピラミッド・ストラクチャーが役立つ」

「ピラミッド・ストラクチャーとは、意見に対する理由を明確にするために、そして深めるために使うものだ。主に並列型と解説型の2通りあるのだが、まずは、並列型から説明しよう」

何かすごいことが始まりそうだ。ピンキーは姿勢を正した。

「そういえばピンキー、紫国の中学校との親睦《しんぼく》会の幹事をやると聞いたが、本当かな？」

「はい」

「素晴らしい。場所はもう決めたのかい？」

「まだなんですが、駅前のちゃんこ鍋屋さんにしようかな、と」

「ほう。どうしてその店がいいと思うんだい？」

「先生は、あのちゃんこ鍋を召し上がったこと、ありますか？」

「うん。あるよ」

「ものすごくおいしいんですよ」。ピンキーは興奮気味に答えた。

Mr．Bは手元のノートにさっと何かを書き留め、「そうだな。私も大好きだ」と微笑んだ。

「こんな話でいいんでしょうか」

「ああ、もちろん。ほかには理由はないかな？　どうしてちゃんこ鍋がいいと思っているのか」

「そうですね。最近寒くなってきたので、鍋なら体が芯から温まるかなと」

「なるほど、ほかには？」

「やっぱり両国の交流が目的なので、鍋を囲んで一緒につつけば会話も弾むし、団結力も高まる気がして」

Mr．Bはまた何かをノートに書き留め、「いいねぇ。あとは？」

「うーん、そんなものですかね」

Mr．Bは、ノートを1枚ビリッと破って差し出した。

「これが君の、意見と理由を示す並列型のピラミッドだ」

並列型：なぜちゃんこ鍋なのか

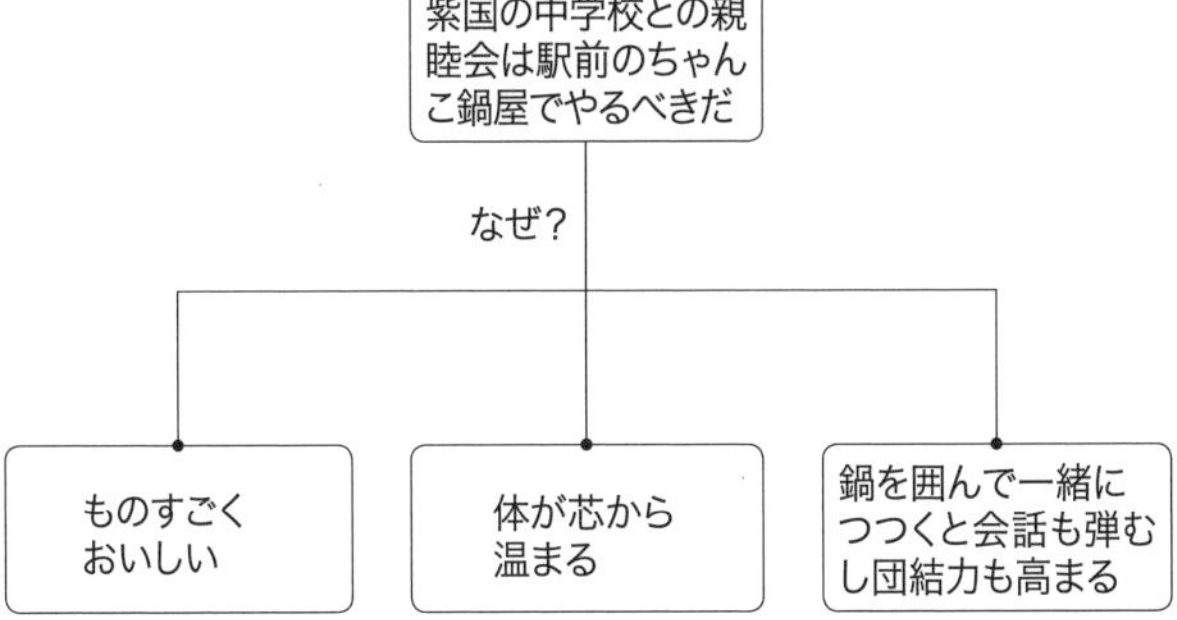
紫国の中学校との親睦会は駅前のちゃんこ鍋屋でやるべきだ
なぜ？
ものすごくおいしい
体が芯から温まる
鍋を囲んで一緒につつくと会話も弾むし団結力も高まる

Ｍｒ．Ｂはピラミッドを指差しながら、解説をしてくれた。

「一番上にあるのが結論、その下に３つぶら下がっているのが理由だ。結論の下にポンポンポンッと同列で並んでいるから、並列型と言うんだ」

「発表する時間が10秒しかないとしよう。その場合、上の結論を先に述べ、その後に３つの理由を言えばいい」

「例えば、こうだ。僕は紫国の中学校との親睦会は駅前のちゃんこ鍋屋でやるべきだと思います。３つ理由があるのですが、１つはすごくおいしいから、２つ目に、寒いこの季節に体を芯から温めてくれるから、最後に、鍋を一緒につつくことで会話も弾むし団結力も高まると思うからです。こんな風に言えばいいんだ」

うわぁ。ピンキーはだんだん霧が晴れていくような感覚を味わった。

「こうで、こうだから、こうだ」の解説型

「次に、解説型だ。題材はそうだな、君がどうしてこの学校に留学してきたか、にしよう。そもそも留学先に求めていたものは何だったの？」

「サッカー選手として成長するために、まわりにうまい選手がたくさんいて、試合経験をたくさん積めること。バイリンガル・バイカルチャルになるために、赤国からの留学生がいないこと。年間の留学費用は300フィマー以下って言われてました」

Mr．Bはボールペンのお尻についたキャップを噛みながら、何かをノートに書いている。緑国にはなぜかキャップを噛む人が多い。子供だけじゃなく大人までも……。

Mr．Bもそうだと知り、ピンキーは意外に思った。

「アマゾン以外には、どこか考えていたのかい？」

「リオ中学です。その2校で迷いました」

「さっきの評価軸に照らし合わせると、それぞれどんな評価になるんだい？」

「両校ともうまいサッカー選手が多いことには違いなかったのですが、アマゾンの方が試合の経験を積めること、そして赤国の留学生がいない点で魅力的でした。留学費用は何とかなることがわかって……。だから、アマゾン中学に決めました」

「できているじゃないか、意見と理由」。Mr．Bが微笑んだ。

またノートをビリビリと破ると、「これが解説型だ」と言ってピラミッドを書いた紙を手渡してくれた。

解説型：アマゾン中学に留学を決めた理由

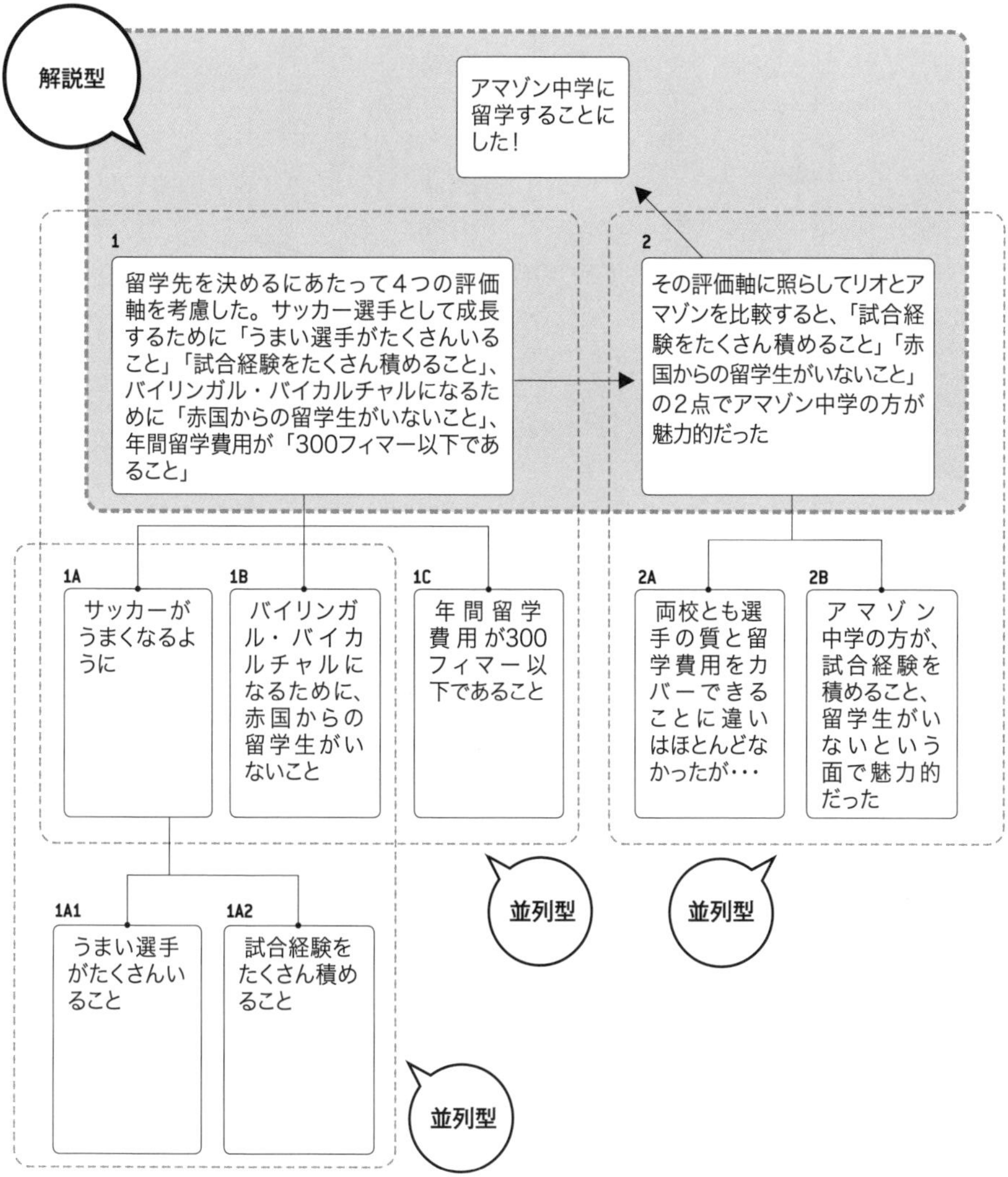
解説型
アマゾン中学に留学することにした！
1
留学先を決めるにあたって4つの評価軸を考慮した。サッカー選手として成長するために「うまい選手がたくさんいること」「試合経験をたくさん積めること」、バイリンガル・バイカルチャルになるために「赤国からの留学生がいないこと」、年間留学費用が「300フィマー以下であること」
2
その評価軸に照らしてリオとアマゾンを比較すると、「試合経験をたくさん積めること」「赤国からの留学生がいないこと」の2点でアマゾン中学の方が魅力的だった
1A
サッカーがうまくなるように
1B
バイリンガル・バイカルチャルになるために、赤国からの留学生がいないこと
1C
年間留学費用が300フィマー以下であること
2A
両校とも選手の質と留学費用をカバーできることに違いはほとんどなかったが･･･
2B
アマゾン中学の方が、試合経験を積めること、留学生がいないという面で魅力的だった
並列型
並列型
1A1
うまい選手がたくさんいること
1A2
試合経験をたくさん積めること
並列型

「正確に言えば、解説型と言っても、それは上の3つの箱だけの話で、実際には解説型と並列型を足したようなものになっているがね」

Mr．Bは続けた。

「解説型というのは、〝こうで、こうだから、こうだ〟と組み合わせて結論を導き出す三段論法だ。〝留学先を決めるにあたり、こういう評価軸を重視した〟〝それに照らし合わせてアマゾンとリオを比較すると、アマゾンの方が魅力的だった〟〝よって、アマゾン中学に留学することにした〟という具合に」

「歴史の授業での考え方も、基本的には同じだ。発言する時には、これから君が何を言おうとしているのか、聞き手が頭で追いやすいように、まずは結論から述べ、それから理由を説明するのが基本だ。わかったかな？」

ピンキーは大きく元気にうなずいた。

結局は、質問力

「もう2つだけ伝えたいことがある。いいかな？」

Mr．Bは、慎重に言葉を選んだ。

「ピラミッドを使って整理したり、発言したりすると、浅はかな議論でもそれらしく聞こえてしまうこともある。つまり、ピラミッドは自分の意見や他人の意見を整理して書いて終わり、ではダメなんだ」

「〝つっこみ〟を入れなくてはならない。結局は、質問力がモノを言うのだ」

ピンキーは、何のことだろうかと一瞬ためらった。

「ちょっと抽象的だったな。ちゃんこ鍋の例で考えてみようか。さっきのピラミッドを書いた紙はあるかい？」

「このピラミッドをパッと見ると、ピンキーが言ったように、親睦会はちゃんこ鍋屋でやるのがよい気がするよな」

「これにどんどん、つっこみを入れていくんだ。例えば、本当においしいのか。緑国の人々はそう思っていても、果たして紫国の学生たちはおいしいと感じてくれるかどうか。彼らが食べられない食材は入っていないか」

「君がさっき挙げた3つの理由は、すべてちゃんこ鍋屋の魅力に関してだったが、そもそも実現可能かを確認する必要もある。例えば、ちゃんとその日時に予約が取れるのか。参加者全員が入れるのか。予算内に収まるのか」

確かに……。そういえば親睦会までそんなに日にちもない。すぐ確認しなければ、とピンキーは思った。

「親睦会はいつだ？」

「再来週の月曜夜6時からです」

「参加人数は？」

「20人です」

「予算は？」

「20グリマーです」

すると、Mr.Bが言った。

「ピンキー、おそらく違う店を探す必要があるぞ。確か月曜は定休だったし、一番大きな部屋でも10人しか入れなかったはず。部屋が分かれたら親睦にならんだろうし、学生割引をしてくれたとしても50グリマーはかかる」

えーっ。ピンキーは驚いて思わず声を上げてしまった。

並列型：なぜちゃんこ鍋なのか

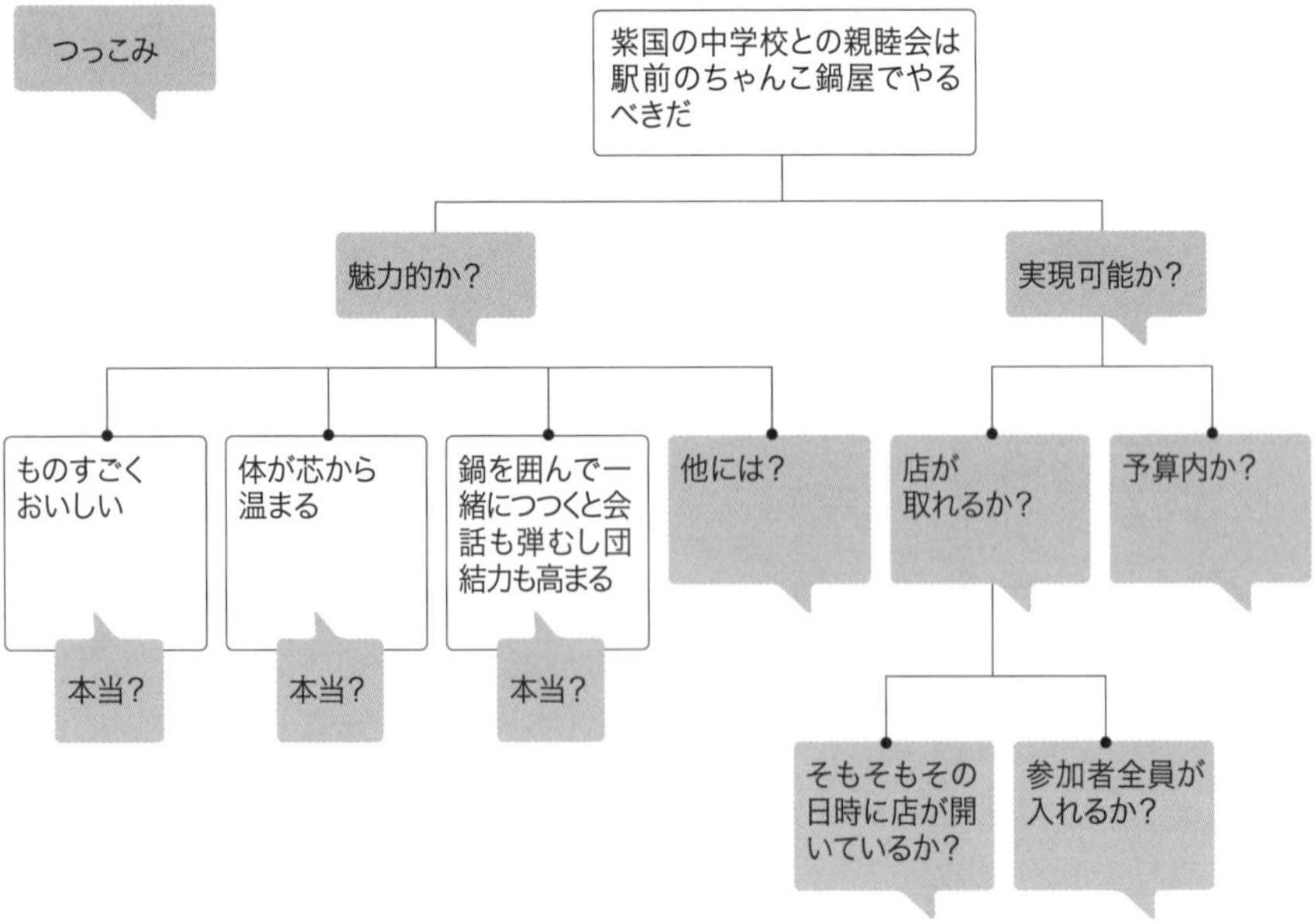

つっこみ
紫国の中学校との親睦会は駅前のちゃんこ鍋屋でやるべきだ
魅力的か？
実現可能か？
ものすごくおいしい
体が芯から温まる
鍋を囲んで一緒につつくと会話も弾むし団結力も高まる
他には？
店が取れるか？
予算内か？
本当？
本当？
本当？
そもそもその日時に店が開いているか？
参加者全員が入れるか？

ピラミッドの活用の仕方

STEP 1

自分・他人の「意見と理由」を正確に理解する

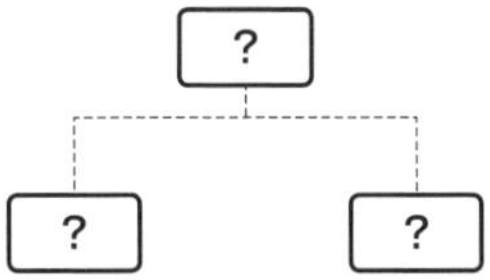
?
?
?

・まずは正確に理解する

・相手の「意見と理由」を引き出す

STEP 2

つっこみを入れ、必要に応じて調べる

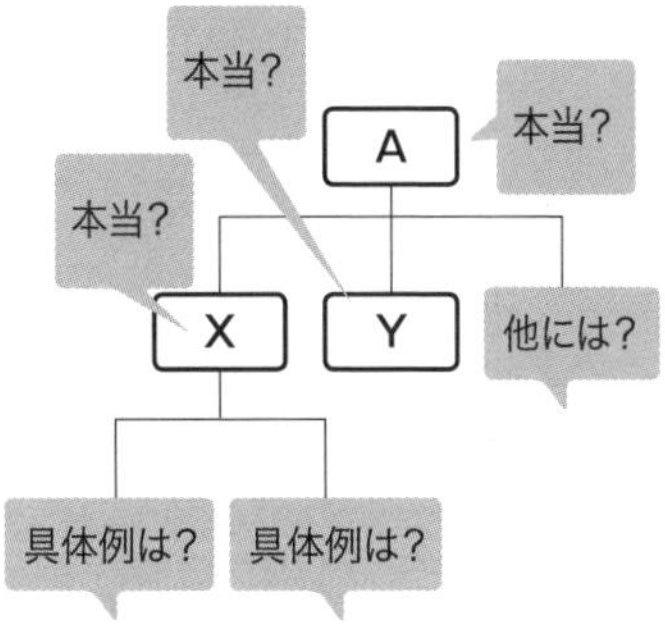
本当?
本当?
本当?
A
X
Y
他には?
具体例は?
具体例は?

・アタマをまっさらな状態にして「本当?」「なぜ?」などのつっこみを徹底的に入れる

・必要に応じて事実関係の確認や新たな情報を入手する

STEP 3

判断をする

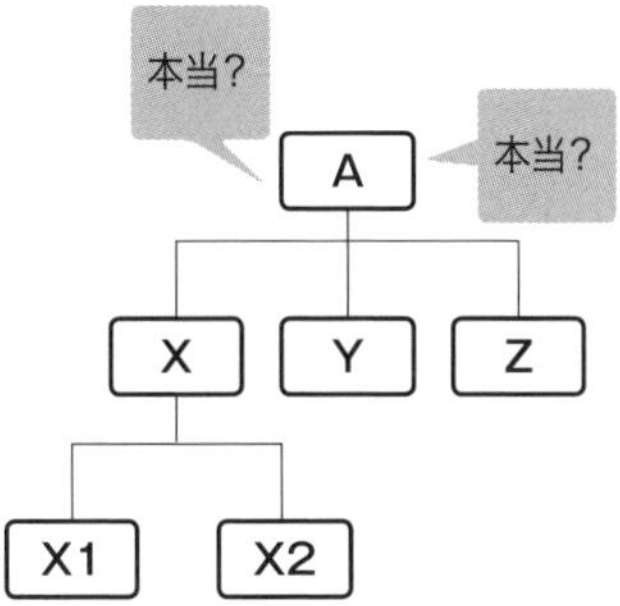
本当?
本当?
A
X
Y
Z
X1
X2

・その意見に「賛成なのか」「反対なのか」を判断する

・「この場合は」など結論の時間や範囲を限定することも

「心配するな。今ならほかにも紫国の学生が喜んでくれる店は見つかるだろう」

どのように授業に臨むか

ピンキーは、最後にひとつ質問をした。「授業にはどうやって臨めばいいのでしょう？　準備はどうすればいいですか」

すると、Mr．Bが逆に質問をしてきた。

「宿題には、どのように時間を使っているのかい？」

「本を読むので精一杯です」とピンキーが答えると、Mr．Bは言った。

「もしこれ以上宿題に時間を割けないのなら、本は斜め読みをするなり、取捨選択するなりして時間の7割に抑えて、残りの3割は、意見と理由を考え抜き、紙に落とすことに使うとよい」

「授業で起こるであろう議論は、考えれば予測がつくはずだ。それに対する、自分の意見と理由を、1枚でいいから紙に書き落として授業に臨むのだ」

Mr．Bはさらに、続けた。

「余裕があれば、自分と異なる意見や反対意見のピラミッドも考えておき、それぞれのピラミッドに対してつっこみと応答を考え抜くことだ。そうすることで、自分の考えが深まることは間違いないし、意見が変わることもある。それはそれで素晴らしい発見だ」

ピンキーはこの授業が大好きだったが、あまりにもきついので、この話し合いの流れ次第ではひとつ下のクラスに変えてもらおうかと思っていたのだが、そんな気持ちは一気に吹き飛び、またやる気が満タンになっていた。

「あとは、君次第だ」。Mr．Bはウィンクをした。

必ずやります、と勢い余って返事をしたものの、この先生、今この瞬間にやらなきゃならないことを5倍に増やしてくれた気がする……。

Mr．Bはいつもこんな風に、ひとつ上の世界をちらりと見せ、「この壁を越えて来い」と愛情を持って突き放してくれる。

それが、彼なりのやさしさなのだろう。

チェルシー対Mr．B

放課後。チェルシーは渋々、Mr．Bに言われた通りやって来た。部屋の前に着くとドアは閉まっており、中から話し声が漏れてくる。どうやら誰かとミーティングをしているようだ。

……まったく、人を呼び出しておいて何なのよ。チェルシーはご自慢のブランドバッグを抱えてドア脇の椅子に腰かけた。しょうがない。待ってやるわ。でも、5分だけよ。

ほどなくドアが開き、ピンキーが部屋から出てきた。ありがとうございました、と深くお辞儀をすると、「こちらこそ」とMr．Bが笑って返した。

ピンキーはチェルシーにまったく気づかず、軽い足取りで去って行った。

ん？　ピンキーの吹っ切れたような横顔、颯爽《さっそう》とした歩き方を見て、えも言われぬ感覚が走った。これまでのピンキーと違って見えたのだ。何か、光っている。

そんなわけないいか。チェルシーは頭をプルプルと振って我に返った。

この私を待たせるなんて100年早いわ。

右足をキックするように振り上げた。

その気配に、Mr．Bが振り返った。「おお、チェルシー。入りなさい」

チェルシーはプンプン顔でMr．Bの部屋に入り、椅子にドカッと座った。

Mr．Bは、しばらく間を置いて言った。

「理由も言わずに反対だけするのは、私の授業中は一切やめていただきたい」

チェルシーはそっぽを向いている。

「いいかな？」。Mr．Bがもう一度聞いた。

チェルシーはバシッと机を叩き、「私たちはいつもああなの。エミリーは私がああ言ってやらなきゃダメなの！　これはプライベートの問題なんだから、口出ししないでください！」。あまりにプンプンしすぎて頭から湯気が出ている。

Mr．Bはまっすぐ目を見たまま、ゆっくり話し出した。

「君のプライベートには一切関知しない。クラスの外で何をしようが自由だ。だが、私の授業中はルールを守ってほしい。あの場には、君とエミリー以外の生徒もいる。みんな真剣な題材を、真剣に議論をしているんだ」

「意見に反対する時は、単に違うと批判をするだけでなく、具体的に、どこがどう違うのか、なぜ違うのかを指摘すること、そして代替案まで提示しなければならない。そうでなければ、その反対意見は誰の役にも立たないどころか、みんなの大切な時間を奪ってしまうことになる」

「同じことをしたら、次はその場で教室を出ていただく。わかったね」

チェルシーは腕を組んだまま、ふくれっ面でMr．Bを見返した。

「2つのことを守ってほしい。ひとつは、相手を感情的に否定しないこと。その人の言う内容ではなく、人格を否定してはならない。もうひとつは、反論する時は具体的に、どこに反論をしているかを示さなければならない。もしくは代替案を提示しなければならない」

「それがみんなでよい議論を進め、多様な意見を出し合い、視野を広げた上でよりよい判断を下すために必要なルールだ」

「守ってくれるね?」。Mr.Bは念を押した。

チェルシーは憮然として「わかったわ」と言うと、つかつかと部屋を出ていった。

Mr.Bはその背中に向かって声をかけた。

「来週も君の発言を楽しみにしているぞ」

チェルシーと、その取り巻きたち

「まったく、困っちゃったよ。呼び出しておいて待たせせんじゃないわよ」

カバンをポーンと投げ置くと、両足を机の上に投げ出して言った。

「えー、ひどいね」「ほんとほんと」

取り巻きたちは、チェルシーの戻りを待っていたのだ。

「だいたいエミリーが授業でしょうもない意見を言うからよ!」

「ご、ごめんね。チェルシーちゃん」。エミリーは少し小さくなって謝った。

「まぁ、いいわ」と、チェルシーは不機嫌そうに返した。

その横を、ピンキーがサッカー部のジャージを着て駆け抜けて行った。エミリーの表情が急に明るくなった。

「ピンキー、これから練習なのね。なんか最近、いい感じじゃない？」

「うそー！　私もそう思ってたー」「私もー」

互いの顔を合わせ、世間的な評価を確かめ合っているようにも見える。

「ちょっと控えめな笑顔がいいよね」

「あの純朴な感じね。小学生の頃、好きだった子に似てるかも。懐かしー」

チェルシーは鏡を取り出し、まったく興味なし、という顔で化粧をしている。

「言葉もちょっとずつわかるようになってきたしね」

「でもさあ、ちょっとたどたどしいぐらいの方が、かわいくない？」

「えー。何か買ってほしい時、通じなかったら困るじゃん」

「きゃははは」。どうやらみんな、小悪魔スイッチが入ってきたようだ。

「さりげなく言っても伝わらなくてさ。え、どういう意味ですか、なんて聞き返されちゃったりして」

「店員とか他の客の前で、『こ・の・バ・ッ・グ・買・っ・て・く・れ・る？』って口を大きく開けて言うのもえぐいでしょ」

「えぐい、えぐい」。みんな腹を抱えて笑っている。

「それでも通じなくてさ、大きい画用紙に『いいからこれ買って』ってね」

やっぱ言葉はできた方がいいね。小悪魔たちがうなずいた。


するとエミリーが、話題を戻した。

「でもさ、最近サッカーでも活躍してるみたいよ。ポジションをフォワードからミッドフィルダーに変えたらしくて、この間の試合で活躍してたわ」

口紅をつけ直していたチェルシーが、ちらっとエミリーを見た。

「え？　そうなの？」「もしかしてうまくなる？」「先物買い、しとく？」

おもむろにチェルシーがパチッと音を鳴らして鏡を閉じた。

「ちょっとアンタ。どの試合のこと言っているの？　どうでもいいけど」

「先週の試合よ」とエミリー。

「は？　私、見てたけど、あいつなんて出てなかったわ」

「あ〜。チェルシーちゃんは1軍の試合しか見ないもんね。3軍の試合よ」

「3軍？　バッカじゃない。試合のうちに入らないわよ、あんなおままごと」

「えー。でも〜」

「あー、また始まった。でも〜、ペラペラ、でも〜、ペラペラペラ」

両手を口に見立ててパクパク動かすと、チェルシーは言い放った。

「まぁ、いいわ。あんたたちみたいな三流女子には3軍の男がお似合いよ」

この時ばかりは、他の取り巻きたちもしーんと静まり返った。

チェルシーは鼻を鳴らすと、「行くわよ、買い物」と立ち上がった。

「行こ行こ！」。みんなも急に明るい声を出してついて行った。

女王様のちょっかい

1週間後のある日。ピンキーは歴史の授業の前にあわてて、自分の「意見と理由」を書き出している。いつもは前日に準備しておくのだが、昨日は夜に試合があって疲れてしまい、机で寝てしまったのだ。

Mr．Bとの、この約束だけは絶対に破りたくない。

すると、チェルシーが隣からちょっかいを出してきた。

「何だよ、このピンクのウロコ。だっせ」。ウロコを引っ張られる。

「い、痛い。チェルシーちゃん、痛いよ」

「メソメソすんなよ。男だろ」。なぜか怒られた。

作業に戻ろうとすると、また絡まれた。

「今時、消しゴムなんか使うかよ」とバシッと背中を叩かれた。

反動で紙の上をツツーッと鉛筆の線が走ってしまった。

「ああ。チェルシーちゃん、消しゴム返してもらっていいかな」

「鉛筆と消しゴムなんて、ダサイって言ってんじゃん！」

埒《らち》が明かないので、ピンキーは仕方なく紙を裏返して書き始めた。

「なんで紙、裏返してんだよ！　反則だよ！　アウト！」

ピンキーは何がどう反則なのかわからなかったが、どうにか授業が始まるまでに書き出すことができた。

ともあれ、努力の甲斐あって、授業中も発言する頻度はだいぶ増えた。反論を受けたあと、返す議論もできるようになってきた。言うことはしっかり言いながらも、相手の気持ちを配慮して、やわらかく。

授業前のチェルシーの様子を見て、エミリーの顔が曇った。1日1回は必ず発言するエミリーだが、その日は押し黙ったままだった。

「なんで、なんで」攻撃

「エミリー、まさかピンキーのことが好きなんじゃないだろうね?」

その午後、チェルシーが取り巻きたちの前で突然、言い放った。

エミリーはドキッとして、うろたえながらも、「う〜ん。ぜ、全然」と首を縦にも横にも振らず、どっちつかずで返した。

チェルシーは、その曖昧さを見逃さなかった。「全然、何よ?」とたたみ掛ける。

「好きなの? 嫌いなの? 2つに1つ! はい、どっち!」

取り巻きたち全員がいる前。そう、今ここで決着をつけなければならない。脅してでも、公式に「あの言葉」をエミリーの口から言わせるのだ。

エミリーは、うつむき加減に悲しい顔をしながら、「全然、好き、じゃ、ないよ」

チェルシーはニヤリと笑みを浮かべ、「そうよね、好きなわけないわよね。あんなピンク魚」と、吐き捨てた。

これもいつものこと。「手をつけるな」という女王からシグナルである。

取り巻きたちは有益な情報を集めて提供し、おいしいところはすべてチェルシーが取っていく。そういうシステムが見事に出来上がっているのだ。それでも取り巻きたちが集うのは、この選ばれしグループにいることで、ある種のプライドが満たされるからだ。要は、お互い様なのである。

気まずい空気が漂い、ひとりが話題を変えようと助け舟を出した。

「ねぇねぇ、今度ペトンから出たシルバーのエナメルのバッグ、よくない？」ファッションの中でも、とりわけバッグと靴の話は尽きない。「次はあれが流行《はや》る」「もうあれは終わり」だの、いつまでも言い合っている。

同時に、この会話には「カリスマ」の判断を仰ぐという側面もある。この人がダサイと言えば、それは絶対である。貯金をはたいて買っても、その烙印を押されてしまっては、もう二度と使えない。だからこれは、単なる社交面ではなく、金銭面でも非常に重要なのだ。

そう、彼女はこの学校のホォーグ編集長。いや、それ以上の存在だ。チェルシーは、すぐそこにある現実。よっぽど偉く、力を持っている。

こうして盛り上がっていると、急にチェルシーが割って入った。

「なんでそのカバンがいいと思ったわけ？」

その子はよっぽど気に入っているらしく、テンションが上がったまま、「だっていいじゃん。ねー」と周囲の同意を得ようとした。

みんな凍り付いて、誰も反応しない。しまった、このパターンはマズイ……。

「言いなさい。なんで？」

「うーん、なんとなく」

「それじゃわかんねーよ」。チェルシーは机を叩いた。「なんとなくは禁止！」

その子は頑張って食い下がった。

「なんて言うんだろう、あのテカッとした光沢？　あれが本当にきれいで……」

「ストップ」。チェルシーは右手を出して会話を止めた。

「だらだら話さない！　ポイントを絞って明確に。やり直し！」

「ひとつは、あのシルバーの光沢がかっこいいから」と、めげずに続けた。相当そのカバンに魅入られているようだ。

「ストップ。だから、まずは結論から。細かい理由なんて後にしてよ」

「う、ごめん。結論は、私はペトンの新作の、シルバーのエナメルバッグが大好きです、ってことかな」。おずおずと顔色をうかがった。

「よし。次は理由。なんで？」。チェルシーが指を1本、高くかざした。

「ひとつは、シルバーの光沢がカッコイイと思ったからです」

チェルシーがうなずいたので、その子はほっとした表情を浮かべた。しかし、人さし指はまだ上を向いたままである。「じゃあ、それはなんで？」

「え。なんでシルバーの光沢がカッコイイかってこと？」

チェルシーがぶっきらぼうにうなずいた。

「意見を言う時には、理由もしっかり考えなさい！　そんなんだから授業でも発言できないのよ。10秒で答えなさい。はい、10、9、8、7……」

「キラキラしているんだけど、ちゃちじゃないっていうか……」

「まぁ、いいわ。2つ目の理由は？」。今度は2本、指を突き上げた。

「カバン一面にブランドのロゴが入ってるんだけど、生地に型押ししてるだけで、色はつけてないの。そのさりげなさがいいの」

「どうしてさりげないといいの？　なんで？」

彼女は何も言えずに詰まってしまった。

「しょうがない。３つ目の理由は？」。３本目の指が立った。

「縫い目もね、一針一針、イタリアの職人がこだわって縫っているらしいの」

チェルシーがピクンと反応した、「それは誰が言った話？　誰の情報？」

「……」

「は？　裏の取れていない情報を信じてるわけ？」

「あと、歌手のブリが使っているらしいのよ」

「そんな三流歌手が使ってちゃ、バッグの価値がよけい落ちるわよ。少しは外見だけじゃなくて、中身も磨きなさい！」と怒鳴った。

「いい？　アンタが言っていることはね……」

チェルシーはその場でノートを取り出してピラミッドを書き始めた。

ペトンのバッグが好きな理由

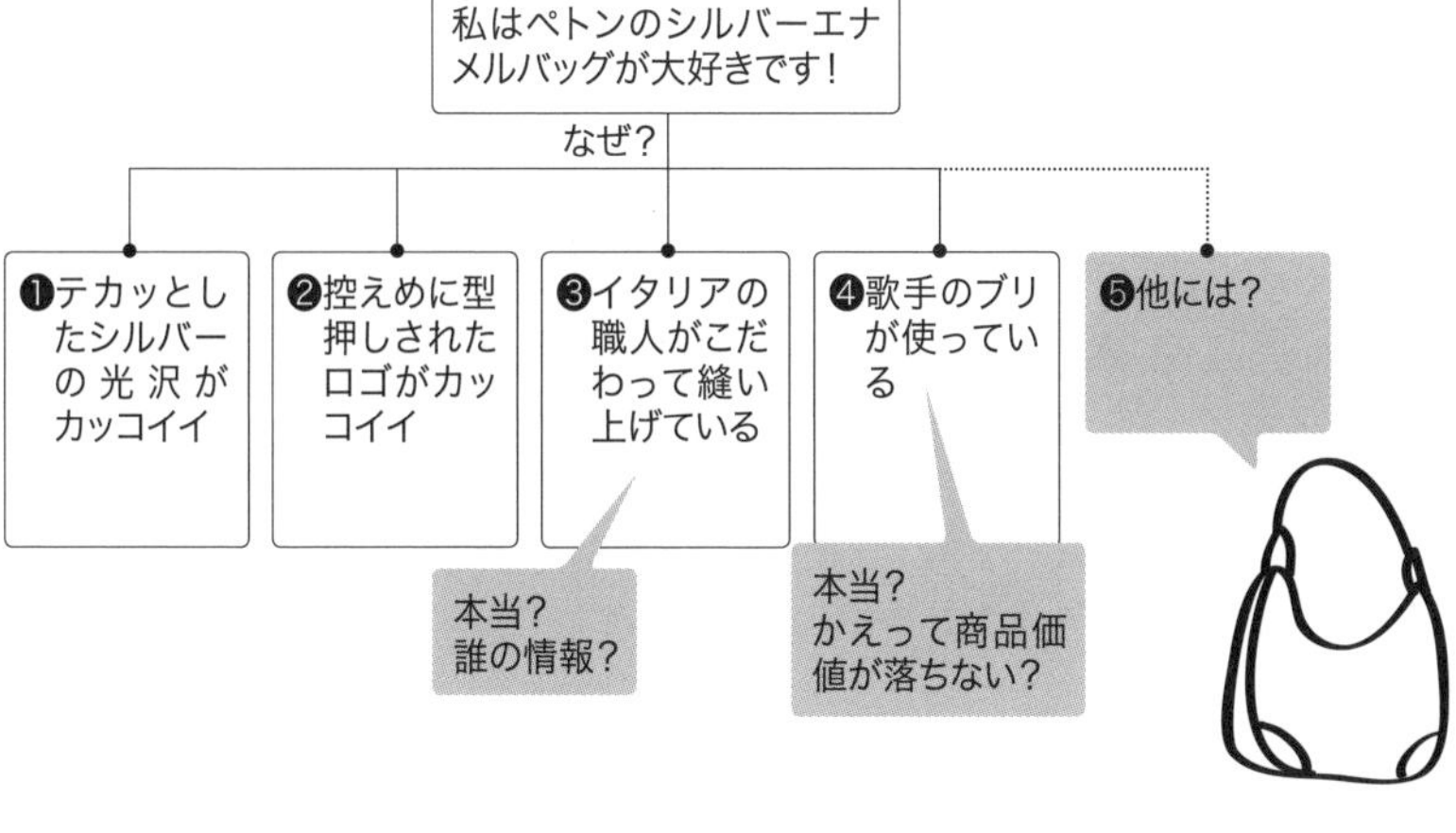
私はペトンのシルバーエナメルバッグが大好きです！
なぜ？
❶テカッとしたシルバーの光沢がカッコイイ
❷控えめに型押しされたロゴがカッコイイ
❸イタリアの職人がこだわって縫い上げている
❹歌手のブリが使っている
❺他には？
本当？

誰の情報？

本当？

かえって商品価値が落ちない？

チェルシーの視界から外れている取り巻きのふたりは、つまんなそうに髪の毛をいじりながら、あ〜耐えられない、という顔をした。

「会話を楽しんでただけなのにね」

「好きなものは好きなんだからさ、論理なんてどうでもよくない？」

すると、ギロッと睨まれた。「なんか言った？　せっかく説明してやってんのに」

「は、はい。聞いてる、聞いてるわよ」。ふたりは愛想笑いをした。

「意見と理由は簡潔に！　効率よく議論すればスパッと終わるでしょ」

いつもは従う取り巻きたちも、この時ばかりは少し納得いかなかったようだ。

この会話は彼女たちにとって最高の楽しみなのだ。ある意味、カバンを買って持ち歩くより幸せなぐらいだ。この大切な時間を、「はい、今日はクッチの新作バッグの議題です」と言って5分で議論して終わりでは、悲しすぎる。

そう、会話と議論は別。いちいち「本当にそうなのか？」「なんで？」などと野暮なことは言わずに楽しむべき時もある。

ライとレフの影響

この国に来てから、ピンキーはサッカーが格段にうまくなった。基礎能力がグンと高まり、肉体的にも精神的にも打たれ強くなった。

そう簡単には、ボールは取られない。ボールを追うのをあきらめない。倒れ込みながらでもパスを出す。昔とは、意志、執念、覚悟のレベルが違う。

もうひとつ、ピンキーの存在感をグンと高めたモノ。それはポジションをフォワードからミッドフィルダーに変えたことだ。

環境が変われば、優位性も変わる。緑国には、ガタイが大きい者が多い。フォワードでは生かし切れなかったピンキーの機敏さ、パスの精度の高さ、器用さが、ミッドフィルダーに変わったことで強みとなっている。

フォワード時代はゴールネットにボールを突き刺すことだけを考えていたが、今はまわりを常に把握していないとよい判断ができない。チームの誰を生かし、どのように連携し、相手のどこを突けばシュートのチャンスを生み出せるのか。ピンキーの視野はグンと広がり、イメージも豊かになった。

しかし、こうした変化はフィールド上にとどまらない。

日々の体験で言えば、赤国のやり方、緑国のやり方。人間関係ピラミッドの頂点にある者の見方、ボトムにある者の見方、その存在さえ認められていない、気づかれていない者の見方。違う場に身を置くことで見えてくることがある。

歴史の授業で言えば、自国の事情、相手国の事情。一国内でも、政治家の立場、生活者の立場。生活者の中でも富裕層、貧困層などさまざまな立場から考え、議論を重ねてきたことで、物事を俯瞰《ふかん》して見られるようになってきた。

さらには、共感力も格段に高まった。人の気持ちの機微を感じ取り、痛みや喜びを共感できるようになっているのだ。

こうした経験すべてが、ミッドフィルダーとしてフィールド全体を見渡すことに役立っている気がする。すべては、つながっているのだ。

サッカーでは、結果も出つつある。直近の5試合を見ると、10アシストの2ゴール。1試合当たり2アシスト、2・5試合に1回は自らもゴールを決めていることになる。3軍とはいえ、この成績はチーム内でも特筆に価する。

ただし、2軍に上がるには、圧倒的な力を示さなければならない。ボーダーラインぎりぎりではダメだ。

2軍で確実に活躍できる、もしかしたら1軍でも通用するかもしれないと、監督、コーチ、チームメイトに想像させるぐらいになって初めて「上がれる」のだ。

これは、どこの世界でも同じだろう。何かの機会を得るためには、その何倍、何十倍もの力を身につけないと、「確実」などというものは得られない。

ピンキーのレベルは、その域に迫りつつある。

では、ピンキーはなぜミッドフィルダーに変わったのか。なぜ、ちゃらんぽらんだったピンキーが努力をするようになったのか？

これにはライとレフの影響が大いにある。

ライはアマゾン中学の1軍のエースストライカーだ。初めてライのプレーを見た時、ピンキーはあ然とした。死に物狂いで頑張っても超えられない、歴然とした差があった。

言い訳や弱音なんぞの域を超えたモノがそこにあった。身体能力も格段に上。遊んでいる時には想像できないぐらいの、猛烈な闘志。シュートの音からして違う。「ドッカン！」とまるで大砲を放ったかのように聞こえるのだ。

ゴールキーパーやディフェンダーの位置を瞬時に判断し、カーブやトップスピンなどを自在に駆使して放たれたシュートは、キュルルルと空気を切り裂くような音を立て、鮮やかにゴールに吸い込まれて行く。

ピンキーは、一分の迷いもなく悟った。

そして翌日に監督と相談し、ピンキーの体型や器用さが生かされるミッドフィルダーへの転向をすぐさま決定したのだ。

このように、「どうしても超えられない壁」というものはある。ライのように、己れの限界を気づかせてくれる人は重要だ。「壁」の存在に気づいていても、そこで戦いが終わるわけではない。むしろ、早めにわかれば方向転換も可能だ。

この世は多種多様な生き方がある。違う星を目指すというのもひとつの判断なのだ。


一方、レフは1軍のミッドフィルダーで、ピンキーの新しいポジションと同じだ。レフも体型には恵まれているが、ひとりでディフェンスを切り崩せる時でも突っ走ることはなく、戦況やチームにとっての最適な判断を冷静に下す。

ある日、試合が終わった後、ピンキーが部室に忘れたカバンを取りに戻ると、もう誰もいない時間のはずなのに、窓から明かりが漏れていた。

電気の消し忘れかと思ってドアを開けると、「おぅ、ピンキー」。レフがひとりでその日の試合のビデオを見ていた。毎試合欠かさず、母親にスタンドから、フィールド全体が入る構図で録画してもらっているのだという。

ゲーム中に見えていた自分の視野やその時の判断を、俯瞰して見た場合と比較すると、自分の視野の盲点、判断の癖、チームメイトの癖がよくわかり、判断の質が上がるというのだ。

さらには、気づいたことをチームメイトにも伝え、互いのプレーやコミュニケーションを継続的に修正しているという。

プロだったらともかく、レフは誰に言われることなく、自分の意志で小学生の頃からこれを繰り返しているという。恵まれた体型や身体能力に甘んじることはない。普段の陽気な姿からは、まったく想像がつかないことだ。

しかも、この話をレフは惜しみなく、目をキラキラさせて語ってくれた。しんどそうに努力しているのではなく、楽しみながら邁進しているのだ。

ピンキーは、「バキューン」と胸を打ち抜かれてしまった。

あのレフが、ここまでやっている。ならば自分は、この数倍は努力しなければ話にならない。おかげで、ピンキーの中での「ここまでやるべし」「ここまでは当たり前」という「線」がぐっと高まった。

ピンキーの急成長の背景には、このような「ライバル」の存在がある。レフの存在が、ピンキーの力を引き上げてくれる、引き出してくれるのだ。

そういえば……

ある日の放課後。「はい！」「はい！」と、いつも通りチームメイトと声を掛け合いながらパスの練習をしていた。

すると、フィールドの横を通り過ぎる女の子が視界の端に入った。学校から少し離れていて、普段はサッカー選手しか通らない場所である。

あれ、チェルシーちゃんじゃないかな？　派手なバッグとアクセサリー。あんな格好が似合ってしまうのは、彼女しかいない。　ピンキーは大声で、「チェルシーちゃん！」と叫んで手を振った。

しかし、その子は振り返らない。

ピンキーはもう一度、「おーい！」と手を振った。

振り返らないばかりか、顔をそらして歩くスピードを速めたように見える。

「あれ。人違いかなあ」。でも、あっちは行き止まりなんだけど……。ピンキーはふと思ったが、またパスの練習を再開した。

3時間後。すっかり日も落ち、満月がフィールドを照らしている。誰もいなくなったところで、ガサガサと木陰から人が出て来た。チェルシーである。

「ったく、こんな夜遅くまで練習しやがって」と舌打ちしながらぼやき、服やカバンについた葉っぱを払った。

行き止まりだと知らずに来てしまったのだが、プライドが高いチェルシーは引き返す姿をサッカー選手、ましてやピンキーに見られたくなくて、練習が終わるまでじっと隠れていたのだ。

携帯電話を持っていたのが唯一の救いだった。待っている間、エミリーやほかの取り巻きたちに「次」「次」と電話をしては、時間を潰した。

もちろん、自分がどこにいるか、なぜそこに行き着いたかは内緒である。

「え〜、行かないの？」、レフが驚いて大声を上げた。

「お前、踊れないのか？　そんなの俺が教えてやるからさ」と、ライ。

「これ逃したら、アマゾンに留学してたなんて誰にも言えないぜ」

ピンキーは頭をかいて唸った。「でも僕、アルバイトがあるし」

「そんなのさぁ、俺が寮の料理長に言っといてやるよ」

「このパーティなら、わかってくれるよ」

「料理長はすごく厳しい人なんだけど……でも聞くだけ聞いてみるね」

「よし、お前のタキシードは、母ちゃんに用意してもらっとくよ」

その夕方、おそるおそるパーティの話を切り出した。すると料理長は「もちろん。もともとそのつもりでいたよ。楽しんでこいよ」と、満面の笑みで快諾してくれた。

ピンキーは嬉しかったと同時に、何か気が引き締まる思いだった。いつも甘やかさず鍛えてくれることに改めて感謝の気持ちが浮かんできた。

「ただし明日だけだぞ。その後は、いつも通りしっかりやってもらうからな」

午後5時@体育館

翌日、4時50分。ピンキーは、男子寮の前でライやレフ、その他サッカーチームのチームメイトと集合した。「おー」「いいじゃん」と、お互いのタキシード姿をほめ合っている。赤い蝶ネクタイでつっこまれている者もいれば、ハリウッドスター気取りでサングラスをかけている者もいる。

学校の敷地内に入ると、体育館から音楽が漏れ聞こえてきた。今流行の曲。ライが興奮してチームメイトたちの方を振り返って言った。

「ダッシュで行こうぜ！」

サッカー少年たちは雪崩を打ってダンスフロアに突入した。5分ほど遅れたが、会場にはほとんどの2年生が揃っている。中学生のパーティは、明るいうちから時間通りに始まるのだ。

ピンキーがもじもじして踊れないでいると、ライとレフに両手をつかまれ、「はーい。ワンツー、ワンツー！」と、操り人形のように踊らされた。

ピンキーは、仲間たちと一緒に騒いでいるこの場が、とてつもなく楽しかった。そして、幸せだった。

「あっ」という間に1年が過ぎた。こんな風に、みんなと当たり前のように冗談を言い合い、はしゃいでいる自分を、9カ月前に想像できただろうか。

さまざまな出来事が脳裏に浮かんできた。楽しかったこと、辛かったこと、いろいろあったが、今では満たされた気持ちである。

聞き覚えのある声で、ピンキーは我に返った。振り返ると、メグらしき女の子がいる。2年生のパーティに、どうして彼女が？

メグは、女子サッカー部の2年生たちとはしゃいでいた。ハイヒールを脱いで、裸足で猿のように踊っているが、実にうまいものだ。

声をかけようとして、ふと立ち止まった。いつもTシャツ短パンの男の子みたいなメグが、髪を下ろして黒いドレスを着ている。ハッとするピンキー。

「あ、ピンキー！　私も来ちゃった！」

「これ、2年生のパーティだよ」

「別にいいじゃない、1年生が来ても。あれぇ、困ることでもあるの？　好きな子に告白するところを見られたくないとか？　ダンスがへたとか？」とメグはからかうように笑った。しゃべってみると、いつも通りのメグだった。

「バーン！」

曲の合間、フロアが静かになったその瞬間。ドアがバカッと開いた。

「何だ何だ？」。入り口の方を見ると、11人の着飾った女子が、腰に手を当ててポーズを取っている。

チェルシーと取り巻きたちが、45分遅れで登場したのだ。さすが、そこいらの甘ちゃん中学生とは違う。大人のワザを知っている。

ザッザッとモデルばりのウォーキングでフロアのど真ん中を突っ切り、反対側にあるバーに向かう。観衆は自然に脇によけ、道が見事に開かれていく。

そしてバーに着くと、チェルシーが「コーラ11本」とバーテンダーに言い放ち、くるりとフロアを振り返った。

チェルシー軍団の美しさと大人っぽさに圧倒され、全生徒が口をポカンと開けたまま。ピンキーも度肝を抜かれた。ハリウッド女優顔負けの華がある。

するとチェルシーは、右腕を振り上げ、「いいから、踊れ」と合図をするかのように左右に振った。みんなはまた、踊り出した。

「なんであいつがここに」

チェルシーたちは、すぐには踊らない。ダンスフロアの布陣を読んで、自分たちはどこで踊るのが最もふさわしいかを判断するのだ。

すると、急にチェルシーが不機嫌な顔になった。

「なんであいつがいるの？」。ちらっと、エミリーを見ながら言った。

「あいつって？」

「あの1年坊主だよ」

「ああ、メグちゃん？」

「サッカー女子たちに誘われて来ただけでしょ」

「あの子、この間ピンキーと朝一緒に走ってたわよ」

「ふたりとも子供っぽいから、お似合いなんじゃない？」

チェルシーはイラッとして、「単に同じサッカー部だからでしょ！」

「でも夜遅くに図書館で一緒に宿題とかしてるよ」と他の取り巻きが言った。

すると、チェルシーが足を空中に蹴り上げて吐き捨てた。

「サッカーがうまいからって調子に乗るんじゃないわよ！　しかも、なんで私の許しも得ずに、黒を着てるわけ？　何か報告はなかったの？」

取り巻きたちは揃って首を横に振った。

「かぶるじゃない！　ったく！」チェルシーが怒鳴った。「ふん。どうでもいいわ。あんな小娘」

「もう1本！」と、チェルシーは前を向いたまま、右手を上げて指示を出した。取り巻きがすぐさまコーラを調達して渡すと、ズズズとストローで一気に飲み干した。

ファイナルダンス

一人ひとりが我を忘れて、無我夢中で踊った。ピンキーも次第に調子が出てきて、サッカー部のみんなでスライドダンスをやったり、サッカーでゴールを決めた後のダンスを披露したりした。

ピンキーは慣れないダンスでゼーゼーと息が上がり、バーの脇の椅子に腰掛け、蝶ネクタイをちょっと緩めて一休みした。

ＤＪがダンスフロアに語りかけた。

「残念ですが、次が今夜最後の曲です」

「え～」と、落胆した声を上げる観衆。

「今夜は、お楽しみいただけたでしょうか？」

「イェ～イ！」。一斉に声が上がる。同じ場を共有しているという連帯感。

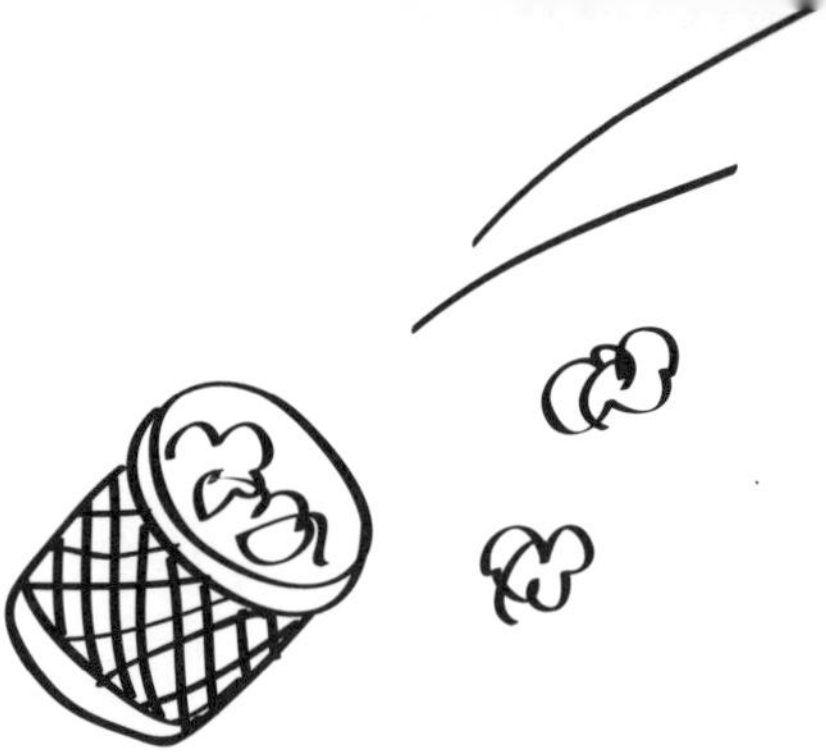

「最後はもちろん、スローダンス。パートナーを見つけて踊ってくださいね」

会場全体がそわそわした雰囲気で覆われた。ピンキーが「うわ、こういうの苦手。座っててよかった」と思っていると、チェルシーが怖い顔をしながらツカツカと向かってきた……。

すると横からパッと手をつかまれた。「ピンキー、踊ろ！」。メグだ。

「えーっ」と尻込みするピンキーを、いいから、いいから、とあっという間にフロアに引きずり出した。

後ろを振り返ると、そこにチェルシーがいた。ゴミ箱をバッコーンと蹴り上げている。「チェルシーちゃん……」

ガリオが眼鏡をずり上げながら、「あ、あの」と声をかけると、チェルシーは「1万年早いんだよ！」と顔も見ずに怒鳴りつけた。モリモリくんが自信満々に近寄ってくると、これまた「失せろ！」と一刀両断。

メグはダンスフロアの真ん中近くで立ち止まり、ふたりはチークダンスをゆっくり踊り始めた。いつもと違う服装、いつもと違う様子に、ピンキーはなんだかちょっと恥ずかしいような、でも、親愛の情が湧いてくる感じがした。

するとメグは突然、ほっぺにチュッとした。ピンキーがビクッと固まると、「あー、のど乾いた。コーラ飲もっ！」とケラケラ笑って力まかせに手を引っぱり、バーに向かった。「？？？」。ピンキーは混乱したまま、引きずられていった。

1年が経って

緑国に来て1年が経ち、気づいたことがある。赤国と緑国は、当初思っていたよりも根っこのところでは違いが少ないということだ。

最近、ピンキーは「各国の違いは何？」と聞かれてもうまく説明できなくなってきた。環境に合わせて、自分の「核」は変えずに無意識に「やり方」を調整していけるようになったから、という側面もあるであろう。

しかし、それだけではない。

国によって共同生活やゲームのルールは違うかもしれない。コミュニケーションの取り方も違うかもしれない。でも、その中で生活しているのは、思いやり、恥じらい、悲しみなど多種多様な感情を持つ同じ生き物である。

もちろん、時にすれちがいや衝突もあるが、表面的なやり方の違いを通り越し、核となるところはどこの国でも、大差ない。

喜ぶ姿、悔しがる姿、悲しむ表情、思いやる感情は異国の地でも「懐かしいくらい」似ているのである。そして、そのような感情を緑国の人々と生活の中で共有した。ピンキーは、横に大きくつながっているような感触を得て、視界も心も一気に広がった。

そもそも、国という区切りで分けて語ること自体が実に乱暴なもので、どこの国でも「いろいろな人」がいる。

心温かい人もいれば、心冷たい人もいる。

自己中心的な人がいれば、協調的な人もいる。

純朴な人もいれば、人を巧みに操る人もいる。

まっすぐな人もいれば、屈折した人もいる。

人の成功を喜んで応援する人もいれば、妬んで足を引っ張る人もいる。

前向きな人もいれば、後ろ向きな人もいる。

寂しがり屋もいれば、ひとりで大丈夫な人もいる。

甘えん坊もいれば、しっかり者もいる。

国によって多少比率が違うかもしれないが、同じように存在する。

だからこそ、「やり方の違い」という表面的な部分よりも、「核」の部分が重要性を増してくるのだ。

「同じ文化同士」という縦の関係だけより、「似た人間同士」という横のつながりが重要になってくる。

人はある線を越えると、縦ではなく横につながるのだ。

それが、この地球のひとつの希望だ。

ピンキーはこの1年を「生きた」。自分自身が考え、暗闇の中で試行錯誤し、積み重ねてきた1年。一分の偽りもなく、体と心の隅々から、そう感じられる時間だった。例えるならば、「IKITA」とキーボードで打って変換するのではなく、大きな和紙に太い筆で全身全霊をかけて書き切った「生きた」である。

甘えん坊だったピンキーの顔が、少し頼りがいのある顔に変わってきた。

column

海亀じゃ。

どうやらピンキーは、大海に放り込まれ、荒波に揉まれて、少しばかり強く、そしてしなやかになってきたようだな。

異国の地での生活、競争の激しいサッカー環境、Ｍｒ．Ｂの授業を通じて視野はだいぶ広くなっただろう。考え抜くことの重要性に気づき、自分の憲法をゼロから書き上げる中で、価値観や自分の核を築きつつあるようだ。

また老人のおせっかいじゃが、いくつか話をさせていただこう。

「考え抜く方法」や「議論の仕方」はＭｒ．Ｂが言った通りじゃ。重要なポイントを、箇条書きにまとめておこうかの。

考え抜く方法

・「自立した考えを持つ」ことと、「自己主張が激しい」ことは別。「知りもしないことも自信満々でペラペラ話すこと」ではないし、「協調性」や「和を重んずること」と相反するものではない。文化や慣習によって伝え方は違えど、「自立した考え」を持つ必要性は変わらない。

- 「絶対的な正解」はない。そして「答え」は論理だけでなく、その人の価値観にも左右される。その中で「問いかけ」を徹底的に行うことが重要。
- 自分の「意見と理由」を徹底しよう。相手の「意見と理由」を引き出そう。ピラミッド・ストラクチャーを活用し、「つっこみ」を入れることで、真実を見極めることができ、よりよい判断が可能となる。

議論の仕方

- 反論するなら、「違う」と言うだけではダメ。具体的に何が違うのかを明らかにして、できれば代替案を示す。批判のための批判は絶対に禁物だ。ましてや、人格を批判するなど、もってのほか。
- 一人ひとりの視野、価値観、経験には限界があり、そのために偏った判断をしてしまうことがある。だからこそ、多種多様な意見に耳を傾け、議論することが必要だ。
- 議論では、Mr.Bのように多種多様な意見と理由、幅広い選択肢、それぞれのよい点や悪い点を、いかに引き出せるかがカギとなる。
- 発表する時には、基本的には、先に結論を述べ、その後に理由を述べる。
- 議論と会話では目的が違う。多くの会話は、寄り道や無駄そのものを楽しむことが目的であり、そこに「論理」や「何で」を持ち込む必要はない。

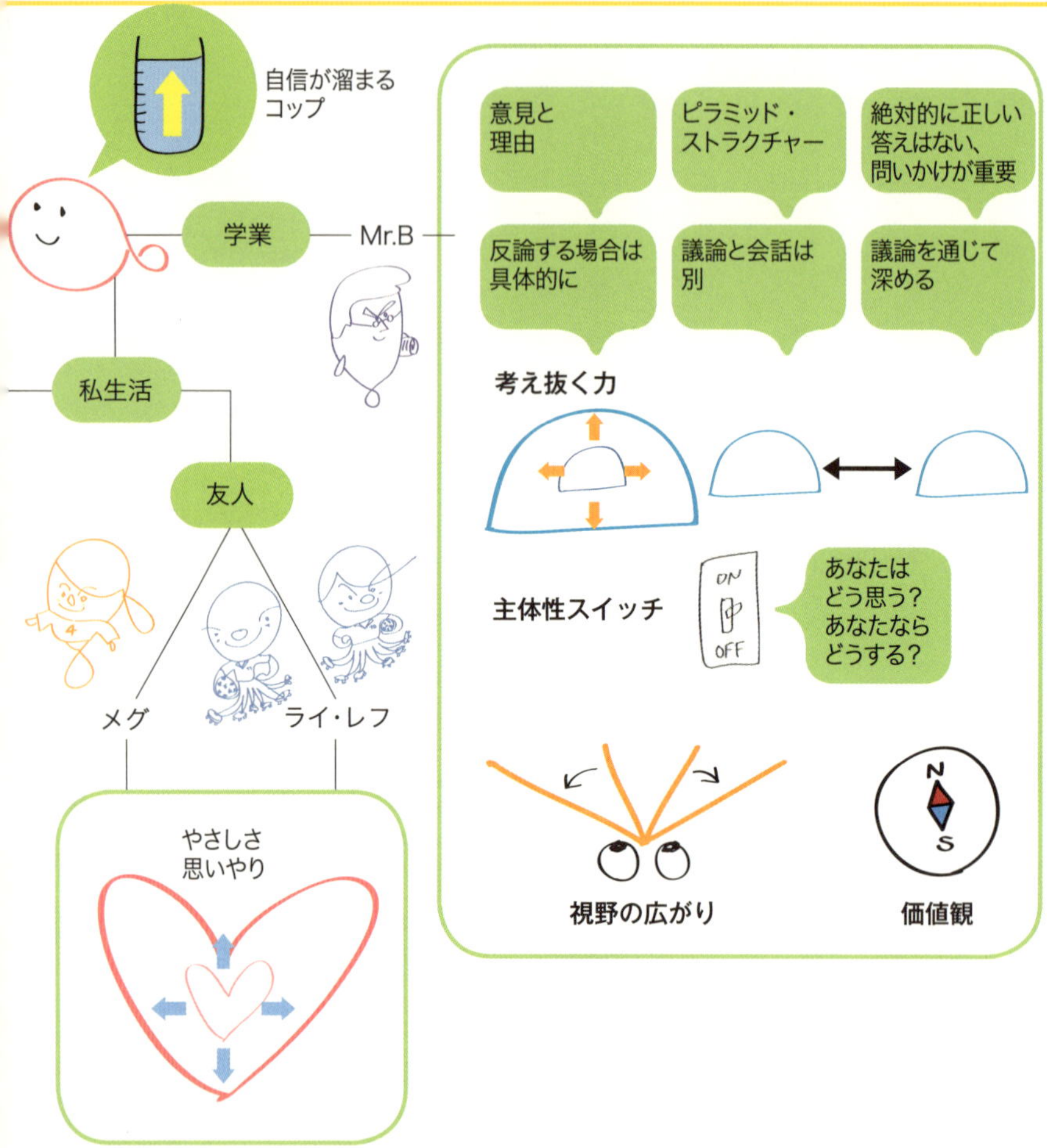

自信が溜まるコップ
学業
Mr.B
意見と理由
ピラミッド・ストラクチャー
絶対的に正しい答えはない、問いかけが重要
反論する場合は具体的に
議論と会話は別
議論を通じて深める
考え抜く力
主体性スイッチ
ON
OFF
あなたはどう思う?あなたならどうする?
私生活
友人
メグ
ライ・レフ
やさしさ
思いやり
N
S
視野の広がり
価値観

そのほかに、自らを「成長」させていく上で気をつけるべき重要な点が８つある。
この1年でピンキーが学んだことの中でも、非常に大切なことじゃ。

緑国でのピンキーの成長

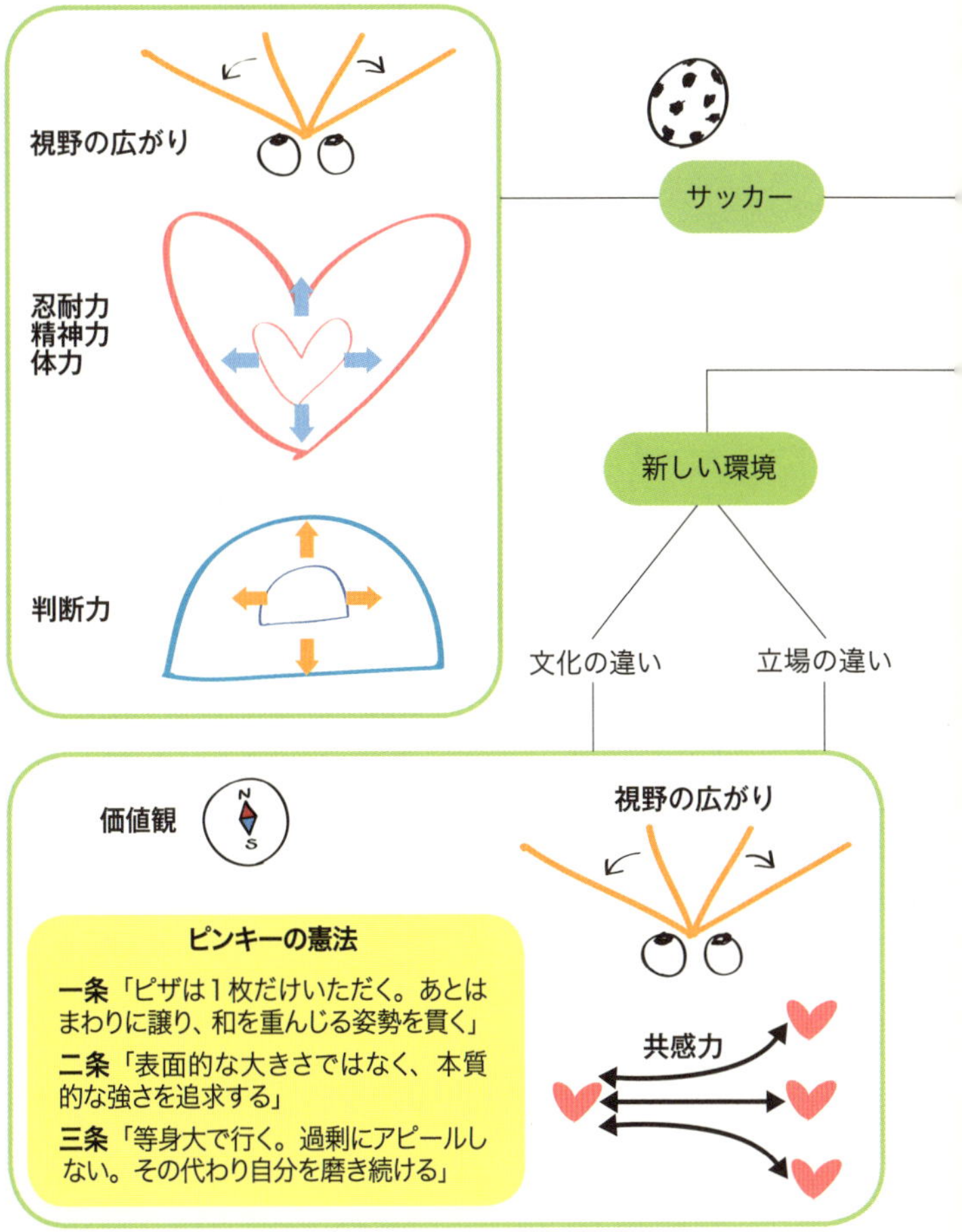
視野の広がり
忍耐力
精神力
体力
判断力
サッカー
新しい環境
文化の違い
立場の違い
価値観
N
S
視野の広がり
ピンキーの憲法
一条「ピザは1枚だけいただく。あとはまわりに譲り、和を重んじる姿勢を貫く」
二条「表面的な大きさではなく、本質的な強さを追求する」
三条「等身大で行く。過剰にアピールしない。その代わり自分を磨き続ける」
共感力

真実を追求し、よりよい判断をするために議論する

我々個々の持つ知恵、経験、視野などは非常に限られている。しかも、無意識の間にそれらに引きずられ、偏見を持ってしまっている。

「自分は間違っているかもしれない」

「自分が気づいていないこと、見えていないことがあるかもしれない」

「よりよい答えがあるかもしれない」

常に頭と心を開放し、自らに問いかけることが重要じゃ。

よりよい答えや意見を知ることができれば、これ幸い。それまでの考えに固執せず、柔軟に意見を変えていこう。

議論をする時に防衛本能を働かせる必要はない。相手の意見を受け入れ、自分の意見を変えることに抵抗を感じる必要もない。勝ち負けが問われる議論など、ほんの一部にすぎないのじゃ。

生まれつき全能な者などいない。重要なのは、会話と議論を通じて何が真実かを追求し、何をすべきか最適な判断をすること。そして、自分の考えや価値観を研ぎ澄ましていく、進化していくことじゃ。

なんでもかんでも鵜呑みにしないし、批判のための批判もしない。要は、しっかり意見の理由と根拠を吟味した上で、建設的に議論をし、判断することじゃ。

「オツム」と「こころ」のバランス

あなたの「オツム」と「こころ」は、どちらが大きいかな？

ピンキーは今のところは、バランスよく成長しているようじゃな。

「オツム」を鍛えることは極めて重要じゃ。しかし、少し「利口」になってくると、とたんに自分を見失い冷たくなる人も少なくない。

隣やまわりの人と比較して、自分の方が利口かどうかなどという、どうでもいいことに過度に神経を尖らせ、慢心し、おごるようになる。

そんなものは、くだらぬ自己満足じゃ。

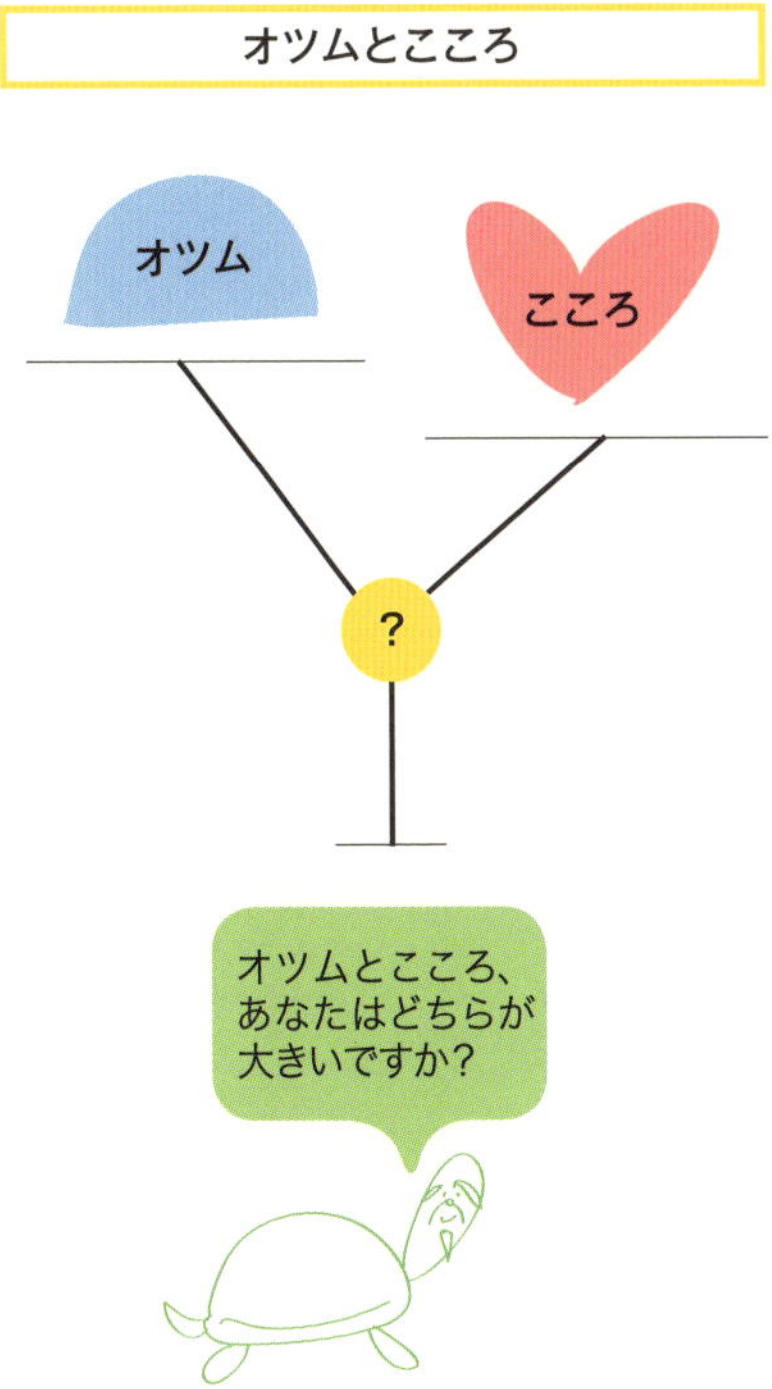

オツムとこころ
オツム
こころ
?
オツムとこころ、あなたはどちらが大きいですか？

この世には利口な者なんぞ、余るほどいる。過去の歴史を遡ればきりがない。ノーベル賞やフィールズ賞を受賞するほどの天才なら、多少「こころ」がイマイチでも、少しは世の中に貢献できるかもしれない。じゃが、「隣の人と比較して多少利口なオツムでもこころの伴わない者」はほとんど役立たずなだけでなく、多くの場合、ただの迷惑じゃ。

そんな輩が意義あることを成し遂げたことなど、ほとんどない。自分の小さな見栄や欲を守るため、嫉妬で他人の足を引っ張るために、その「オツム」を活用し、かえって世の迷惑になることをしでかす。それなら、「こころ」が素直なだけの方が、まだマシだ。

この世に足りないのは、「利口なオツム」だけでなく、「こころが温かい」だけでもなく、その両方をバランスよく兼ね備えた人材である。

ピンキーがバランスよく育っているのは、深く愛されたことがあり、心や情の大切さを体で知っていたからかもしれない。両親、ピフィー、ブー、クラゲコーチ。緑国に来てからは、ライとレフ、Mr.B、メグ……。

だからこそ、ブレない。どんな困難もプラスの方向に生かし、厳しい状況の中でも屈折せずに純朴に戦い、進化し続けることができる。

でも、これはあくまでひとつのパターンじゃ。

深く愛されたことがなくても、「だからこそ、他人に愛を与えてあげたい」と自分の手でプラスに転換する者もいる。そして、見返りを求めずに「愛を与える」からこそ、自然に「愛を与えられる」ことになるのじゃ。なんでも必ず前向きな方向に持って行くんだという強い決心さえあればどのような体験も糧になるのじゃ。

くどいようじゃが、ただ利口なだけの者には絶対にならないでくれ。「オツム」を鍛えるのと同時に「こころ」を磨き上げてくれ。

常に「こころ」の方が、「オツム」より大きくなっているぐらいが、ちょうどよいのじゃ。

自信が溜まるコップ

自信は、日々の生活の結果として、自然にそのコップに溜まっていく。でも、溜まるだけじゃなくて、蒸発もする。時には、自ら誤ってこぼしてしまうこともある。

「自信が溜まるコップ」は非常に正直じゃ。そのままの状態を包み隠さず表す。コップに溜まっている量は、他人から丸見えじゃ。

いくら自信があるように装っても、本能はありのままの姿をさらけ出す。本能はコップに溜まった自信の量を、0・001ミリグラム単位で知っているのだ。

コップに自信が溜まってないと、差し迫った時、本能がむき出しになって、防衛本能が働いたり、緊張して体がガチガチに固まって力を発揮できなくなったり、自分を大きく見せようとしたりする。

自信というのは、ごまかしの効かないものなのじゃ。

自信が溜まるコップ

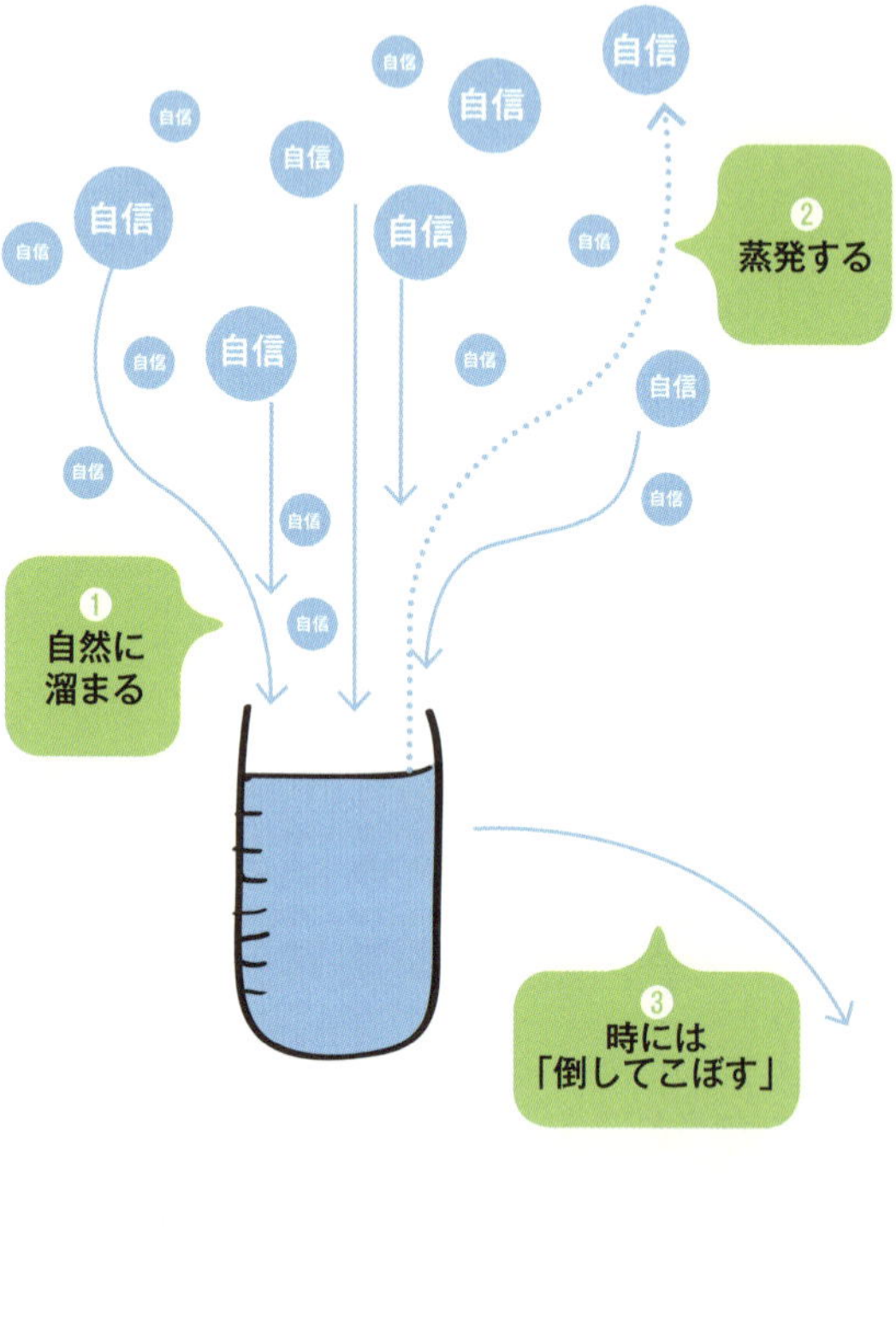
自信
自信
自信
自信
自信
自信
自信
自信
自信
自信
自信
自信
自信
自信
自信
自信
自信
❷蒸発する
❶自然に溜まる
❸時には「倒してこぼす」

自信は「溜めるもの」ではなく、「溜まるもの」。

意識すべきなのは、自信をつけようとすることではなく、自信が自然に溜まるような環境や体験に自らを置くこと。

学業でも、部活でも、私生活でもよい、成功も失敗も含めたあらゆる経験を通じて、自信が0・001ミリグラムずつでも溜まっていくようにする。

それが大人になってからも効いてくるのじゃ。

大海に飛び込め

己れを磨き上げ、真の自信を溜めていくには、生ぬるい「金魚鉢」から抜け出し、自らを崖から「大海」に突き落とさないといけない。

自らどんどん仕掛けて、たくさんの修羅場をくぐることじゃ。その中で、失敗からも、成功からも何かをつかみ取っていくのじゃ。

大海に飛び込み、自信を溜めていくには、学業だけではなかなか難しい。あらゆる角度から多様な試練を受け、一つひとつ乗り越えていくことで培っていく。

ピンキーの場合、緑国への留学を機に、学業、スポーツ、文化の違いなどを通じて揉まれることが、大きなきっかけとなったようじゃ。

海外というのは、ひとつの大海じゃ。しかし、唯一の大海ではない。

どこにいても意識さえすれば、自分を追い込みさえすれば、身の回りに必ず大海はある。心も頭もぐっと広げて挑戦し、等身大の自分と結果をまっすぐ受け止め、そこから何かを学び、どれだけ真剣に生きるかが重要なのじゃ。

若かりし頃の日々の生き方は、あとからジワジワ効いてくる。今の生き方もまた、10年後の自分に反映されてくる。

環境を言い訳にするな。環境は、自ら形作るものなのじゃ。

主体性スイッチ

ピンキーは緑国での生活を通じて「主体性スイッチ」が「ON」になった。

自分の問題も、身の回りの社会の問題も、「傍観者」としてではなく、「当事者」として、自らの意志で想像し、考え抜き、行動するようになってきている。

Mr．Bは、「君はどう思う？　君ならどうする？」といった問いかけを通じて、常に当事者

として考え、行動する癖を刷り込んでくれているのじゃ。

傍観者として見るのと、当事者として見るのでは、世界はまったく異なる。この意識が、ピンキーの今後の成長に与える影響は絶大だ。

例えば、部活の練習の仕方がイマイチだったとする。この時、「本当にうちの練習はダメだな」と思ってふてくされるか、「どうやったらこの練習をよくできるだろう？　どうしたら監督もチームメイトも納得して前向きに新しい練習方法を導入してくれるだろう？」と思うかによって、その人の成長度合いは大きく変わってくる。

そして、主体的に想像し、考え抜き、行動することを繰り返していくと、「現状は変えられる」という自信が自然に湧いてきて、前向きに生きていけるようになる。新たな道も切り開いていけるようになるのじゃ。

みなさんの「主体性スイッチ」は「ON」になっているかな？

メンターがいるか・ライバルがいるか

みなさんにはメンター（指南役）がいるかな？　赤国のクラゲコーチのように厳しく叱ってくれる人。緑国のMr．Bのように焚きつけてくれ、新しい世界を見せてくれる人。一気に地平線を広げてくれる人。

Mr．Bはピンキーに考え方を教えただけでなく、ピンキーの目指すべき人物像や夢や目標、「星の高さ」をグンと引き上げてくれている。視野を広げてくれ、形や色は違えど、さまざまな「星」がこの世にはあることを気づかせてくれている。そして「圧倒的なもの」の存在を知らせてくれ、謙虚にさせてくれる。

何をやるにも「このぐらいやればいいかな」という目には見えない線を引くものだが、Mr．Bは、その「線の高さ」を引き上げてくれる。授業中のMr．Bの真剣な眼差しから伝わる、意識の高さ。切れ味ある問いかけから伝わって

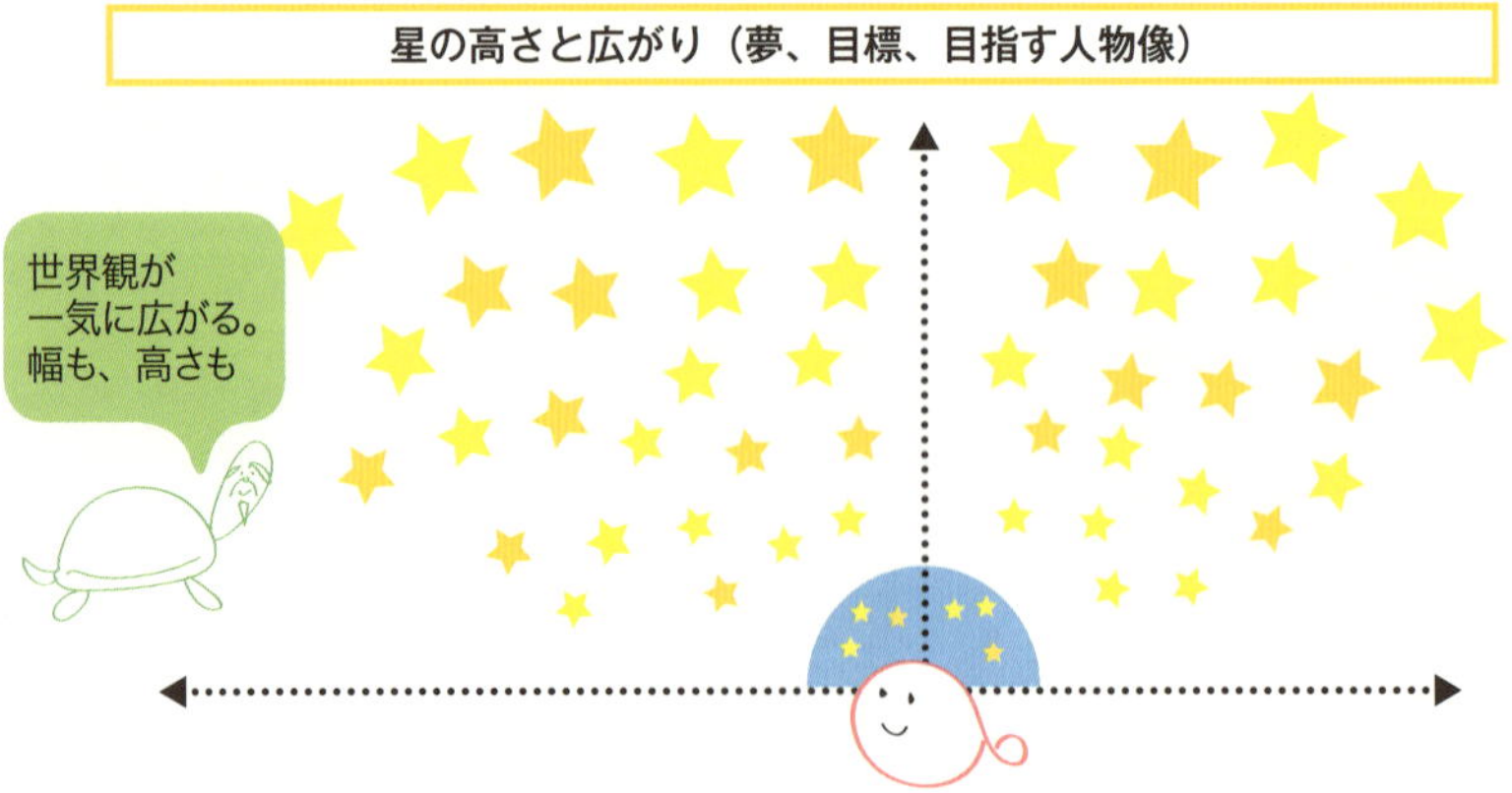
星の高さと広がり（夢、目標、目指す人物像）
世界観が
一気に広がる。
幅も、高さも

くる、圧倒的な知性と教養。授業に臨む前に最低限にやるべきことの提示。

「この世は形作られてきた、そしてみなさんが形作っていかなければならない」などの問いかけ。

これらを通じて、ピンキーの内側にある、

「GB！ライン（こりゃあすごい）」（GB＝goosebumps：鳥肌の略）

「よくやった！ライン（内から達成感が湧いてくる）」

「これ以上じゃないとあかんライン（自分が譲れない線）」

のいずれもグンと引き上げてくれたのだ。

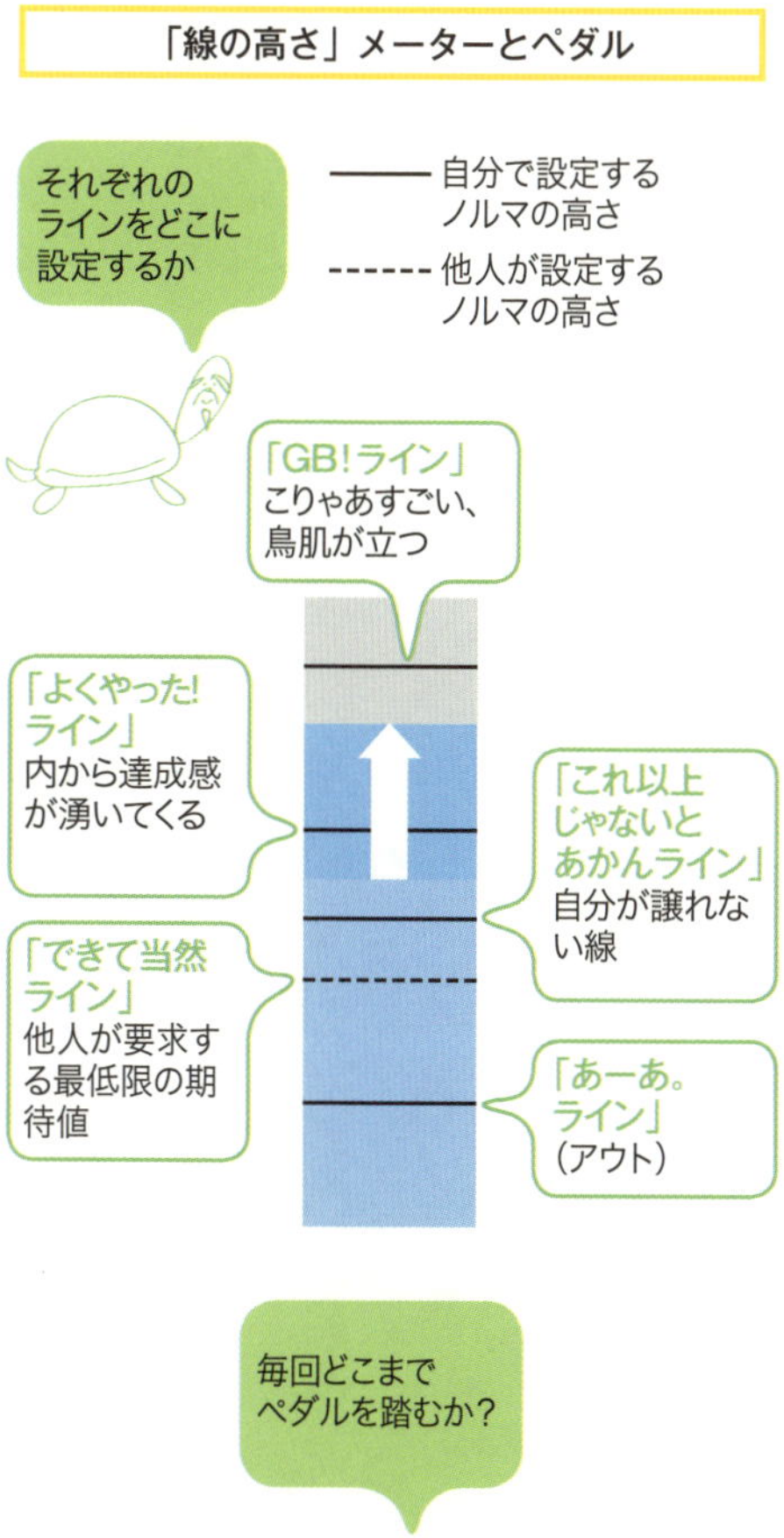
「線の高さ」メーターとペダル
それぞれのラインをどこに設定するか
自分で設定するノルマの高さ
他人が設定するノルマの高さ
「GB!ライン」こりゃあすごい、鳥肌が立つ
「よくやった!ライン」内から達成感が湧いてくる
「これ以上じゃないとあかんライン」自分が譲れない線
「できて当然ライン」他人が要求する最低限の期待値
「あーあ。ライン」（アウト）
毎回どこまでペダルを踏むか?

そんなメンターとの出会いが、人生を大いに変えてくれるだろう。
ただし、受け取るばかりではなく、できる限り何かを返してほしい。人間関係は持ちつ持たれつの双方向。それはメンターでも同じだ。別に知恵で返さなくてもよい。素直さや感謝の思いを表すことでもよいのじゃ。

さらに、「ライバル」の存在。みなさんには、自分が武者震いを感じるような人はいるかな？

Mr．Bと同じく、目指すべきレベルを「グン」と引き上げてくれる人。

「もうダメだ」というところでアクセルをもう20％踏み込ませてくれる人。

厳しい競争を通じて、自分では気づかなかった力を引き出してくれる人。

そのようなメンターやライバルが身の回りにいないとしても、そのような人々出会える環境さえ自ら作り上げていくのが、自分の責任なのじゃ。

アンテナを張る

さらに、こうした過程を経て、ピンキーは幅広い分野で「問題意識」が生まれ、同時に「アンテナ」が立ち上がり、どんどん「情報」が引っかかるようになってきた。

寮から学校に向かう道、誰かとの何げない会話、先生の一言、読書の中のあるフレーズ、街で見かけるもの……。生活のあらゆる場面で、情報がポンポンとアンテナに引っかかってきて、無意識のレベルでいろんなつながりが見えてくる、アイデアが出てくるようになってきているのだ。

身の回りの景色が白黒からカラーに転換するように、世界が一気に鮮やかに見え、好奇心をそそるものがありとあらゆるところにあふれんばかりに顔を出してくる。より幅広い視野と深い造詣《ぞうけい》を基に、判断と行動を取れるようになり、より味わいある人になってくるのじゃ。

自分の価値観・憲法

ピンキーは緑国での体験を通じて、二者択一ではないが、

「何が正しくて、何が間違っているか」

「何が正義で、何が悪か」

「何が美しくて、何が醜いか」

など価値観の核が形成されてきており、行動規範となる具体的な「憲法」も出来上がってきているようだ。


ピンキーの価値観や憲法の形成は、私生活だけではなく、学業を通じての新しい知識や教養との出会い、議論などからも影響を受けておるはずじゃ。

学業で言えば、歴史のみならず、文学、哲学、経済、政治、倫理、科学、心理学、美術、建築、音楽なども、同じアプローチで教育を受けたようじゃ。

いずれも、多様な考えに触れた上で、「あなたはどう思う?」「あなたはどれが好き」「あなたならどうする?」などと問いかけられ、自分なりに咀嚼《そしゃく》し、自分なりの答えを導き出していく過程で、考える力だけでなく、価値観の核が形作られていった

のである。

そして、自分なりの価値観、美意識、道徳観を持って考え、判断し、行動を起こし、自分の言葉で語れるようになってきているのだ。

こんな経験を通して、自立した考えが身につき、自分の言葉で語れるようになっていく。

重要なのは、自分が育った環境の価値観を無意識に受け入れるのではなく、幅広い経験、価値観を試す決断を迫られる修羅場、異なる価値観との衝突などを通じて、自分の意志で己れの価値観の核を一つひとつ形作っていくことだ。

そうして初めて、借り物ではなく、ブレない「自分の核」が出来上がっていく。社会に出て、絶対的な答えがない中で、重要な決断を下せるようになる。暗闇の中で、自分なりの灯台を見つけられるようになる。

みなさんには、そんな自分の価値観、そして憲法があるかな？

【ピンキーの憲法】
一条「ピザは1枚だけいただく。あとはまわりに譲り、和を重んじる姿勢を貫く」
二条「表面的な大きさではなく、本質的な強さを追求する」
三条「等身大で行く。過剰にアピールしない。その代わり自分を磨き続ける」

第3章

赤い魚たちの移住

ピンキーが留学をして、1年半が経った。

緑国での生活にもすっかり馴染んで、今ではちょっとした冗談でチームメイトを笑わせることもできるようになった。

サッカーでは、3カ月前に2軍に上がり、1軍入りも視野に入ってきたところ。友人にも先生にも恵まれ、充実した日々を過ごしていた。

そんなある日の出来事から話を続けようか。

ハコフグ監督の朝

早朝5時を過ぎた頃、ハコフグ監督はいつも通りマグカップに温かいコーヒーをゆっくりと注いだ。湯気がほんのり立ち上る。

秋を迎え、すっかり肌寒くなってきた。1週間ほど前から、グレーに青色のストライプの入ったふかふかのローブを取り出し、羽織っている。

外からは学生たちの掛け声が聞こえてくる。ハコフグ監督の自宅は、アマゾン中学のサッカー場に隣接しているのだ。朝練の選手たちの元気のよい掛け声とともに毎朝目覚める。これが彼の至福の時だ。

コーヒーをすすりながら、おもむろにパイプに火をつけ、新聞を開く。見出しを見た監督は、眉間にしわを寄せた。のどかな朝に、急に張りつめた雰囲気が漂った。

普段動揺することのない彼が、スリッパのまま飛び出した。グラウンドの端で「ピンキー!」と大声で叫ぶと、こっちに来るように大きく手招きをした。

しかし、何回呼んでも練習の掛け声にかき消されてしまう。

やっと気づいたかと思えば、

「監督、おはようございまーす!」と満面の笑みで大きく手を振り返し、またボールを追いかけ始めてしまった。

ハコフグ監督はあわててグラウンドからピンキーを引っ張り出す。ちょっと不満げな顔のピンキーに、持っていた新聞を広げて見せた。

「赤い魚たち、X地点沖でサメの大群に襲われ壊滅状態」

どうするピンキー?

ピンキーはすぐさま、ハコフグ監督の家で電話を借り、パーやマーに電話をかけてみたが、誰も出ない。あせって飛び出そうとするピンキーを制して、監督は自分の朝食を差し出した。

「何があるかわからないから、ちゃんと食べていきなさい」

その間、監督は地図やお金、非常食を家の中からかき集め、旅支度を整えてあげた。

ピンキーはご飯を食べ終わるやいなや、装備を身につけ、X地点に向かった。


ピンキーの脳裏を、いろんな記憶が通り過ぎる。マーの愛情あふれる仕草。小さい頃、ピンキーのシュートを「やられたぁ」と取れないふりをしてくれたパーの笑顔。自分のケーキをペロっと平らげ、僕の分も欲しいとねだるピフィーの姿。

黙々と留学先を探してくれ、「ああでもない、こうでもない」と議論してくれたブー。ピンキーを叱りつけてくれたクラゲコーチの怒鳴り声……。


赤い魚たちは5年周期でX、Y、Z地点を順に移り住んでいる。貝殻のネックレスを作って販売し、生計を立てているのだが、5年も住んでいると原料の貝殻も食糧として食べる海藻もなくなってしまうからだ。他の2

拠点を経て10年後に戻ってくる頃には、海藻が生え戻り、貝も貯まっているというわけだ。

新聞記事によると、このサイクルを見抜いたサメが、Z地点から移住してくる赤い魚たちをX地点で待ち受け、長旅で疲れているところを襲ったらしい。

移住を手伝いに帰っていれば、とピンキーは悔やんだ。パーとマーの「心配するな。我々で十分対応できる。サッカーと学業に没頭するように」という言葉に甘えて、一時帰国を見送ったのだった。

X地点に到着すると、すぐさま生存者がいないか探した。しかし、住居として使うサンゴ礁はズタズタ。サメが強烈な顎で噛み砕いたのだろう。あたりは廃墟と化していた。

生き延びた赤い魚たちが戻っていないかと、今度はZ地点に向かった。必死に呼びかけても、何の応答もない。何の音もしない。

「みんなやられてしまったのか」

胸がキュウッと締めつけられた。苦いものが喉元までこみ上げてきて、息が詰まりそうだった。

何かがプツンと切れ、ピンキーは岩にくったり倒れ込んだ。岩は、ひんやりと冷たい。サンゴのカケラを握り締めたまま、その場を動けなかった。

と、その時。

岩の中からかすかな音がした。ピンキーはあわてて耳を押しつける。

「なんで○＊△＃※☆！」。甲高い声が小さく漏れてきた。

ピンキーは目を大きく見開き「ピフィー！」と声を上げた。

「そうだ、シェルターだ！」と叫びながら、隠れドアを探して岩のまわりを動き回った。そういえば子供の頃、非常事態が起きたらシェルターに逃げ込むよう教えられ、避難訓練をしたことがあった。

中に入ると、吠えかかるピフィーをみんなが押さえつけている。

「ピフィー！」

負けん気が強くてすぐケンカ腰になるピフィーを、つい昔の習慣で条件反射的に「すみません」と謝りながら引き離した。

「なんで謝るんだよ！　こいつが悪いんだよ！」と怒鳴って、ピフィーは急にきょとんとした。「お兄ちゃん？　何でここにいるの？」

そしてピンキーに抱きつき、大声を上げて泣き始めた。

「みんな」の行方

ピンキーはシェルターからピフィーを連れて家に戻った。

「ピフィー、生きててよかった！　本当によかった」

「お兄ちゃんも」

再会できた喜びとさっきの悔しさとで、ピフィーの顔はぐちゃぐちゃだった。

「パー、マーは無事か?」

ピフィーは目に涙を溜めて、首を横に振った。

「ブーは?」

顔を伏せ、肩を震わせた。「私をかばって……」

「ブーのお母さんは? 無事か?」

ピフィーはうなだれたまま、小さくコクンとうなずいた。

クラゲコーチも、生徒たちを助けている間に襲われたという。ピンキーの頭は真っ白になった。

「いいから、ちょっと休みな。兄ちゃんがいるからな」

ピンキーは横になったピフィーの背中を、「トン、トン、トン」とゆっくりしたリズムで子守唄のように軽く叩いた。

5分もすると、疲れきっていたふたりは、深い眠りに落ちた。

ブーのお母さん

気づくと、もう朝になっていた。

時計を見ると、朝7時。ピンキーは、すぐさま「ブーのお母さんの様子を見てくる」と言って早速出かける準備を始めた。「私も行く！」と、ピフィー。

ピンキーは一瞬ためらったが、連れて行くことにした。

ピンポーン。ブーの家の前に着くと、ベルを鳴らした。しかし、誰も出てこない。

「お兄ちゃんが留学してから、おばちゃん、ずっと寝たきりなの。移動も車椅子で」

すると、ゴロゴロゴロゴロと車輪の音が近づいてきて、ドアがゆっくり開いた。

「ピンキー！　ピフィー！」

3人はしばらく無言で抱き合ったままだった。

「さぁ、入って」

車椅子を器用に操る後ろ姿を見て、はっとした。ブーが留学しなかったのは、お母さんの容態が悪化するのを知っていたからなんだ……。

ピンキーは今さらながら初めて気づき、胸が痛くなった。

ブーは幼い頃に父親を亡くしている。それ以来、お母さんはひとりでブーを育ててきた。この数年は、ブーが病気になったお母さんの面倒を見てきた。

そして、そのブーはもういない。

この世で一番大切な我が子を、失ったのだ。

リビングのソファーに腰を下ろすと、ブーのお母さんが紅茶をいれてくれた。すっかり秋めいてきて、紅茶をすすると体がすごく温まる。

ピフィーはまたこらえ切れなくなり、みるみる目が潤んできた。「おばちゃん、本当にごめんね……私のせいで……」

「何を言ってるのよ。それは私のセリフだわ。私のせいでパーとマーが」

ブーのお母さんはピフィーの頬に手を添え、そっと涙をぬぐってあげた。

「あなたが私の車椅子を押して助けてくれたんじゃない」

ピフィーはボロボロと涙をこぼしてしまった。

「あの恐ろしい中で、本当に勇敢だったわ。だから私は、今こうしてここにいられるし、ピンキーとも再会できたのよ。ありがとうね」

ブーのお母さんは、やわらかな笑顔で言った。

移住する際、2つの家族は一緒にZからX地点に向かったそうだ。

ブーがお母さんの車椅子を押し、ブー家の荷物をパーとマーが一緒に運んでいる途中、数匹のサメがピフィーに狙いをつけた。ブーがとっさにかばい、やられてしまった。そして無防備になったブーのお母さんをパーとマーが助けに入り、サメの攻撃を食い止めている間に、ピフィーが車椅子を必死に押してここまで逃げ帰ってきた、と

いうことらしい。
その時のブー、パーやマーの表情、気持ち、行動が、その場にいたかのごとく鮮烈にイメージできた。そして苦しくなった。僕がいれば……。

「おばさん、うちで一緒に暮らしませんか？」

ピンキーはブーのお母さんに申し出た。

「そうよ、一緒に暮らしましょ」。ピフィーもぴょんと飛び上がる。

「その気持ちだけ、大切にいただくわ。でも、私のことは心配しないで。これ以上迷惑をかけられないわ」

そんなことないよ、とピンキーが言いかけると、

「本当に大丈夫よ。薬草人参も生でかじっているし、車椅子の扱いもずいぶんうまくなったのよ」と車輪を動かして見せた。


しばらくそれぞれが想いに浸っていると、ブーのお母さんが口を開いた。

「今でも鮮明に覚えているわ。ブーがサッカーの練習の後、ピンキーと初めて一緒に帰って来た日のこと」

ブーのお母さんは、うふっと笑った。

「大変だったのよ、あの子。もう、はしゃいじゃってね。

私の内職の邪魔になっては悪いと思っていたみたいで、いつもはただいまってそっと挨拶するだけなのよ。仕事が終わったのを見計らって、その日にあったことを話し

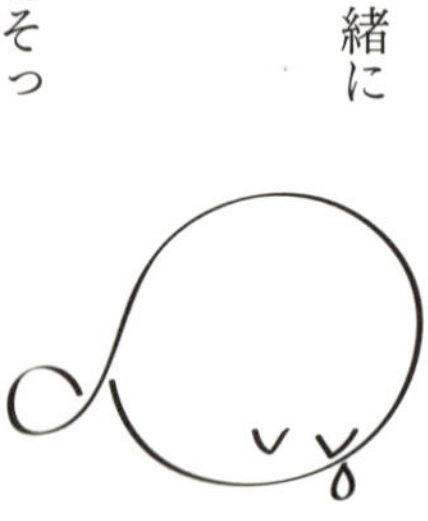

に来るの。

でも、その日は玄関にカバンも放ったまま、あなたの話を始めたの。ねえねえ母さん、サッカー部にピンキーってすごい子がいて今日一緒に帰って来たんだ、エースストライカーで弾丸みたいなシュート打つんだよ！　なんてね」

ピンキーは何も言えなかった。

「それから、毎日大変だったわ。ピンキーが今日はゴールを2つも決めた、今日一緒に缶蹴りして遊んだって。

あの子は小さい頃、父親を亡くしてね。私の仕事のこともあって、ここに来るまで転校してばかりだったの。だから、どこか孤独で控え目でね。あなたに会うまで、心から信頼できる友だちがいなかったの」

ブーにそんな過去があったなんて……。

「あの日からブーは別人のように変わったわ。運動神経はよくないけれど、自分が頑張らなきゃ、ピンキーにいっぱい点を取ってもらって僕が守るんだって、ものすごい努力を始めたの。それからよ、すごく前向きで強い子になったのは」

ブーのお母さんはしばらく間を置いて、ピンキーを見た。

「ピンキー、あなたはブーの『人生の恩人』だわ」

「いや、いつも助けてもらっていたのは、僕の方です」

小2から中2までの懐かしい日々が甦る。しばらくブーの思い出話で盛り上がった。

帰り道、ピフィーが急に言い出した。

「お兄ちゃん、私、明日から朝昼晩、ご飯をおばちゃんに届けるね」

「そりゃあ喜ぶよ！　……あれ？　料理できるようになったの？」

ピフィーは首を横に振ったが、「でも、勉強する！」と力強く宣言した。

ふたりは顔を見合わせて笑った。

トゲトゲの台頭

「ところでピフィー。昨日は何であんなに怒ってたんだ？」

ピフィーは顔を真っ赤にしながら、ふてくされた声で答えた。

「だって、トゲトゲは今になってヒーローのことをボロクソに批判するんだ。これまでペコペコしていたくせに。自分はこうなることがわかっていたとか言い出して、これからは自分がリーダーだって勝手に仕切り始めたんだ」

ピフィーは続けた。

「みんなもみんなだよ。トゲトゲの言うことを鵜呑みにして。あんな奴のこと信頼できるかっつうんだよ」

不思議そうな顔でピンキーが聞いた。「ヒーローはどうしたんだ？」

「やられちゃったんだよ。みんなを逃がす間、サメと戦って……」

まさか、あのヒーローがやられるとは。

ヒーローは赤い魚のリーダーであり、勇敢で責任感のある英雄だ。サメ30匹を追い散らしたという伝説を持つ男。そんな彼がやられてしまったのか。

そして、シェルターには残り2週間分の食糧しか残ってないこと、それまでに次の移住地に向かって旅立たないといけないこと、今日5時の集会でトゲトゲが移住先を提案し、投票で決まることを知った。

ピンキーは嫌な予感がした。

緑国に行って初めて気づいたことだが、赤国では長らくヒーローという優れたリーダーがいたせいか、魚たちはリーダーの言うことをあまり疑うことなく、素直に受け入れる傾向がある。

しかし、今回は事情が違う。トゲトゲはきちんと移住先を検討したのだろうか。そのまま ついて行って大丈夫なのだろうか。どうしたものかと考えながら、集会場に向かった。

移住先決定集会にて

トゲトゲが演台に上がり、マイクで演説を始めた。

「ヒーローは大きな過ちを犯した！　私が何度も危ないと忠告したにもかかわらず、X地点に我々を率いたのだ。私はサメの襲撃を予想していた。私はヒーローのように愚かではない、私についていてくれれば心配ない！」

トゲトゲは誇らしげな表情で続けた。

「私は新たな移住先を見つけた。貝殻も食糧もたっぷりある、温かく美しいA地点だ。素晴らしい生活が待っているぞ。さあ、A地点に移住しようではないか！」

赤い魚たちは、にわかに騒ぎ出した。「A地点と言えば、楽園として有名じゃないか！」。あちこちから盛大な拍手が湧き上がった。

「ご静粛に！」

集会の進行役が、木槌を叩いてみなを静めた。

「では、会場のみなさんから質問を受け付けます。誰か質問はありますか？」

どうせないだろうと、投票の準備を始めようとした、その時。

ピンキーが、恐る恐る手を挙げた。

会場が、どよめいた。こんなことは初めてである。今までは、リーダーが考えて決めたことが、すんなり可決されてきた。

「トゲトゲさん、ひとつ聞いてもいいですか？」

ピンキーは、事情を知らない若者の自分が質問することにためらいを感じたが、この場の雰囲気に流されたまま大事なことを決めてしまっていいのか不安に感じて、遠慮がちに切り出した。

「そんな素晴らしい所に、どうして今まで住んでいなかったのか、ちょっと不思議で……」

「そういえばそうだな」。まわりからひそひそ声が聞こえてきた。ピンキーは、他にも疑問を持っている人がいるのを目にして、質問を続けてみた。

「ほかに、移住先の候補はありましたか」

トゲトゲは怒りで体を震わせながら吐き捨てた。

「いろいろ考えた上で言ってるんだ。何も知らないくせに余計なことを言うな！」

ピンキーはそれ以上質問をしなかった。

集会の進行役が議事を進めた。

「では、挙手をもって確認します。賛成の人、手を挙げてください」

赤い魚のほとんどが手を挙げた。トゲトゲはにやりと笑みを浮かべた。

「では、念のため聞きます。反対の人はいますか？」

すると、１つの手が挙がる。ピンキーだった。会場が再びざわめいた。

「お前のような若造に何がわかる！」。トゲトゲは壇上から怒鳴りつけた。

ピンキーは、おずおずと、しかし勇気を出して話し始めた。

「A地点に絶対反対、というわけではないんです。でも、本当にA地点でいいんでしょうか、本当にほかにもっといい地点はないんでしょうか……。まだ2週間あります。もう少し調べてみんなで話し合いませんか。もうこれ以上、悲しい思いはしないように……」

会場には、何を言い出すんだという怪訝《けげん》そうな顔、不安げな顔。みんな固唾を飲んで見守っていた。

進行役がはっと我に返り、アナウンスした。

「反対意見が出たので、１週間後にもう一度集会を開きます。それまでにトゲトゲ君、ピンキー君に移住先を提案してもらった上で、投票とします。次回は時間も差し迫っているので、多数決とします。本日はこれにて解散！」

　トン、トーン。解散を告げる木槌の音が響き渡った。

トゲトゲとの面会

「あんな若造に何がわかるというのだ！ ポンタ、ピンキーをここに呼べ！」

　しばらくして、ピンキーがトゲトゲの部屋にやって来た。

「ワシに質問があるらしいじゃないか。何でも聞きたまえ！」

　ピンキーは握り締めていたメモを開いて、ピラミッド・ストラクチャーにまとめた４つの質問を遠慮がちに聞いてみた。

ピンキーのつっこみ「A地点に移住すべき？」

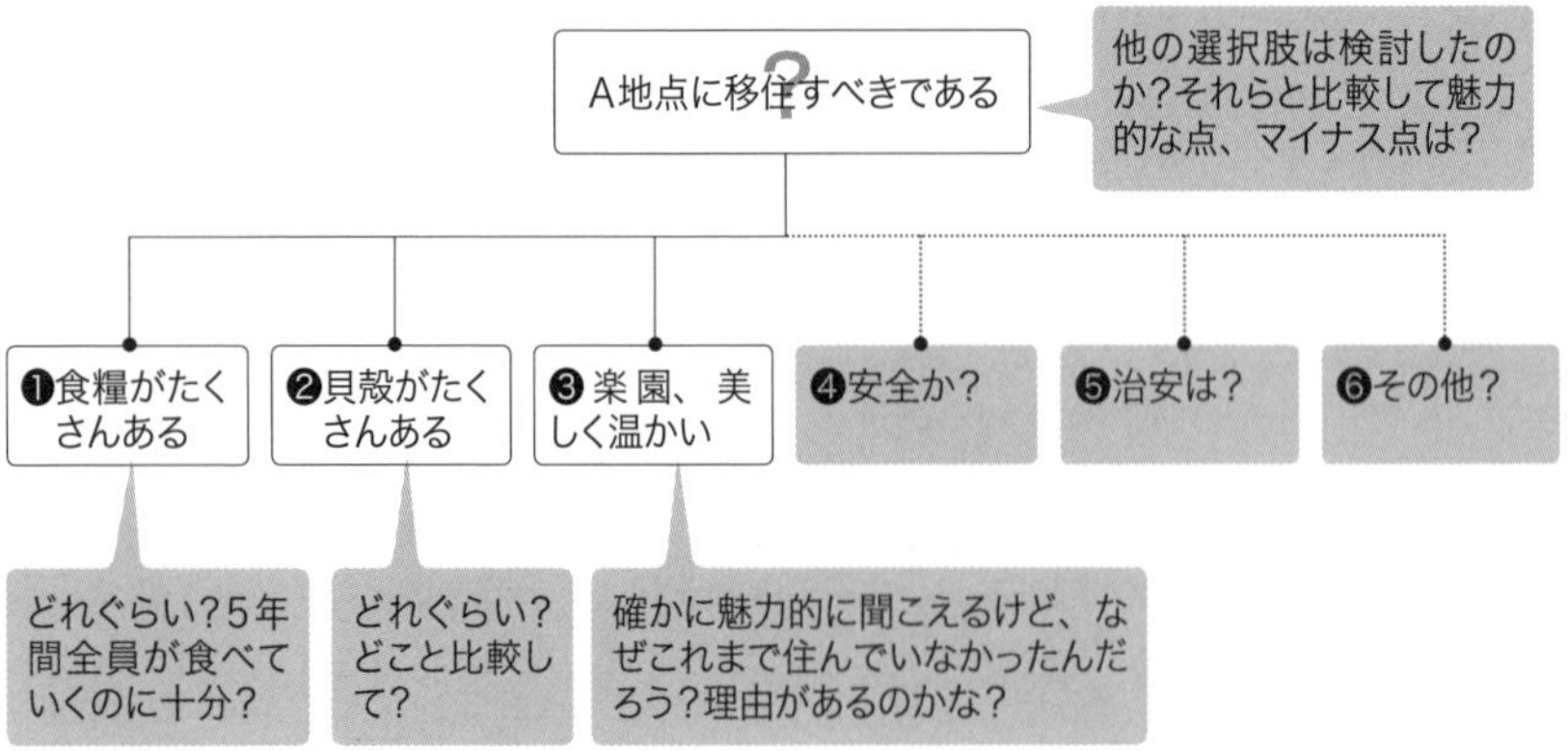
A地点に移住すべきである
他の選択肢は検討したのか？それらと比較して魅力的な点、マイナス点は？
❶食糧がたくさんある
❷貝殻がたくさんある
❸楽園、美しく温かい
❹安全か？
❺治安は？
❻その他？
どれぐらい？5年間全員が食べていくのに十分？

どれぐらい？どこと比較して？

確かに魅力的に聞こえるけど、なぜこれまで住んでいなかったんだろう？理由があるのかな？

「……」

トゲトゲはポンタを睨《にら》みつけ、声を出さずに口の動きで「これぐらい考えておけ！」と叱った。そして平静を装って、咳払いをした。

「若いわりには筋のいい質問だ。もちろん、そんなことは考えてある。今は手元に資料がないから、あとで見せよう。なぁ、ポンタ？」

「はっ、はい！」。ポンタは直立不動で答えた。

ピンキーが「僕も何かお手伝いできないですか」と申し出ると、トゲトゲが声を荒げた。「なんだと！　ワシを疑うのか？」

「そういう意味ではないのですが」

「えぇい、お前には資料なんぞ見せない！　自分で勝手に調べろ！」

沸騰寸前のトゲトゲを見て、ポンタはあわててピンキーをドアの外に押し出した。

ピンキーが帰ったあと、トゲトゲは窓の外を眺めてつぶやいた。

「ふん、次の集会まで1週間しかない。そんな短期間で判断できるものか」

ピフィーのお買い物と「丸い影」

翌朝、ピフィーは大きな料理本を何冊も抱えて買い物に出かけた。

料理本には、黄色いフセンがたくさん付いている。ブーのお母さんのため、そして兄のためにおいしくて体によいものを探していたら、目移りしてメニューを絞れなくなってしまったのだ。その姿は、買い物に行くというよりも、これから卒業論文に取り組む学生のようだ。

「今日のお昼は何にしよう」と考えていると、突然、頭上を黒い影が覆った。

巨大な丸い影。

ピフィーはすかさず本を放り投げ、さっと物陰に身を隠した。見上げると、大きな円盤に5つの棒が突き出たような物体がゆっくり動いていた。どうやらサメなどの攻撃的な魚ではないようである。

「あれ、もしかして、海亀さん？」。ピフィーの顔がぱっと明るくなった。

「やっぱりそうだ！　お元気ですか？　ピフィーです。ピンキーの妹の」

「おやおや、元気だったかい？　散歩をしていたところじゃよ。ワシもおじいやからのぉ。体を動かさんと」

「お兄ちゃん、緑国から帰って来ているんですよ！　海亀さんにお会いしたことを伝えたら、きっとびっくりしますよ」

ピンキーが小学3年生の時の先生だった海亀は、すでに定年を迎え、今は悠々自適の隠居生活。今年999歳。みんなに慕われ、尊敬される長老だ。

「そうか。家にいつでも遊びに来るように伝えておくれ」

ピフィーは元気よくうなずき、スーパーに向かった。

「ヒラメの目、天使の目」

その日の午後、ピンキーは小高い丘の上にある海亀の家を訪れた。ピフィーから話を聞くや、「海亀さんならなんとかしてくれるはず」と思ったのだ。

ピンキーは、赤い魚たちがサメに襲われて新しい移住地を探していること、トゲトゲが検討しているA地点しか現段階では選択肢がないこと、それが本当にベストなのかを判断しないといけないことを説明した上で言った。

「お力をお借りできませんか。僕たち赤い魚は、どこに移住すべきでしょう。海亀さんなら、答えをご存じでは?」

ゆっくりと海亀は首を振った。

「ここはワシの出る幕ではない。赤い魚同士で決めるべきじゃ。ピンキー、君自身が考えなさい。力になれることがあれば、何でも言ってくれ」

ピンキーは腹をくくり、現状を詳しく説明した。A地点に行くべきだとするトゲトゲの理由に対し、自分は食糧や貝殻や気候以外にも、安全性や治安などを検討した上

で移住先を決めるべきだと考えていること……。
海亀は、しばらく黙ったままだった。
「検討すべき項目は、それだけでいいかな？」
おもむろに窓を開け、眼下に広がる街を眺めるよう言った。

この丘の上からは、赤い魚たちの生活が一望できる。買い物に行くお母さん、サッカーや缶蹴りをして遊ぶ子供たち――ようやく悲劇によるトラウマから回復しつつあり、みなシェルターから出て生活をしている。

しかしピンキーは、まるでミニチュアの世界みたいだと思う以外、何も感じなかった。「どうかしましたか？」

「ヒラメの目、天使の目じゃ」。海亀はつぶやいた。

「もう一度見てごらん。ピンキー、君はまだ若くて健康だ。1週間ぐらいは無理できる体力も気力もあるだろう。しかし、みながそうとは限らない。産み落とされたばかりの者、老いてきた者、泳ぐのが速い者、遅い者」

「これまでは自分のことだけを考えて決断すればよかっただろうが、今回は違う。自分の知っているひと、イメージできるひとだけでも不十分じゃ。赤い魚みんなにとって、何がベストかを考えて判断しなければならない」

「責任ある仕事じゃぞ」

海亀さんはピンキーの目をまっすぐ見て言った。

「みんなの希望が一致するとは限らないから、難しい。まずはいろんなひとの話を聞いてこい。そのひとたちの生活を見てくるのじゃ。ヒラメのように地に目を凝らし、詳細を理解するのは重要だ。そして同時に、天使のようにグンと視点を上げ、視野を広げないといけないのだ」

ピンキーは衝撃を受けた。確かに緑国でMr．Bに鍛えられてきたが、いざ実社会で決断を下すには、視野がまだまだ狭かった、視点が低かった。

まだ何も、見えていなかった。


赤い魚たちのもとへ戻ると、まるで新たな「アンテナ」が出来たように、今までは目に入らなかったような光景に気づくようになった。

歩きづらそうにしている老人。

妊娠してお腹がパンパンに大きくなっているお母さん。

まだ親離れしない小さな赤ん坊。

ピンキーはいろいろ話を聞いてみた。そして、異なる事情を抱えた人々の暮らしやすさを考えた上で、移住先を見つける必要があることに気づいた。

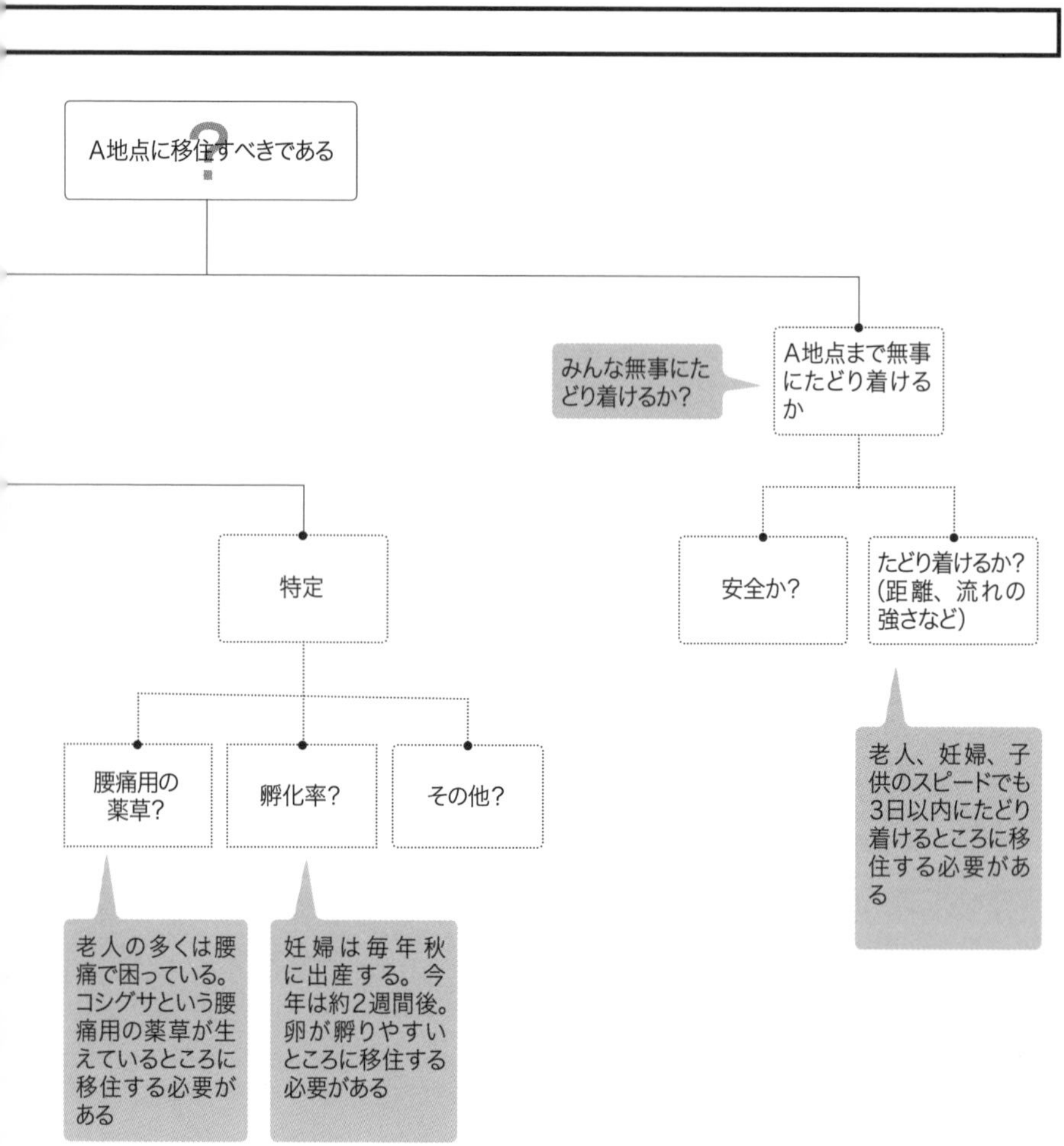

A地点に移住すべきである
A地点まで無事にたどり着けるか
みんな無事にたどり着けるか?
安全か?
たどり着けるか?(距離、流れの強さなど)
老人、妊婦、子供のスピードでも3日以内にたどり着けるところに移住する必要がある
特定
腰痛用の薬草?
孵化率?
その他?
老人の多くは腰痛で困っている。コシグサという腰痛用の薬草が生えているところに移住する必要がある
妊婦は毎年秋に出産する。今年は約2週間後。卵が孵りやすいところに移住する必要がある

ピンキーのつっこみ「A地点に移住すべき？」

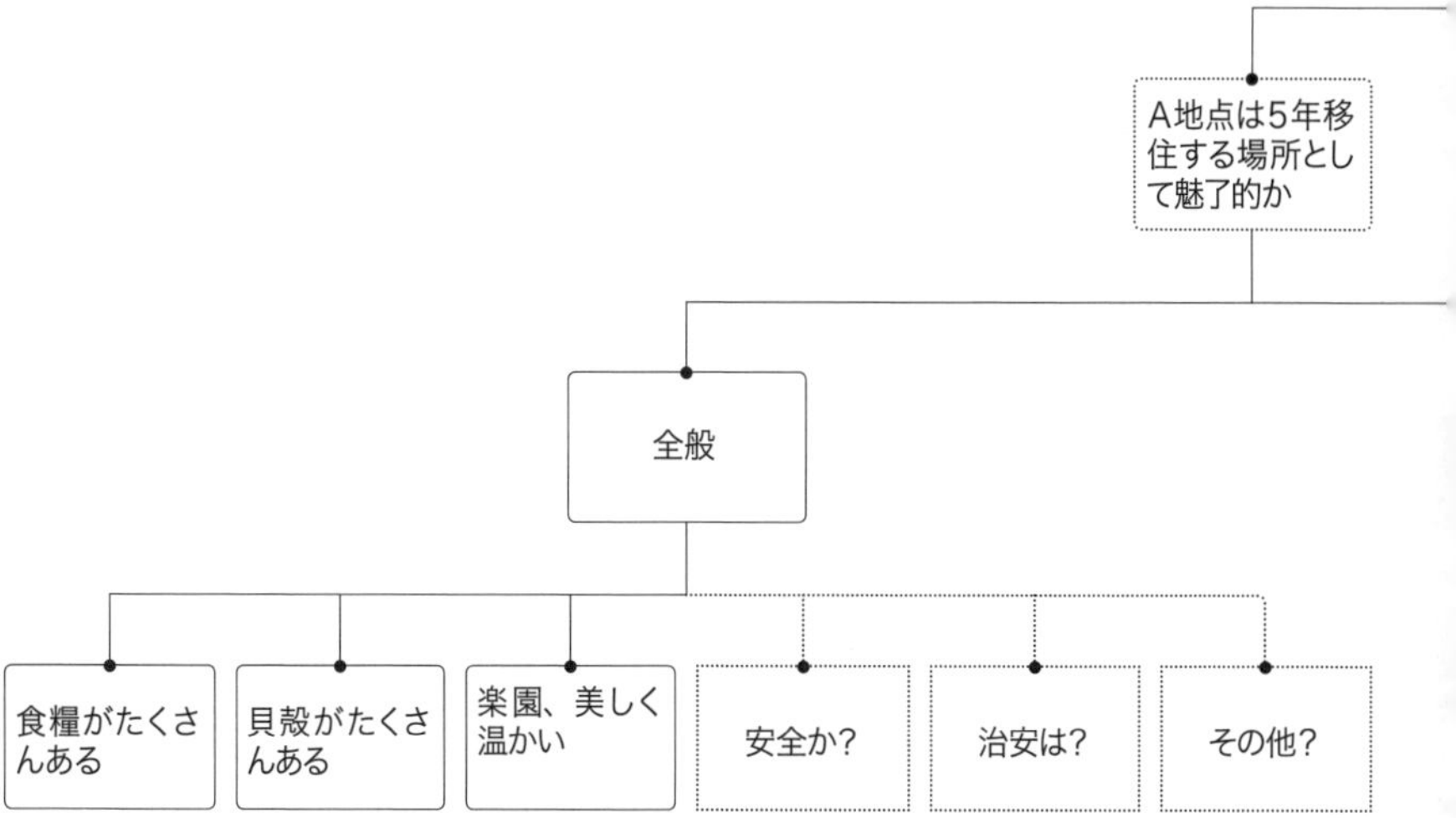
A地点は5年移住する場所として魅了的か
全般
食糧がたくさんある
貝殻がたくさんある
楽園、美しく温かい
安全か?
治安は?
その他?

選択肢を探る

ピンキーは机の上に大きな地図を広げた。

一番魅力的な移住先を見つけると言っても、候補地がたくさんありすぎる。何百もある候補地を一つひとつ調べて評価するなど、とうてい無理だ。一瞬、「ほれみろ！」と鼻を吹かすトゲトゲの声が聞こえた気がした。

背もたれに寄りかかって悩んでいると、

「お兄ちゃん、コーヒー飲む？」

兄が早朝から作業をしていることに気づき、ピフィーも起きて来た。

「ありがとう。牛乳と砂糖2個ね」

しばらくすると、クックツと蒸気が上がる音とともに、苦く芳ばしいコーヒーの香りが漂ってきた。ピンキーはこの瞬間が大好きである。

突然、「あっちぃー」と大声が聞こえた。

驚いて台所を見ると、ピフィーが手を押さえて飛び上がっている。コーヒーポットから出る蒸気に手を触れてしまったようだ。ピンキーはすぐさま氷を取り出して冷やしてあげた。

「大丈夫だってばー。仕事に戻ってよ」

「自分でやるよ。ちゃんと指を冷やしておきな」

ピンキーはマグカップにコーヒーを注ぎ、フィルターを捨てようとした。

「あ！」

その時、出しガラの入ったフィルターが目に飛び込んできた。

「そうか。濾過《ろか》すればいいんだ！」。ピンキーはあわてて机に戻った。

もちろん、食糧や貝殻は少ないより多い方がいいし、安全であるに越したことはない。でも、絶対に譲れないことは何だろう？　それさえ明確にできれば、候補地を大幅に絞れるはずだ。

ピンキーはいろんなひとに聞いた話を参考にしながら、無事到着するための条件、そして候補地に関して絶対譲れない条件を書き出してみた。

【絶対に譲れない条件】

❶安全にたどり着くために絶対譲れないこと

・老人、妊婦、子供など最も泳ぐのが遅いひとのペースでも3日以内に到着する場所、流れに逆流して泳がなくてよいところ

・通過点の「食べられちゃう率」が0・001％以下（海の平均以下）

❷生活していくために絶対譲れないこと

・食糧が１００以上（５年間みんながぎりぎり食べていける量）
・貝殻が１００以上（これまでの生活レベルを保てる量）

「よし、とりあえずこれで候補地を絞り込んでみよう」

ピンキーは図書館に行き、データを集めてふるいにかけてみた。すると、「絶対譲れない条件」を満たしたのは、トゲトゲが提案しているA地点ともうひとつ、B地点だけだった。


ピンキーは早速、トゲトゲの事務所を訪れた。

「調べてみたら、トゲトゲさんが考えていたA地点と、新たにB地点という候補が浮かんできました」

「だから言っただろう。Aは魅力的だって」。そう得意げに言ったものの、こん

選択肢を絞る

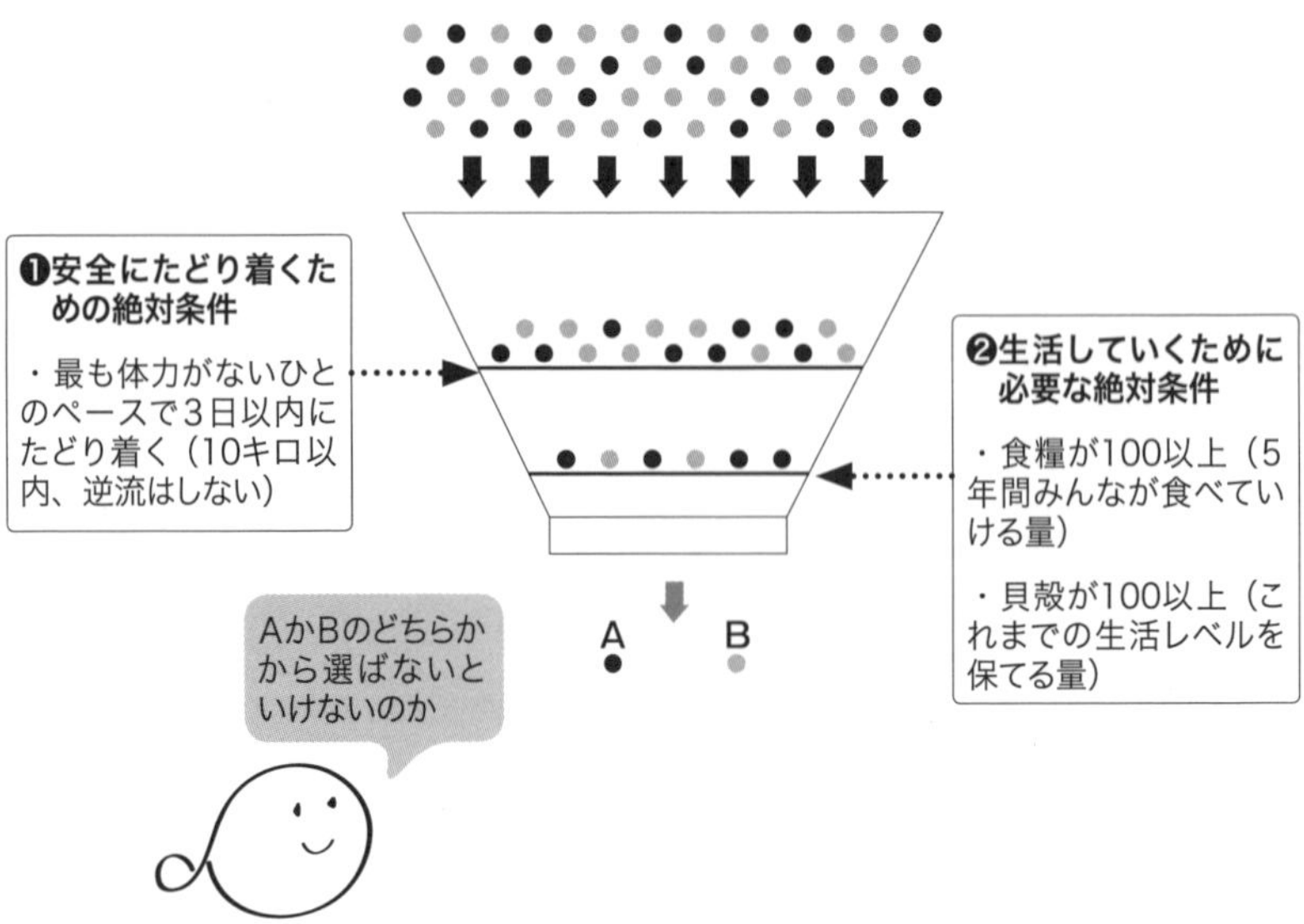

❶安全にたどり着くための絶対条件
・最も体力がないひとのペースで3日以内にたどり着く（10キロ以内、逆流はしない）
❷生活していくために必要な絶対条件
・食糧が100以上（5年間みんなが食べていける量）
・貝殻が100以上（これまでの生活レベルを保てる量）
A
B
AかBのどちらかから選ばないといけないのか

なに早く新たな候補地が出てきたことに苛立ちを感じたようだ。

ピンキーが去ると、トゲトゲはつぶやいた。

「B地点だと？　徹底的に弱点を洗い出してやる」

「イカが多く住んでいるから治安が悪い？」

「ポンタ、B地点の問題点はないか？　汚染がひどいとか。騒音がすごいとか」

ポンタはおずおずと答えた。「そんなことはないみたいです」

「じゃあ、もっと考えろよ！　まったく使えないな、お前は」

ポンタはパソコンで調べ始めた。しばらくすると、急に声を上げた。

「トゲトゲ様、あそこにはイカがたくさん住んでいます！」

「なぬ。それは治安が悪いということだな。素晴らしい！　早速、集会を設定しろ！　私がこの話をみなの者に直接伝える」


その午後、集会が開かれた。

「今日集まってもらったのは、調査の進捗状況を報告するためだ。すべての情報をオープンにするのが私の方針だ。みなさんとともに納得がいくまで議論したい。さて、ピンキーがB地点を検討し始めたが、実はひとつ、判明したことがある」

トゲトゲはしばらく沈黙を置いて言った。

「……なんと、イカがたくさん住んでいるのだ」

会場に動揺が走った。

「みなさんは、ここの街にもよく悪さをしに来る悪イカ三人組をご存じでしょう。タバコを吸う『タバコ悪イカ』、なぜか曇りの日も夜もサングラスをかけている『サングラス悪イカ』、そして、もじゃもじゃアフロヘアでステレオを肩にしょって歩く『アフロ悪イカ』、我々の街の秩序を乱すとんでもない不良たちだ」

トゲトゲは3匹のイカの写真を掲げ、声を荒げながら言った。

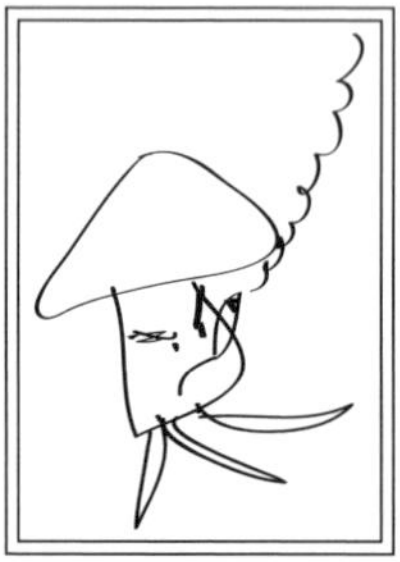

「去年、アフロ悪イカは夜中に、我々の商店街のシャッターにスプレーでいたずら書きをした。半年前は、小学校5年生の子供がタバコ悪イカにカツアゲされた。サングラス悪イカは2週間前に通りがかりの魚と肩がぶつかっただけで胸ぐらにつかみかかって恫喝《どうかつ》し、殴りかかって大ケガをさせたという。
そんなイカがたくさんいるところに住めますか？　奥さんは買い物に出かける時もひったくりの恐怖におびえ、ダンナさんは家族の安全が心配で仕事が手につかない。

夜も強盗が入るのではと熟睡できない。残念ですが、B地点への移住は、とうていよい選択肢とは思えません。そんな状況で暮らせますか？　よく話し合ってみてください。今日は、ここで集会を終わります」

赤い魚たちは不安顔で話し始めた。演説を終えたトゲトゲは不敵な笑みを浮かべ「これで勝負は決まりじゃ」とつぶやいた。

突然の集会にピンキーは出席できなかったが、図書館のロビーにあるテレビで演説を聞いていた。「これって、本当かなあ？」

まずは、本当にイカは「みんな」悪いのか？　駄菓子屋のおばさんも、床屋のおじさんもイカだけど、とてもやさしいじゃないか。当てはまらない例はいくらでもある。もちろん、悪いイカもいるだろうけど、それならタコだってイソギンチャクだって、我々赤い魚にだって悪い奴はいる。イカがみんな悪いというのは、偏見なんじゃないかな。

次に、トゲトゲが挙げた「シャッター事件」「カツアゲ事件」「傷害事件」を図書館の「事件簿データーベース」で確認してみた。

すると、「シャッター事件」「カツアゲ事件」は事実ではなかった。

「シャッター事件」については、アフロ悪イカはその夜商店街の前を歩いているのを目撃されたために疑われ、取り調べを受けていたが、翌日真犯人である赤い魚の高校生、ホク君が捕まった。商店街のセキュリティカメラにシャッターにいたずら書きするホク君の姿がくっきりと映し出されていたのだ。「カツアゲ事件」、これは小学5年生のポピ君がタバコ悪イカにカツアゲされたと母親に訴えたのだが、真犯人はなんとポピ君自身だった。新しい玩具を買うお金欲しさの悪知恵だった。だが、思いのほか事が大きくなってタバコ悪イカが逮捕され、罪悪感でいたたまれなくなって自首したそうだ。

むしろこのふたりは、不良に憧れて演じていただけで、実は律儀な小心者らしい。タバコ悪イカは分煙を守るし、ポイ捨てもしない。アフロ悪イカは憧れのラッパーを真似してステレオを担いでいるだけで、外で絶対音は出さない。大

ピンキーのつっこみ「B地点の治安」

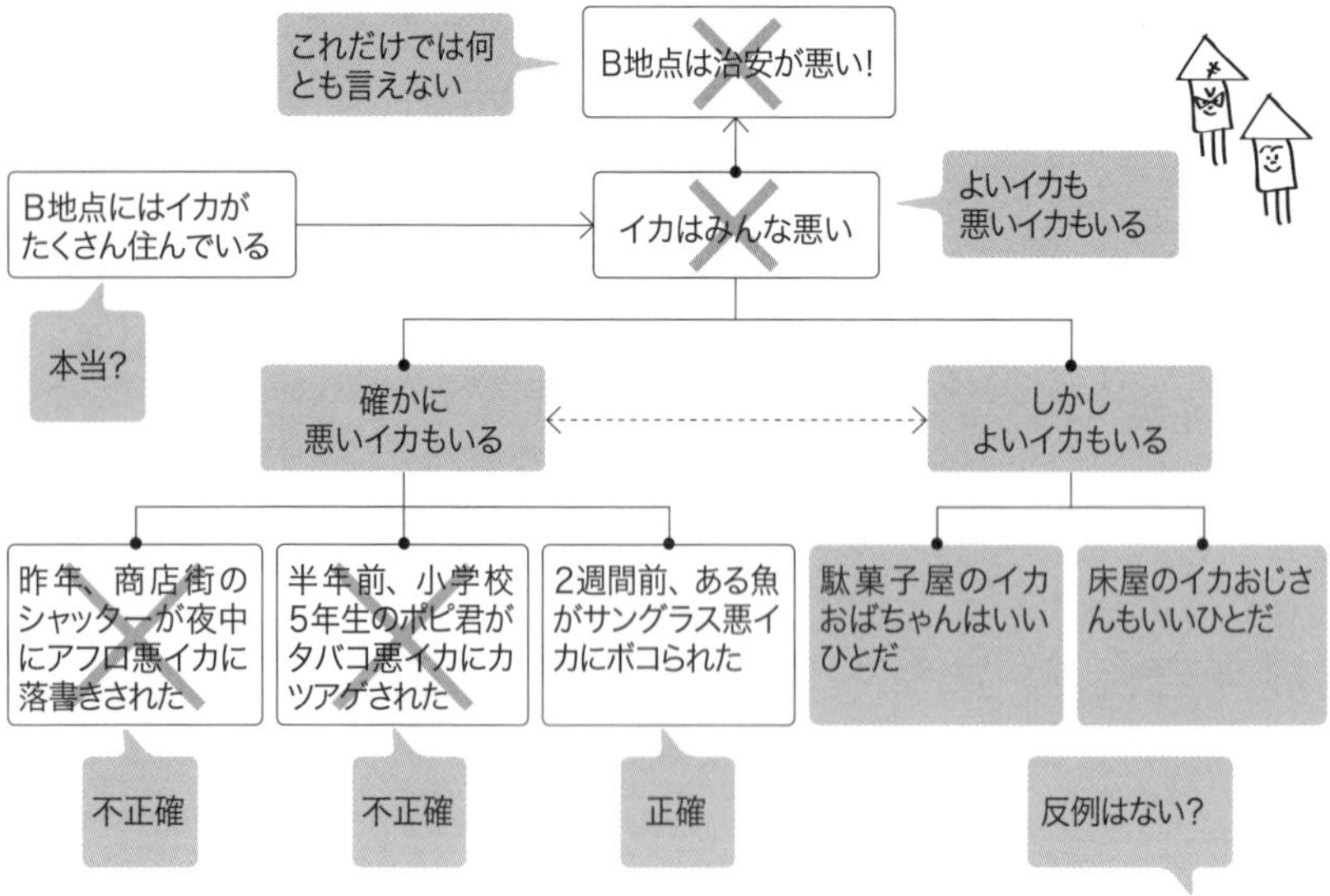
これだけでは何とも言えない
B地点は治安が悪い!
B地点にはイカがたくさん住んでいる
イカはみんな悪い
よいイカも悪いイカもいる
本当?
確かに悪いイカもいる
しかしよいイカもいる
昨年、商店街のシャッターが夜中にアフロ悪イカに落書きされた
半年前、小学校5年生のポピ君がタバコ悪イカにカツアゲされた
2週間前、ある魚がサングラス悪イカにボコられた
駄菓子屋のイカおばちゃんはいいひとだ
床屋のイカおじさんもいいひとだ
不正確
不正確
正確
反例はない?

家さんによると、自分の部屋で音楽を聴く時も、家の壁が薄いのでヘッドホンを着けるそうだ。

しかし、サングラス悪イカの「傷害事件」に関しては真実だった。出勤途中で急ぐ赤い魚が肩にぶつかってきた時、サングラスが落ちて割れた。その魚は謝りもせずに立ち去ろうとしたので、やっとの思いで手に入れた大切なサングラスを壊されて思わず頭に血が上り、ちょっぴりボコってしまったのだ。

サングラス悪イカはデザイナーを目指しており、サングラスは不良だからというより、単にファッションの一部としてかけていただけだった。普段は温和だそうだが、過ちを起こしてしまったのは事実だ。

ピンキーはトゲトゲのオフィスに電話をかけた。犯罪を起こしていないふたりはもちろん、ほかのイカも居心地が悪くなってしまうし、偏見が根づいてしまうのもよくないので、みんなの誤解を解いてほしいとお願いをした。少なくとも事実を伝えてほしいと。

「断る」。トゲトゲは言い放ち、「ガチャン!」と電話を叩きつけた。

海亀のアドバイス

悩んだピンキーは、海亀に一部始終を話した。

「それだけでみんなは満足するかね」。そう海亀は問いかけた。

「イカが危険だというのはおそらく偏見じゃろう。しかし、あんなに恐怖心を刷り込まれている状態で、ふたりは無実だった、駄菓子屋のおばさんや床屋のおじさんがいいひとだと伝えても、心から納得できるだろうか」

「それに、トゲトゲはまた別の事件を見つけて発表するじゃろう。どんな魚でも悪さをする者はおる。探せば何かしら出てくる。そこでいくら無実を証明してもいたちごっこじゃ」

　ピンキーは無言になった。

「ピンキー、海にはイカがざっくり何匹いると思う？」

「２０００匹ぐらいでしょうか」

「いや、１兆匹ぐらいだ。さっき例に挙がったイカは、いいのも悪いのも合わせて５匹だったな。１兆分の５匹、つまり２０００億分の１だ。トゲトゲが世界中から悪いイカを探してきて、もう５匹事例に加えたとしても、１０００億分の１匹じゃ。そんな小さな数字で、イカ全体に対してモノが言えるかね？」

「かように、少数の事例から一般化するのは危険なこと。だから統計を使うのじゃ。より多くのイカの傾向をみればよい。統計を見せれば、みんなも納得するだろう。トゲトゲも屁理屈は言えなくなるはずじゃ」

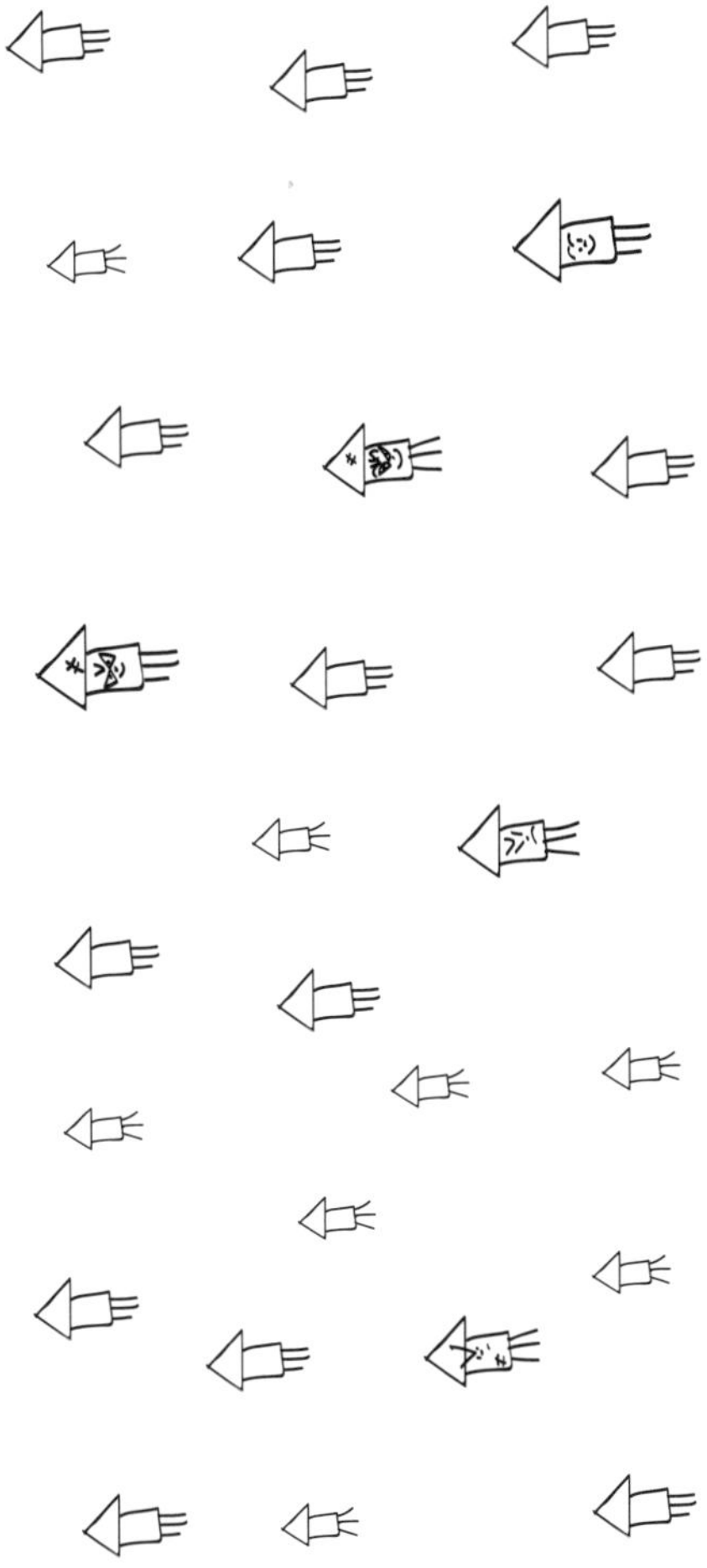

「もうひとつ気をつけておくれ。曖昧な言葉は、なるべく使わぬことじゃ。よい悪いではなく、例えば『犯罪を起こしたことがある』とかな。犯罪も、窃盗《せっとう》罪や傷害罪、詐欺罪、脅迫罪など、さらに細かく定義できる。明確な言葉を使わなければ、人によって何をどう定義するかが異なるから、議論がしにくくなるのじゃ」

海亀宅から図書館に向かう途中、ピンキーはポンタとばったり会った。

「ちょうど会いに行こうと思ってたんだ。トゲトゲさんのこと、ごめんね。本当は悪いひとじゃないんだけど、機嫌が悪いとああなっちゃうんだ」

「いやいや、気にしないで」

「実はトゲトゲさん、ピンキーに悪いことをしたって反省をしているみたい。僕はピンキーの作業を手伝えって。うちのオフィスだったら、いろんな情報が取れるしね。協力するよ」

ピンキーは嬉しさのあまり飛び上がった。「ありがとう！　調べなきゃいけないことが山ほどあるから、どうしようかと思っていたんだ」

「今、海亀さんにアドバイスをもらったんだけど、まずは統計を使ってイカに対する偏見をなくしたいんだ。イカ1匹当たりの年間犯罪数を、魚介類の平均や他の魚たちと比較したいんだけど、データすぐ取れるかな？」

「それなら簡単だよ。すぐ調べてメールで送るね」

トゲトゲとポンタのイカに関する調査

ポンタがあわてて事務所に戻り、肩で息をしながら報告した。

「トゲトゲ様、ピンキーは治安の課題に答えを見出すために、統計を使って、イカと

他の魚介類の1匹当たりの犯罪数を比較しようとしています！」

「どうしてわかったんだ？」と疑い深い目でポンタに聞いた。

すると、ポンタは誇らしげに言った。

「これまで友好的じゃなかったことを反省して、トゲトゲさんがピンキーの手伝いをするよう私を送ったとウソを言ったら、バカ正直に話しました」

「バカ野郎！　オレが反省なんぞするか！」。トゲトゲは一喝した後、「まあよい。お前も悪じゃのう」とほくそ笑んだ。

「統計か」。トゲトゲはしばらく目をつぶり、ポンと膝を打った。

「シシリアでの魚別の1匹当たりの犯罪数のデータを出せ！」

そしてデータを確認し、「やはりな。これで我らの勝利だ」とうなずいた。

「よし、この資料をピンキーにメールしておけ！」

ピンキー図書館にて

「こんにちは！」

ピンキーが図書館で挨拶をすると、蟹おばさんは頬杖をついたまま、無愛想に受付用紙とペンを差し出した。分厚い眼鏡の上から、ピンキーをジロジロと見ている。することがないのか、いつも退屈そうだ。

「さて、何から始めよう。たくさんあるから、リストを作っておかないとな」

パソコンを開いて作業を始めようとすると、「ピコン！」と音が鳴った。

ちょうど、ポンタからメールが届いた。

ピンキー、さっきはどうも。

早速、イカと他の魚の1匹当たりの犯罪数を比較したデータを添付します。

残念ながら、やっぱりイカは他の魚より犯罪を多く起こすみたい。平均を見ると20倍も高いよ。

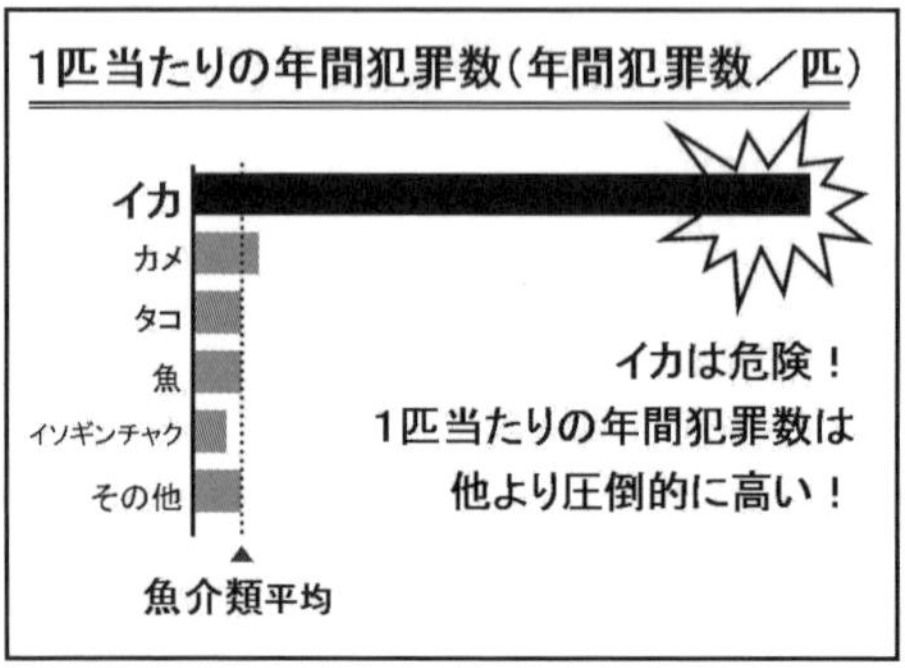
1匹当たりの年間犯罪数（年間犯罪数／匹）
イカ
カメ
タコ
魚
イソギンチャク
その他
魚介類平均
イカは危険！
1匹当たりの年間犯罪数は
他より圧倒的に高い！

お手伝いできることがあればなんでも言ってね。　ポンタピンキーはすぐさまポンタに電話をかけた。

「なぜ、シシリア？」

「はい、トゲトゲ事務所です」。ポンタが電話の受話器を取った。

「ピンキーです。さっきは資料をありがとう。ちょっとその件で」

ポンタはあわてて受話器を手で押さえてトゲトゲに合図し、スピーカーフォンに切り替えた。

「ピンキー、残念ながら、やっぱりイカは他の魚より悪さをするみたいだね。20倍も犯罪を起こしている。偏見じゃなくて、これが事実なんだよ」

「そっか。でも、20倍っていうのは、ちょっと……。どこの地域のデータを使ったの？」

ポンタはあわてた。「シ、シシリアだよ」

バシッ。トゲトゲがバカ者！と言わんばかりにすかさず雑誌を丸めてバシッと殴った。

「ポンタ？　大丈夫？　何か変な音がしたけど」

「だ、大丈夫。急に虫が飛んできたからさ」

「ならよかった。シシリアかあ。何かあるのかな？」

トゲトゲは紙に「別に！」と走り書きして、ポンタに見せた。

「べ、別に」

「うーん。一応、全世界のデータも送ってもらってもいいかな？」

ポンタが困っていると、トゲトゲはまたキュキュッと指令を書いた。

「今バタバタしてるけど、できるだけ早く送るね」。棒読みで答えた。

「あ、そうだ。A地点とB地点の犯罪率を比較してもらってもいい？　イカのことも大事だけど、要は治安がいいかどうかが重要なんだもんね」

「もちろん」。指示通り答えてポンタは電話を切った。

トゲトゲはにやりと笑みを浮かべた。

「うまくデータを調理しろ。頼まれた全世界のデータはなんやかんや言って、投票が終わるまで引き延ばしておけ。わかったな」


ピンキーは腕を組んで考え始めた。すると、背後に黒い影。

蟹おばさんが、机の上にバサッと雑誌を置いて、「手伝ってあげようか？」

ピンキーは当惑しながら雑誌の表紙を見ると、目を見開いた。

『特集　シシリアのイカマフィアの全貌を暴く』

「あんたは何も見えちゃいない。奴らはわざとシシリアを選んだんだ。奴らに頼るな。私が調査を手伝ってあげるわ」

「でも、これからは一緒にやろうって言ってたし……」

「甘ちゃんなことを言うんじゃないわよ」。蟹おばさんは一喝した。

「よ、よろしくお願いします」

蟹おばさんの調査

「イカの調査は私に任せなさい。あんたは次にやることでも考えておきなさい」

蟹おばさんはヘッドホンをつけて、大音量で音楽を聴きながら作業を始めた。「シャカシャカ」とロックが漏れてくる。

ものすごいスピードだ。キーボードも見ず、ショートカットを駆使して次々と必要なデータを見つけ出す。ロックに乗って体を揺らしながら、作業そのものを楽しんでいるようだ。

ピンキーなら3時間はかかりそうなものを、たった15分で仕上げてしまった。

「はい、できたわよ」

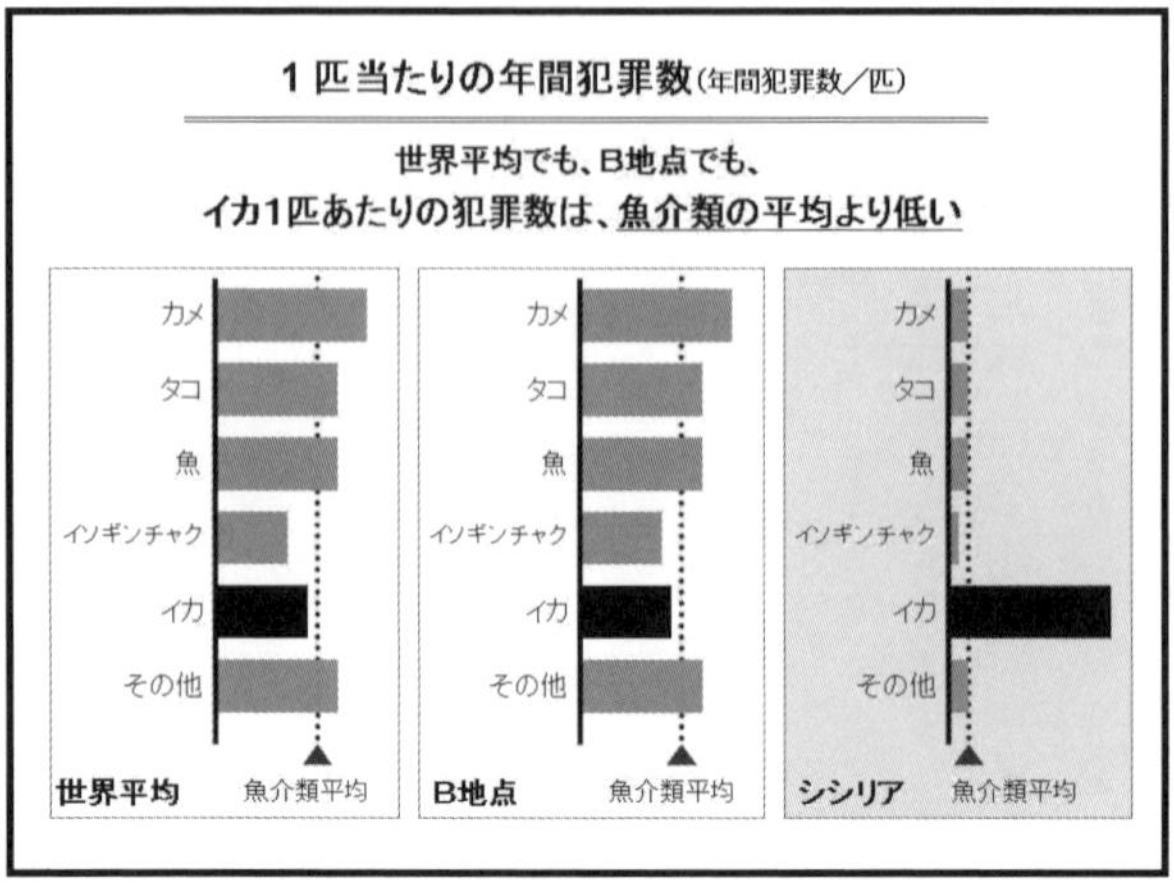

1匹当たりの年間犯罪数（年間犯罪数／匹）
世界平均でも、B地点でも、
イカ1匹あたりの犯罪数は、魚介類の平均より低い
カメ
タコ
魚
イソギンチャク
イカ
その他
世界平均
魚介類平均
B地点
魚介類平均
シシリア
魚介類平均

「イカが特別悪いってことではなかったですね」。ピンキーは蟹おばさんを見上げて笑った。

蟹おばさんは、「次はA地点とB地点のデータの比較に取りかかるわよ」と言うと、また自分のパソコンの前に横歩きで戻って行った。

「B地点の治安は悪い！」

トゲトゲ事務所では、ポンタがA地点とB地点における魚タイプ別の過去5年間の犯罪率のデータを見ながら、険しい顔をしている。「これはまずいなぁ」

「しかたない、こう調理するか」。どうやら悪知恵が働いたようだ。「あとは、増加率か。お、詐欺罪がいい感じだな。このデータを使おう。別にウソをついているわけじゃないし」

ポンタは、出来上がった資料をトゲト

ゲに見せた。

「お前にしてはよく出来ているじゃないか。すぐピンキーに送っておけ」

トゲトゲは満足げに葉巻を吹かした。

蟹おばさん、ぶち切れる

「ったく！　これでも国民を率いるリーダーなの？」

ポンタから送られてきた治安の比較資料を見て、蟹おばさんが声を荒げた。

「ピンキー、わかるわよね。どうしてこの資料が使えないか？」

「まぁいいわ。このバカ男に私が直接電話するから。ちょっと携帯貸しなさい」と言って、ピンキーの制止を振り払って電話をかけた。

なんと、B地点における犯罪は、昨年
150件もあった

「はい、トゲトゲ事務所ですが」

「あなたがトゲトゲ？」

「いえ、ポンタです。どちらさまでしょうか？」

「どっちでもいいわ。これから言うこと、ボスにもちゃんと伝えておきなさい。まず1枚目！　B地点の犯罪数が150〝も〟っていかにも多いように書いているけど、そんなの、この数字だけじゃわからないでしょ！」

「指標として使うべきなのは犯罪数じゃなくて、犯罪率（住民当たりの犯罪数）。それを比べて、高いか否かを判断しなきゃダメでしょうが」

「正しい指標を使って比較しなさい。そんなこともわからないで、よく政治家なんてやってられるわね」

蟹おばさんは機関銃のように一気にまくし立てた。

「次、2枚目！　詐欺罪の増加率の資料。これもダメ！」

B地点における詐欺罪は昨年
100%
も増加した

「詐欺罪が100％も増えたって、いったい何件から何件に増えたのよ？」

ポンタは、相当動揺している。「1から2に増えました」と震えて答えた。すると、手裏剣のように灰皿が飛んで来て「ゴン！」と頭に当たった。

ソファーでタバコを吸っていたトゲトゲが顔を真っ赤にして、「余計なことをベラベラしゃべるな！」と怒鳴りつけた。スピーカーフォンだったので、筒抜けである。

「あーら。ぼんくらのボスもいたんじゃない」

「じゃかあしぃ！　データを送ってやったのに、ぐじゃぐじゃ言うな！　しかも誰だ、このババアは？　厚かましい」

蟹おばさんが鼻息を荒げながら、続けた。

「ちょうどいいわ。ふたりで聞きなさい。詐欺罪が1から2に増えたのなんて誤差に近いでしょ。わざと成長率が一番高い項目だけを選んで、B地点の治安が今も悪化してるような印象を与えようとして！」

「だいたい、詐欺罪の増加率だけ見てどうするの。全犯罪に占める比率なんて5％もないでしょ！」

トゲトゲは無言でブチッと電話を切った。

治安は、A地点とB地点も一緒

蟹おばさんが調べてみると、A地点とB地点の犯罪率は過去5年間まったく同じ0・01％であること、その数値はこれまで住んできたところよりも低いことがわかった。犯罪率の傾向を見ても、A、Bともにこの5年間、ほとんど変化はない。

トゲトゲとポンタは、やはり蟹おばさんが予想したように、犯罪の中で最も増加率が高かった詐欺罪を選んで、B地点での犯罪が急増しているような印象を与えようとしたようだ。

詐欺罪以外、2%以上増加している犯罪はない。加えて、詐欺罪はそもそも犯罪の中の1%にも満たない項目だ。詐欺罪が1年で100%増加したといっても、過去10年間、0件から2件の間を行き来するぐらいである。これは増加というよりも、誤差の範囲だ。

「どうやら、AもBも治安の観点では悪くなさそうですね」

安心顔のピンキーに、蟹おばさんはたたみかけた。

「喜ぶのは早いわ。今調べたのはあくまで過去の話。過去5年間は、AもBも犯罪率

A地点とB地点の犯罪率はほとんど変わらない。これまで住んできた場所よりも犯罪率が低い

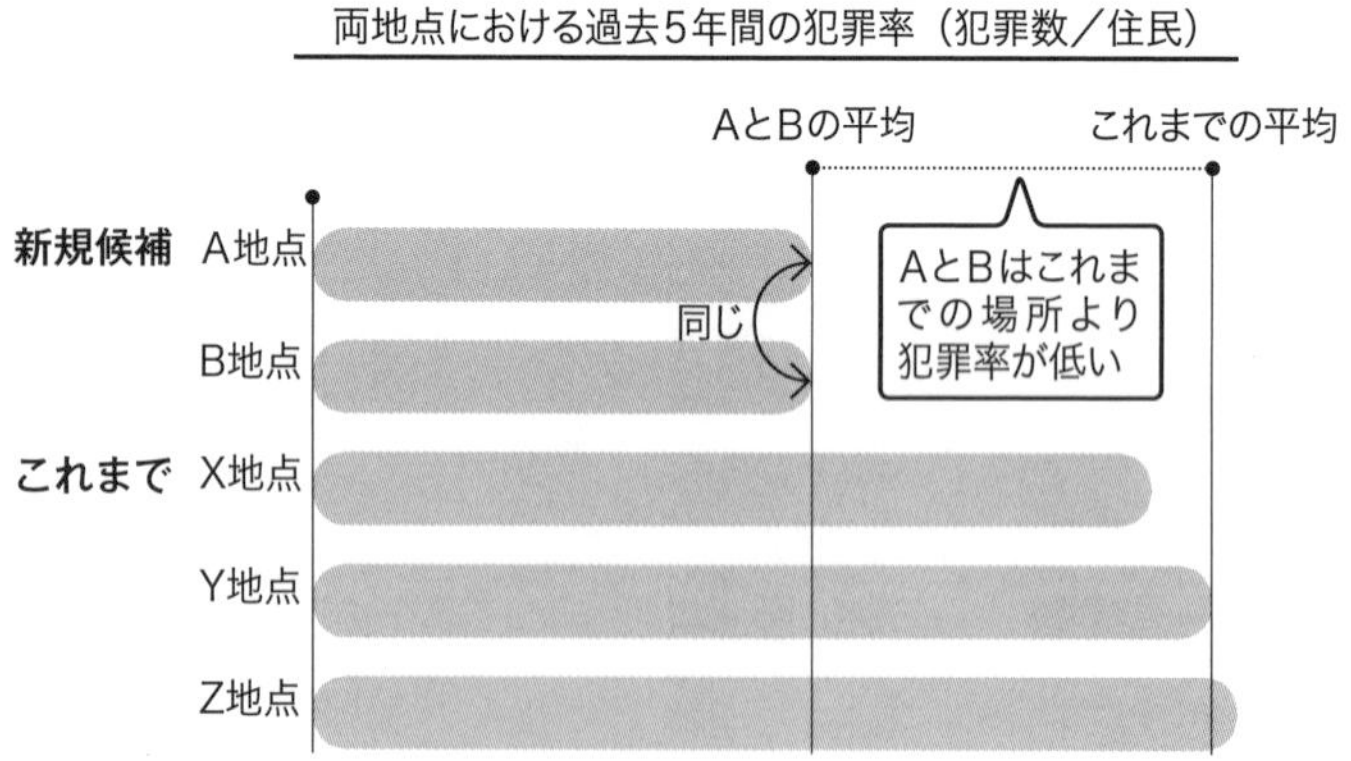

両地点における過去5年間の犯罪率（犯罪数／住民）
AとBの平均
これまでの平均
新規候補
A地点
B地点
同じ
AとBはこれまでの場所より犯罪率が低い
これまで
X地点
Y地点
Z地点

はほとんど同じで、これまで住んできたところより低かっただけのこと」

「過去のデータは、未来を予測するのに参考となるけれど、重要なのは、この先どうなるか。過去と同じ傾向をたどるのか、何らかの理由で犯罪率が上がるのか、変わらないのか、それとも下がるのか。そこまで考え抜かないと」

「警察なら、ある程度は予測してるはず。知り合いがいるから聞いてみるわ。未来を完全に予測することはできないけれど、今入手できる中ではベストな情報よ」


するると、蟹おばさんは眼鏡の上から覗いて言った。

「その前に、ちょっと一服してくるわ。あんた、火持ってる？」

「い、いえ。持ってません」

「そっか、中学生だったわね。じゃ、キッチンに吸いに行ってくるわ」

そう言って図書館の奥にある、もう使われていないキッチンに向かった。

おばさんはライターを忘れると、キッチンのコンロで火をつけ、換気扇をつけてタバコを吸う。そこが妙に落ち着くのだと言う。


蟹おばさんは一服から戻るや、警察の知り合いをつかまえて情報を仕入れたところ、A地点もB地点も、今後5年間で治安が悪化するような要因は今のところ見当たらないとのことだった。

ピンキーは、その顔の広さと行動力に圧倒されっ放しだった。

ふと窓を見ると、外はもう真っ暗。「あらやだ、もう10時。続きは明日ね」

ふたりは手分けして戸締まりをして帰った。

テレビの速報

「バカもーん！　話す時はちゃんと考えてから話せ！」

トゲトゲは灰皿だの何だの、手当たり次第、ポンタに投げつけた。

「す、すみません」と謝りながらも、投げられ慣れているポンタは、ひょいひょいかわす。実に見事なものだ。

「お前なあ！　気を利かせて1個ぐらい当たらんかい！」


ピコピコン。突然テレビから、ニュース番組の速報を伝える音が聞こえた。

「たった今、3カ月間行方不明だったレト君が帰還しました。Q地点に遊びに向かう途中、海中に巨大な黒い竜巻が起こり、遭難してしまったとのことです。残念ながら友だちのアミちゃんはいまだ戻っておりません。速報でした」

「魔王！　魔王だ！」。トゲトゲが喜び勇んで飛び上がった。

「B地点に向かう途中には魔王がいる！　これで我々の勝利じゃ！」

ポンタがぽかんと口を開けたまま。

「本当にお前は鈍いな。Q地点というのはB地点に向かう途中だ。B地点に向かう道は魔王がいるんだよ！　とにかく、早くその小僧をつかまえろ」

ポンタは、レト君がテレビ局で取材を受けていることを聞きつけ、出口で待った。

トゲトゲは取り囲む報道陣をかき分けて話しかけた。

「大変だったなぁ、レト君。よく無事に戻って来てくれた。ちょっとそこの喫茶店でココアでも飲みながら話を聞かせてもらえないかな?」

「は、はい。いいですけど」

3人は街角にある小さな喫茶店に向かった。

ココアをすすりながら

「これでも飲んで体を温めなさい」。トゲトゲが温かいココアを手渡した。

「魔王のせいで大変な目に遭ったのぅ」

「魔王?」。レト君はきょとんとしている。

「竜巻が起こっただろう。その竜巻は黒くなかったか?」

「は、はい」

「それは魔王の仕業じゃ」

「いやぁ、魔王かどうかは……」

トゲトゲは苛立ったが、鼻を鳴らして話題を変えた。

「ところで、友だちがまだ帰って来ていないらしいな。名前は?」

「ア、アミちゃんです」。顔を伏せて悲しそうにつぶやいた。

「君は女の子の身も守れなかったのか。そして自分だけノコノコ帰って来た……」

レト君は今にも泣き出しそうだった。「あまりにもうねりが強くて」

「そもそも、なぜ子供だけで街を出たんだ？　危険じゃないか」

「なんだ、言えないのかね？」トゲトゲがきつく言った。

大粒の涙を流しながら、ゆっくり話し始めた。

「珍しいヒトデがいるってテレビで言ってたから見に行きたくなって。アミちゃんは怖がってたのに、僕がいるから心配すんなって言って」

トゲトゲは窓の外に目をやった。

「あの報道陣たちを見ただろ。視聴率が取れるなら何でもする。君はかわいそうだなあ。単なる竜巻のせいで遭難して、女の子を置いてノコノコ帰ってきたとなれば、ただでは済まんだろう」

「ご両親も辛かろう。自分の息子が強引に女の子を誘っておいて、見捨てて帰ってきたように書き立てられるのだから。魔王に襲われたんならしかたないが、君の言うように竜巻じゃなあ」。トゲトゲはチラッと横目で見た。

レト君はあわてた。「何とも言えません。すごい流れに吸い込まれそうになって、あたりは真っ黒だったし、目を開けている余裕もありませんでした」

すると、トゲトゲはぐいっと前に乗り出した。

「そうだよな。魔王を見てないとも言えないよな」

「は、はい」

「心配するな。ワシに任せておけ。君を守ってやる」

トゲトゲはナプキンに描き始めた。

「魔王は、タコの腕に、サメの牙を持っている。8本の腕を使ってうねりを起こすのじゃ。そして、同時にスミを吹いて目をくらます」

トゲトゲはニヤリとして、「こんな奴だっただろ?」と聞いた。

「そ、そうかもしれません」。消え入りそうな声で答えた。

「そうか、やはり魔王の仕業か。それではしょうがないよな。あの子が戻って来ないのは君のせいじゃない。あとはワシに任せておけ」


事務所に戻るや、トゲトゲはナプキンをひらひらさせて早速指示を飛ばした。

「この絵をポスターにして町中に貼り出せ。タイトルは、『B地点に向かう途中には魔王がいる!』だ。いいな」

「あとは記者会見だ。テレビ局、雑誌、全部呼べ。それまでにA地点とB地点の遭難数も調べて資料を作るんだ。ピンキーは数字が好きじゃからなぁ」

トゲトゲの記者会見

その夜。記者会見が開かれ、テレビ全局で放送が流れた。トゲトゲは、テレビの前の国民に語りかけた。

「みなさんもご存じのように、今朝、素晴らしいニュースが舞い込んできた。そう、レトくんが我々の元に戻って来てくれたんです」

トゲトゲはテレビカメラに向かって微笑んだ。

「私は嬉しさを抑えきれずに、すぐさま彼に会いに行った。すると彼はこう打ち明けてくれた……魔王にやられたんです、と」

そして、急に目をかっと見開いた。

「魔王の手にかかったら、たまったものではない。悲しいことに、連れのアミちゃんはまだ戻って来ていない。これ以上の犠牲は、私は何としてでも避けたい。そう思いませんか!?」

「みなさんはご存じですか。この魔王が出現するQ地点というのは、B地点に行くには避けて通れないということを！」

「レトくんも動揺していたでしょう。これは彼の見間違いかもしれない。または単なる迷信かもしれない。そこで私は、調べました。

すると……見てください！　B地点に向かう道は、A地点より5倍も遭難数が多いではないか！　魔王は勘違いでも想像の産物でもない。今ここにある事実だ！」

「ピンキー君はなぜ、我々をそんな危険なB地点に導こうとするのか。なぜそんなリスクを冒そうとするのか。子供はどうなる？　老人は、女性は？　大人だってイチコロですよ」

「みなさん、よーく考えてみてください。以上です」

トゲトゲは待ち受けていたポンタを見て、「今度こそ決まりだな」とつぶやいた。

魔王は本当にいるのか？

トゲトゲの放送を見たピンキーは、レト君に事実を確認してみたかったが、今は精神的に弱っているだろうと思い、時機を改めることにした。

代わりに遭難数の調査から始めようと思ったが、図書館はもう閉まっているので、トゲトゲ事務所で調べさせてもらおうと思いついた。

道すがら、街じゅうに貼られている「魔王」のポスターを目撃した。赤い魚たちは「恐ろしいわね」「やっぱりA地点ね」などと噂話をしている。

「まぁ、あがりなさい」。今日は珍しく、トゲトゲが余裕の表情で招き入れた。

「まさか魔王がいないとは思わんだろ？　君も大好きな〝数字〟を見たはずじゃ」

「ちょっと調べ物をしてもよいですか？」

「好きにしたまえ」

ところが、調査がなかなか終わらないので、トゲトゲはしびれを切らしてピンキーの肩越しにパソコンを覗き込んだ。

「何を調べているんだ？」

「遭難率です」。ピンキーは作業を続けながら答えた。

「そもそも通行量が違うので、遭難数を比較しても意味がないですよね。やっぱり率を見ないと」

トゲトゲは苦虫を噛み潰したような顔をした。


やがてピンキーが声を上げた。「遭難率がわかりました！」

「どうだったんじゃ？」。平静を装ってトゲトゲが答えた。

「5倍ほどではないですが、50％ほど、B地点の方が遭難率は高いです」

「ほらみろ！　やはり魔王はいるのだ！　これも発表だ！」。勇むトゲトゲ。


どちらが危険？

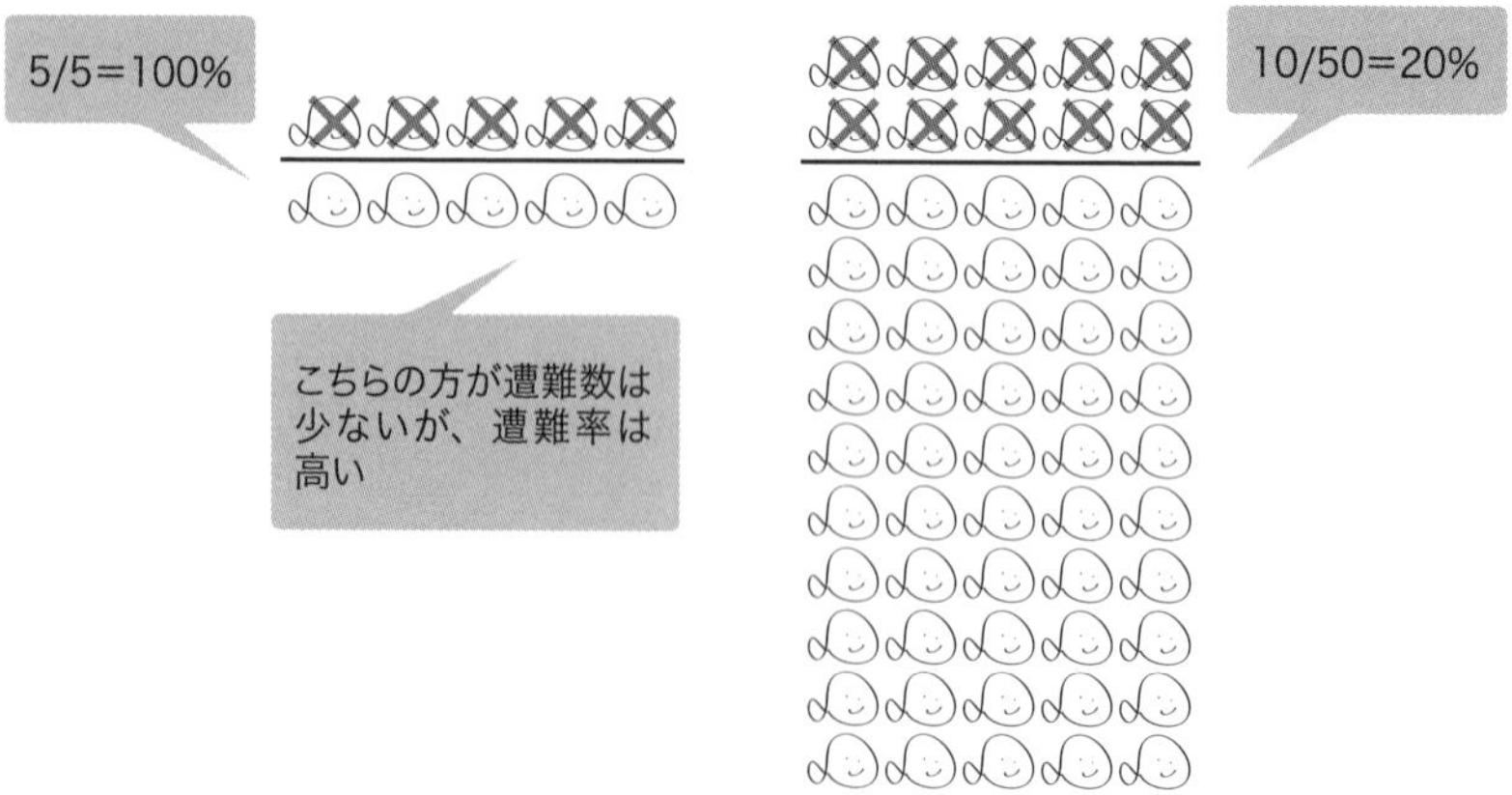

5/5=100%
10/50=20%
こちらの方が遭難数は少ないが、遭難率は高い

「まだ結論は見えてません。中途半端な段階で伝えると、動揺が広がるかと」

「うるさい！　お前はB地点をひいき目に見ているからそう言うんだ」

「違います。しっかり調べてから発表しないとみんなが不安になるだけだし、もし魔王が実在しなかったら、トゲトゲさんの信頼にかかわるし」

「じゃかあしい！　そんな暇があったら自分の心配をしろ！」

ピンキーはまたまた追い出され、図書館に向かった。

ピンキーのつっこみ「魔王」

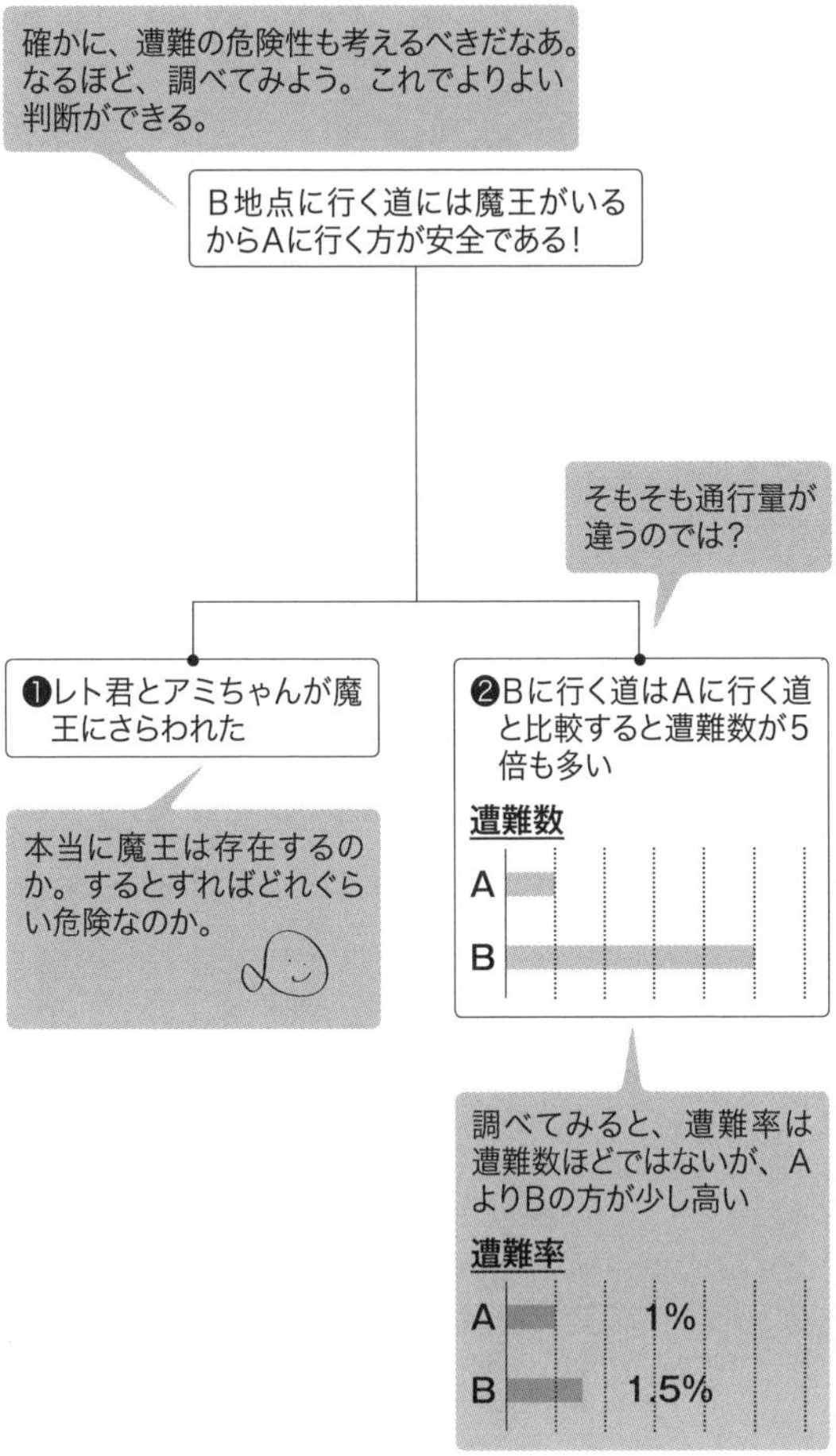

確かに、遭難の危険性も考えるべきだなあ。なるほど、調べてみよう。これでよりよい判断ができる。
B地点に行く道には魔王がいるからAに行く方が安全である！
そもそも通行量が違うのでは？
❶レト君とアミちゃんが魔王にさらわれた
❷Bに行く道はAに行く道と比較すると遭難数が5倍も多い
遭難数
A
B
本当に魔王は存在するのか。するとすればどれぐらい危険なのか。
調べてみると、遭難率は遭難数ほどではないが、AよりBの方が少し高い
遭難率
A 1%
B 1.5%

魔王の正体を暴く

図書館に入るや、ピンキーはいつも通り元気に挨拶をした。

ん？　蟹おばさんの感じがいつもと違う。分厚い眼鏡をかけてないし、服装もしゃれている。しかも……。ピンキーは鼻をクンクンさせた。香水だ！

「何ジロジロ見てんのよ」

どうやら、触れてはいけない話題のようだ。早速、調査の続きをお願いした。

「いいわよ。でも、今日は用事があるから6時までね」

ピンキーは、B地点の遭難率を見て、やはりA地点の方が安全なのかもしれない、と相談した。

「よく考えなさいよ、今回は年間平均だけを見ても意味がないわ。あと1週間半で移住するんでしょ？　秋の遭難率を見なければ」

「竜巻だって、春しか起きないなら関係ないよね。

場合分けをしてみる

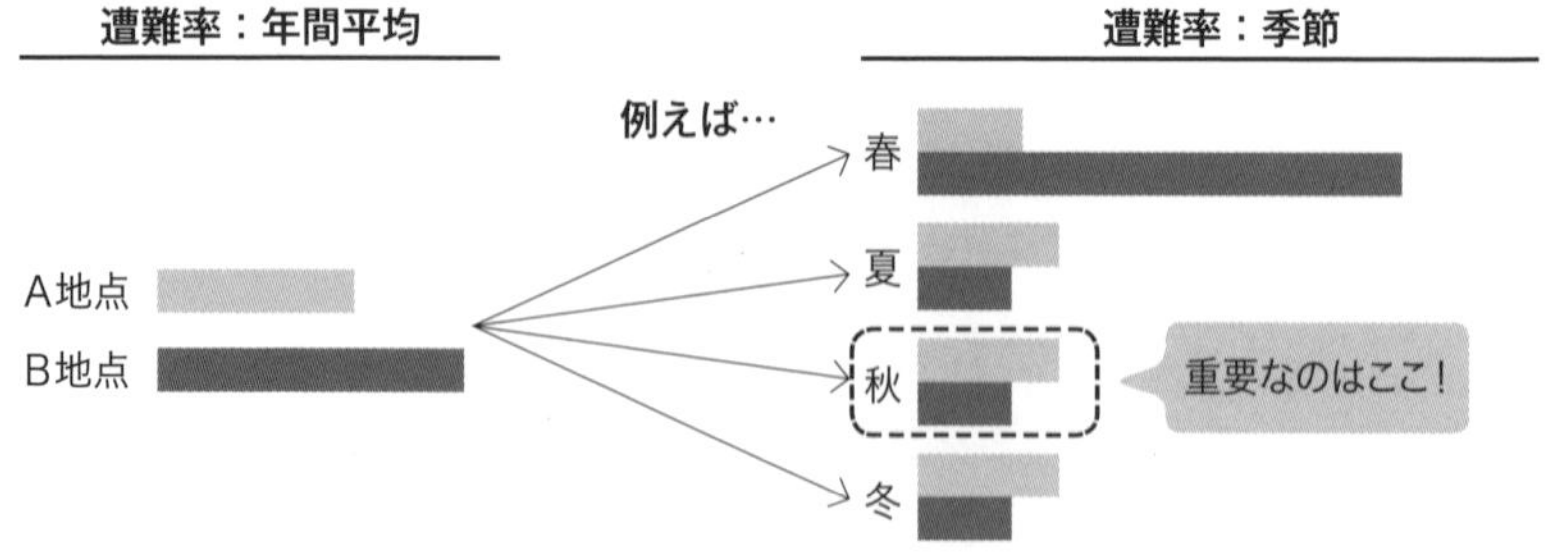

遭難率：年間平均
A地点
B地点
例えば…
遭難率：季節
春
夏
秋
冬
重要なのはここ！

だから、季節別に場合分けしてから、A地点とB地点の秋の数字を比較するのよ」

蟹おばさんは、すぐに調べ始めた。

「うーん。季節には左右されないみたいね。いろいろ相関を取ってみて、何が竜巻の原因かを見極めないとね。原因がわかれば避けられるかもしれないわ」

「相関って何ですか？」

「一方が変化すれば他方も変化するような、関係のことよ。例えば、暑ければ暑いほどアイスクリームが売れるとするわよね。それは気温とアイスクリームの売上げの間に正の相関があるっていうの。逆に暑いとマフラーは売れないわよね。それを負の相関って言うの。ざっくり言えばね」

「つまりね、どういう時に遭難率が上がるか、相関が特定できれば、その時に移動するのを避ければいいってわけ」

「なるほど！」

正の相関　負の相関

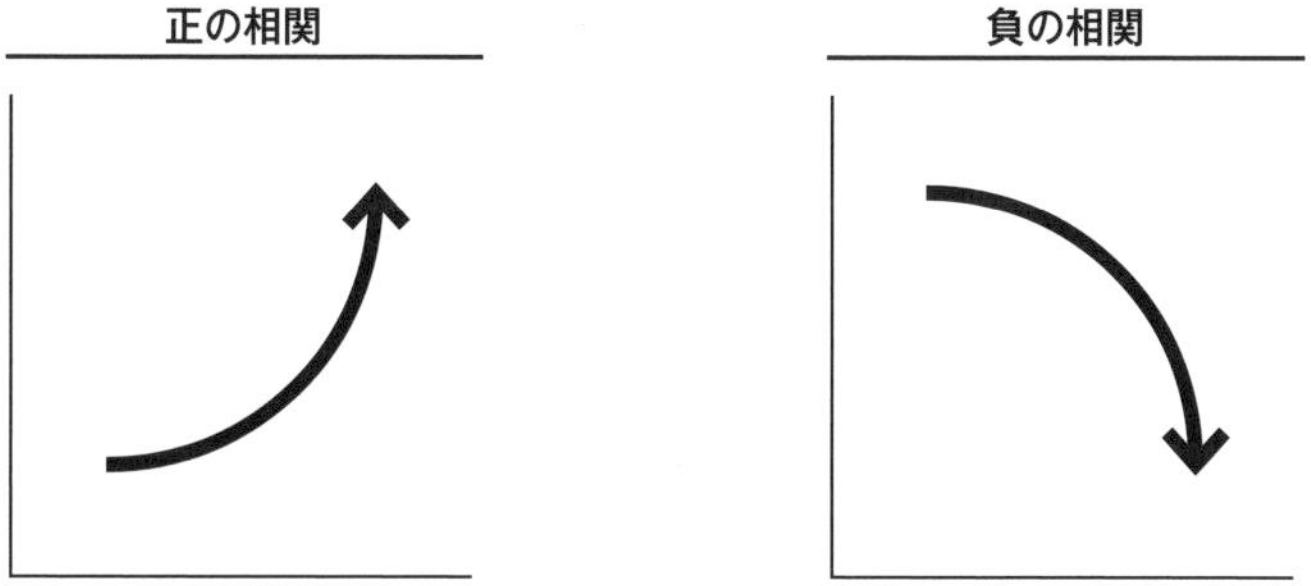

「さて、何から調べていこうか？」

「そうですねえ。季節別で遭難率に差が出ないとすると、水温は違いますよね」

ピンキーはいくつか候補を考えてみた。

「遭難率と風速と晴天度の相関をお願いできますか」

「任せなさい」

1時間もすると、もう結果が出たようだ。

「風速とも、晴天度とも相関はないみたいね」

「そうですか」。ピンキーはため息をつくと、ふと思い出した。

「あ。今日は6時まででしたよね？　もう5分前ですよ！」

「きゃあぁ。他に調べることがあったら明日言って」。いつになくあわてている。

「僕が戸締まりしておくから、早く帰る支度をして」

ピンキーが戸締まりを終えると、蟹おばさんは財布を探し回っていた。

「ジャケットのポケットは？」「ない！」

「カバンの中は？」「ないわ！」

「机の引き出しは？」

「あ、あった！　ありがとう」。蟹おばさんは小走りで出口に向かう。

ピンキーが振り返ると、鮮やかな緑のスカーフが机の上に置いたまま。

「ありゃ。これも忘れてる」。ピンキーが拾い上げると、その下に携帯電話まであった。よっぽどあわてていたらしい。

携帯は開いたままで、つい待ち受け画面が目に入ってしまった。どこかのおじさま

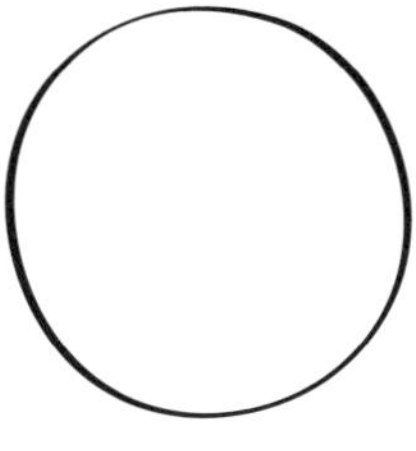

との2ショットだ。しかも額縁がハートである。

走って戻って来た蟹おばさんに携帯とスカーフを渡すと、真っ赤になった。

「あなた、見たでしょ！」

「見てない！」

「見てないって言うってことは、何かを見たのね！」

「えへへ」。ピンキーは時計を見て、「もう、いいから、遅れるよ」と、必死で弁解を続ける蟹おばさんの背中を押して図書館を出た。


ピンキーは家に帰ってから、黒い竜巻の原因をもう一度考えてみた。しかし、どうにも煮詰まってしまい、外の空気を吸いに出た。

夜空には、きれいな満月。

穏やかな気持ちに包まれて、しばらくぼーっと眺めていた。

「……月！　月が黒い竜巻を引き起こしているんじゃないか？　よし、明日おばさんに月の満ち欠けと相関を取ってもらおう！」

ピンキーは思わず声を上げ、家の中に戻って行った。

岩の奥から黒い影がさっと動いて、どこかに消えた。

トゲトゲの先回り

コンコン。ポンタが寝室のドアをノックした。

「何だ、こんな真夜中に」。寝入りっぱなを起こされたトゲトゲは不機嫌だ。

「すみません。早くご報告すべきかと。ピンキーは月の満ち欠けと黒い竜巻に何か関係があるかもしれないと思いついたようです」

どうやら、トゲトゲの指示でピンキーを見張っていたらしい。

「でかした！　よし、先回りしよう。月と地球の距離に関係なく黒い竜巻が起きた例を徹底的に調べるのだ。すべて洗い出せ！」

ポンタは徹夜して作業に取りかかった。

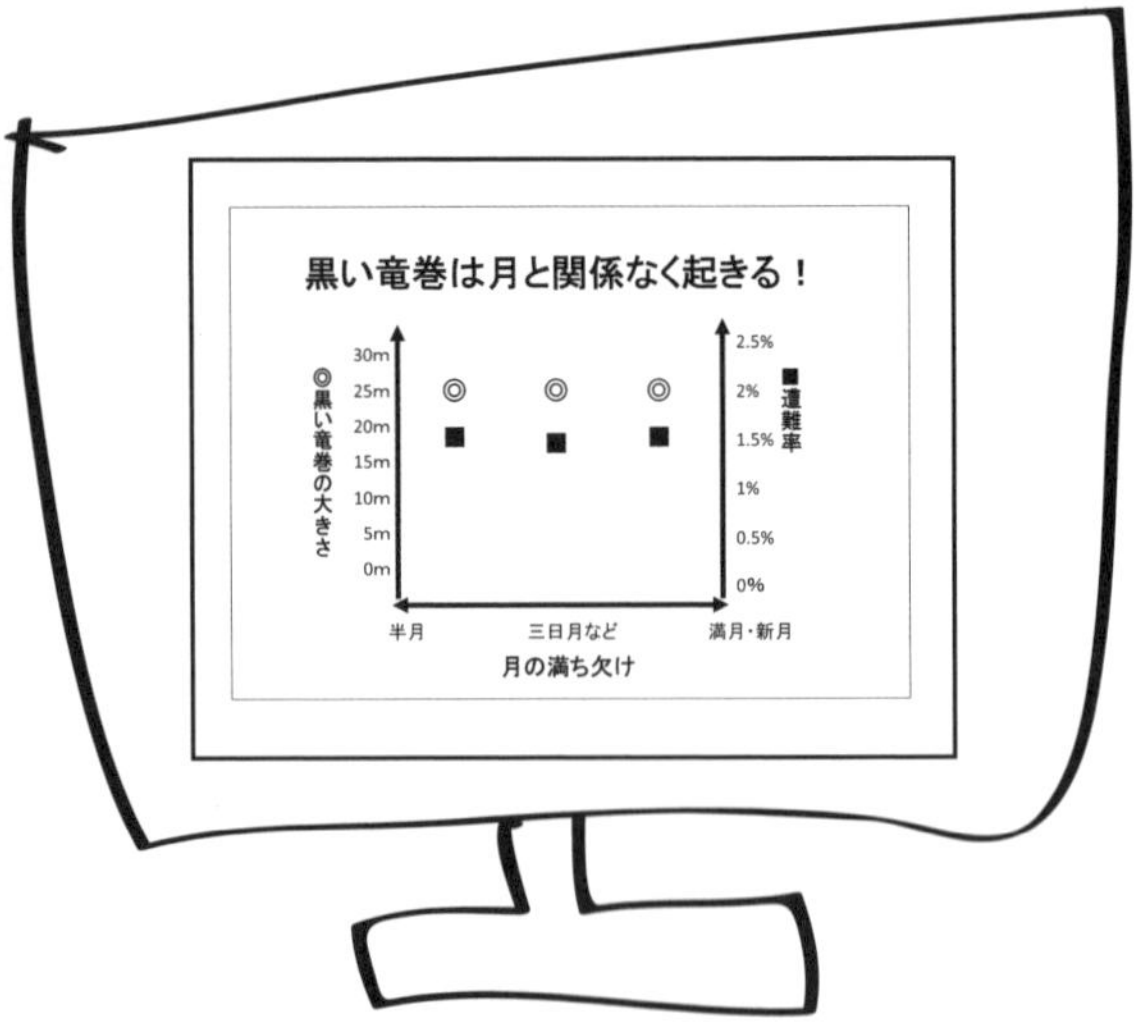

黒い竜巻は月と関係なく起きる！
◎黒い竜巻の大きさ
30m
25m
20m
15m
10m
5m
0m
■遭難率
2.5%
2%
1.5%
1%
0.5%
0%
半月
三日月など
満月・新月
月の満ち欠け

「これを見ると、黒い竜巻と遭難は、満月、半月、三日月、すべての時で起こっています。つまり、月の満ち欠けと関係なく起きているということです」

トゲトゲは満足そう。

「これで奴もぐうの音も出るまい。よし、飯でも食おうと誘い出せ」

ピンキーが出かけようとすると、電話が鳴った。

「トゲトゲさんが、一緒にお昼でもどうかって」

「ごめんね。これから図書館で作業をしないといけないんだ」

「もう用意しちゃったんだよ。ちょっとでいいから来てくれないかな？」

しかたなくピンキーは顔を出すことにした。


「よく来た。お前も調査で疲れているだろう。栄養をつけていってくれ」

「お気遣いありがとうございます」

おいしそうな香りとともに、見たことのない豪華な料理が出てきた。

「今は何を調べているんだ？」

「黒い竜巻の原因です。季節別、風速別など調べたんですが、遭難率に差はありませんでした。でも、ちょっと思いついたんです。もしかすると、月の満ち欠けが関係あるんじゃないかなって」

トゲトゲは内心ほくそ笑んだ。そして驚いた様子で顔を上げた。

「奇遇だな！　我々もちょうどその件を調べていたところだ」

ポンタは徹夜で作った資料をピンキーに渡した。

「ほら、見たまえ。残念ながら、月との相関はないらしい。黒い竜巻は三日月でも半月でも満月でも起こっている」

ピンキーは資料を見て肩を落とした。

「やはり魔王はいるのだよ。もし仮にいなくてもな、遭難率が高いことは事実じゃ。そうだろ？　時間の無駄だ。B地点はあきらめろ」

「もう半日だけ考えます。この紙、もらってもいいですか？」

「どうぞどうぞ」


「ポンタ、酒を持って来い！」。ピンキーが帰ると、トゲトゲは杯を上げた。

「しつこい奴め。だが、粘り強さだけは認めてやろう」

黒い竜巻とお月様

「はぁー」。蟹おばさんは首を横に振って、深くため息をついた。

さっきもらった紙を、早速見せたのだ。

「本当にあんたは、素直というか、バカというか。なんで奴らはデータを3つしか使ってないと思う？　その時点でおかしいと思わなきゃダメじゃない」

「A地点に行くためには、奴らはどんな手でも使うのよ。素直なのはいいけど、何でもかんでも鵜呑みにするのはやめなさい！　あんただけが損するならともかく、赤い魚全員の生活がかかっているんでしょ」

「そうですよね……」。疲れが溜まってきたのか、ピンキーは珍しくしょげてしまった。それを察した蟹おばさんは、肩に手を置いた。

「まあ、あんたもずいぶん頑張ってきたしね。疲れているみたいだし、向こうのソファーでちょっと休んでなさい。私がやっておくわ」


しばらくすると、蟹おばさんが1枚の紙を持って駆けて来た。

「ピンキー、相関があるわよ！　満月と新月の時ほど黒い竜巻は大きく、遭難率も高くなってるでしょ！」

「うわぁ、本当だ！」。ピンキーは興奮して飛び起きた。

「でも、奴らが出してきたデータも事実だわ。半月と三日月の時に黒い竜巻が大きくなっているデータなんて、よく見つけてきたわね。ただ、それが異例であることを説明しきれない限り、奴らはいちゃもんをつけてくるわね」

するとふたりの背後から聞きなれたしゃがれ声がした。海亀だった。

「その通りじゃ。だがそれだけじゃ足りない。相関関係があるというデータで示すだけでなく、因果が起きるメカニズムと、そして蟹おばさんが言ったように、異常値が起きた理由を説明できなければ、説得力が弱いのう」

ふたりとも、黙ってしまった。

「それはワシもわからんよ。だが心配無用じゃ。答えを知っている人を探せばよい」

「重要なのは、自分ですべて答えを出す必要はないということじゃ。世の中の知恵をうまく活用し、組み合わせ、そこから判断する。過去の賢人、一生かけて何かを研究している人たち。すでに答えを知っている人はないか探してごらん。毎回、ゼロから車輪を発明する必要はないのだよ」


「さて、黒い竜巻に関して知っていそうな学者のリストを出してくれないか」

さすが本職、蟹おばさんはあっという間に名前を挙げた。

「ウニ博士と提灯アンコウ博士か。よし、ここは私に任せてくれ」

権威に聞く

その夜、7時頃。図書館の電話が鳴った。

「海亀じゃ。早速、博士に話を伺って来た。今、話せるかな？」

蟹おばさんはピンキーを呼ぶと、電話をスピーカーフォンに切り替えた。

「結論から言うと、魔王の正体は渦潮と呼ばれるものじゃ。ピンキーたちが通過する時には渦潮は起きないので、心配することはない」

よかった。ピンキーは胸をなで下ろした。

「その前に、大事なことを先に言っておこう。権威の意見を聞く時は、その人が公正な、色のついていない人かどうか、その分野のエキスパートかどうか、しっかり確認することじゃ」

「残念ながら、ウニ博士は公平ではないことが判明した。やたら感情的でつじつまの合わないことばかり言うので、おかしいと思ったんじゃよ。

調べてみたら案の定、A地点に向かう高速水路の会社の顧問をしておった。要するに、B地点だと儲けそびれてしまうわけだ。いいか、学者や権威だからといって、公正だとは限らない。ちゃんと確認しなければいかん」

これにはピンキーもたまげた。中学生には刺激が強すぎただろうか。

「さて本題じゃ。渦潮は干満によって速い潮と遅い潮の擦れ合いが大きくなることで起きる。満月や新月の大潮の時は、その擦れ合いが特に強くなるから、大きな渦巻を起こすのだよ。本当は海底の地形も関係しているけれどな。それに巻き込まれれば、遭難も高くなる。渦の色が黒い理由は、火山灰が積もっているところだからじゃ。しかし、君らが出発するのは来週。半月だ。よって渦潮の心配はない」

「じゃあ、トゲトゲさんたちが出してきた2つの異常値は？」

「あれはな、人間たちがヨットレースを開催しておったからだ。何百ものヨットがグルグル回ったために、渦潮が引き起こされた。しかし海王が団体に抗議文を送ったら、レースの中止を約束してくれたそうじゃ。新聞記事にもなっておる。提灯アンコウ博士からもらった資料と一緒に記事を送っておこう」

渦潮発生のメカニズムと、いくつかの証拠資料。これだけあれば、何とか説得力が出てきそうだ。

渦潮発生のメカニズム

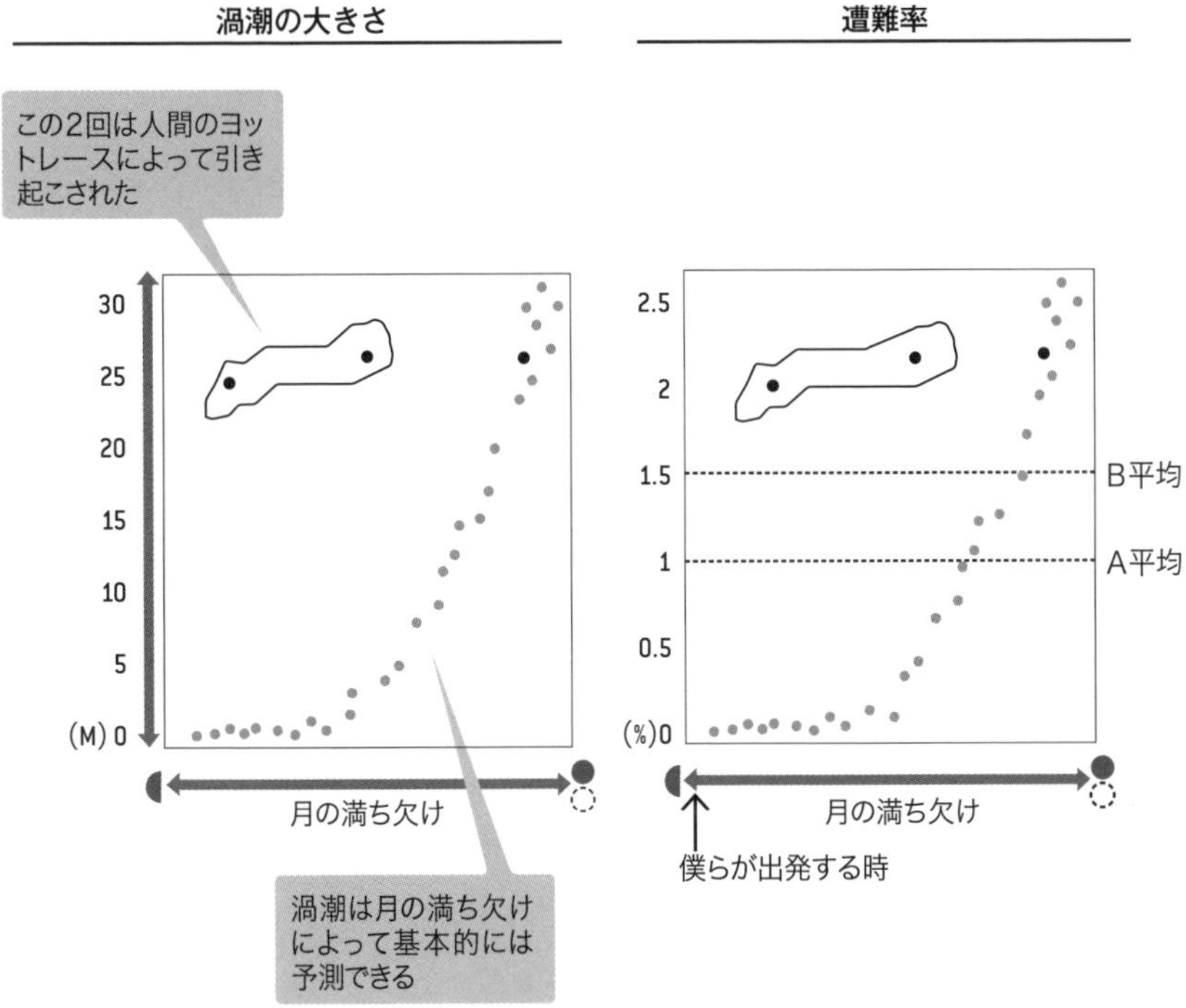
渦潮の大きさ
遭難率
この2回は人間のヨットレースによって引き起こされた
30
25
20
15
10
5
(M) 0
月の満ち欠け
渦潮は月の満ち欠けによって基本的には予測できる
2.5
2
1.5
1
0.5
(%)0
B平均
A平均
月の満ち欠け
僕らが出発する時

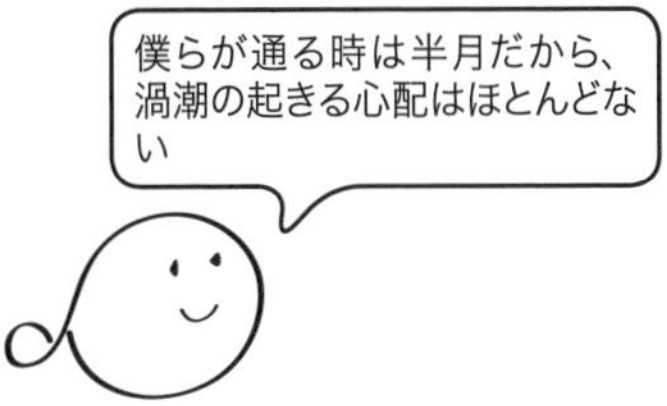
僕らが通る時は半月だから、渦潮の起きる心配はほとんどない

「あんたは本当に人に恵まれているわね」。蟹おばさんは言った。「まあ、一生懸命だから手伝いたくなっちゃうんだけどね。でも、今日は私も、海亀さんからたくさん勉強をさせてもらったわ」

ピンキーの意見と理由「魔王」

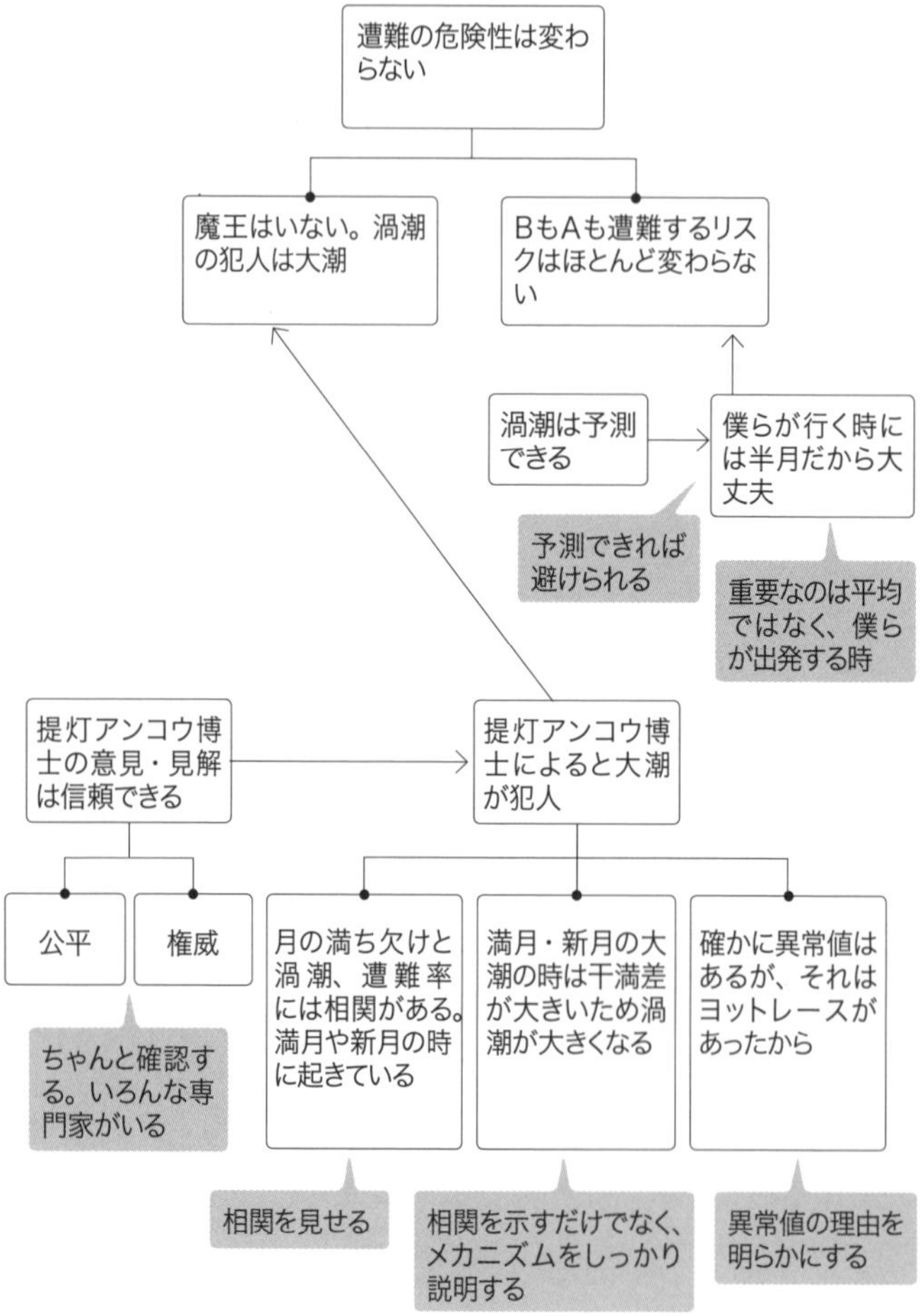
遭難の危険性は変わらない
魔王はいない。渦潮の犯人は大潮
BもAも遭難するリスクはほとんど変わらない
渦潮は予測できる
僕らが行く時には半月だから大丈夫
予測できれば避けられる
重要なのは平均ではなく、僕らが出発する時
提灯アンコウ博士の意見・見解は信頼できる
提灯アンコウ博士によると大潮が犯人
公平
権威
ちゃんと確認する。いろんな専門家がいる
月の満ち欠けと渦潮、遭難率には相関がある。満月や新月の時に起きている
満月・新月の大潮の時は干満差が大きいため渦潮が大きくなる
確かに異常値はあるが、それはヨットレースがあったから
相関を見せる
相関を示すだけでなく、メカニズムをしっかり説明する
異常値の理由を明らかにする

仕組まれたスキャンダル

「この状況は非常にまずい！　流れが傾いてきた気がする。いいか、ポンタ。流れを制する者が、勝負を制するのじゃ。何としてでも手を下さねば！」

ピンキーが蟹おばさんや海亀の助けを借りて、強固な論拠を作り上げたことを知り、トゲトゲはあせった。かくなる上は……。

「スキャンダルだ！　ピンキー個人の信用を徹底的に潰せ！　ネタは何でもかまわん。奴自身でも妹のことでも、両親のことでも、何でもありだ」

「彼は何もないでしょう。僕も同じ学校だから知っていますが、あのままですよ。素直でまっすぐ、本当にいい奴です」

「確かになあ、愛嬌《あいきょう》あるよな。笑顔もいいし。って、アホか！　敵をほめてどうする。ったく」。トゲトゲは声を荒げた。

「事実じゃなくてもかまわん。国民の間で『そうなんだぁ』『らしいよ』なんて噂が出るだけで我々の勝ちだ。1グラムでも疑いを持つだけで絶大な効果がある。それっぽく表現しろ。誇張するんだ」

「なるほど！　真実でないものを誇張するということですね」

「お前なあ。そうはっきり言うな。まるで我々が悪いことをしているように聞こえるじゃないか。もうちょっとデリケートにならんかい」

「すみません。でも、ちょっと卑怯《ひきょう》ではないですか？」

「甘ったれたことを言うな！　世の中を導くには権力が必要なんだ。権力なくして何ができる！　これは我々の大義のための必要悪じゃ」

ポンタはふと思った。「ところで我々の大義って何でしたっけ？」

「そんなもん、終わってからにしろ。今はピンキーの個人攻撃が先だ！」

「そうだな、まず、赤い魚が好かんものから考えてみろ」

「青い魚には対抗心があるんじゃないですか。貝殻ネックレス商売では熾烈《しれつ》な競争をしてますし、みんなの生活に響きますからね」

ポンタの話を遮ると、「その攻め口は使えるな」とニヤリ。「ピンキーに青い魚の友だちはいなかったか？」

「いましたよ。たった半年でしたけど、青い魚のアクア君が小学校に留学に来てました。本当にいい奴でしたよ。サッカーもうまくて」と懐かしそうに語り、あっと思い出したように引き出しから一枚の写真を取り出した。

「小学校時代のサッカーチームの写真です。これがピンキーで、これが僕。ピンキーの隣にいるのがアクア君です。ふたりともうまくて……」

トゲトゲはポンタの話はほとんど聞いていない。

「これで十分だ。ピンキーとその青い魚のところだけを切り取れ」

「き、切り取るんですか。この写真は僕の宝物……」

「カラーコピーすりゃいいだろ。そんな細かいところまで、ワシに考えさせるな！」

ポンタはしゅんとうなだれた。

「青い魚と友だちってだけじゃあインパクトが足りん」。しばらくトゲトゲは唸っていたが、突然、ホワイトボードにでかでかと書き出した。

『ピンキーは青い魚たちのスパイだった！　我々の貝殻のデザインをすべて青い魚たちに流していた！』。そして見出しの横に、ペタッと写真を貼った。

「ワシのプランに反対したのは、青い魚たちに有利なところに移住させようとしているからだ、ということにしよう。あと、妹のピフィーを傷つけるような内容も入れておこう。その方があいつはダメージを受けそうだからな。よし、記事はワシが書く。お前は赤い魚全員のメールアドレスを入手しておけ！」

その日の夜中には八割方の家にメールが届き、街じゅうにチラシが配られた。

そして、トゲトゲの思惑通り「あれ、本当なのかな」「まさか、あのピンキーが」「でもねえ」と噂話は一気に広まっていった。

サンドバッグ状態

翌日、ピンキーが午前中に図書館で調べ物をして、お昼ご飯を食べに家に戻ろうとすると、家の前に人だかりができていた。

「このスパイ！」「出て行け！」と感情的に怒鳴りつける者、そして報道陣のフラッシュがパシャパシャと光っている。小走りで家に入ると、ピフィーがあわててゴミ箱に紙切れを捨てた。

「お帰りなさい」。目が少し赤くなっている。

「ピフィー、どうした？　いったい何があったんだ？」

ピンキーはゴミ箱から紙を拾い上げると、広げて読んでみた。

『問題家族！　ピンキーは青い魚のスパイだった！　妹のピフィーはブーの命を巻き添えにして自分だけが生き延びた！』

そこには、ピンキーが青い魚のアクア君と友だちで、発売前のネックレスのデザインを青い魚に流していたこと。わがままなピフィーのせいで、両親だけでなくブーまでもが犠牲になったことなどが書かれていた。

「なんだこれは」。まもなくこれがトゲトゲたちの仕業だと感づいた。「すまない、ピフィー。僕のせいでこんなことになって」

「でもお兄ちゃん、本当なのよ。ブーもパーもマーも、私のせいで亡くなったんだから」。もはや立ち上がる気力もないようだった。

正しいと思うことを貫くのは、こんなに大変なものだったのか。ピンキーさすがに深く落ち込んでいた。自分が中傷されるのはいいが、まわりの大切なひとまで傷つけ

られてしまうなんて――。

こんなことは耐えられない。もう、やめてしまおうか。でも……。

希望を失ってしまえば、終わりだ。ピンキーはまさに、そんな状態まで追い詰められていた。

あらゆるところに、小さくても戦っている人々がいる

その日の夜中、「ピンポーン」と家のベルが鳴った。「誰だ？　またメディアか？」カーテン越しにちらっと見ても、ドアスコープを覗いても、誰もいない。扉を開けようとすると「ガン！」。チェーンを外し忘れて、ドアが開く途中でつっかかった。

すると、地面に黒ブチの眼鏡をかけた小さなヤドカリがいた。

音にびっくりしたようで、ざざっと後ろに下がり、しばらく貝の中に隠れていたが、恐る恐る顔を出した。

知らない人だ。

「ピ、ピンキーさんとピフィーさんのお宅でしょうか？」

「は、はい。そうですけど……。どのようなご用件でしょうか？」

「夜分に申し訳ございません。

ちょ、ちょっと取材をさせていただきたいと思いまして」

すると、背後から「もぅ、やめてください。ほっておいてください」とか弱い声が聞こえてきた。くたっと地べたに横たわっているピフィーを見て、ピンキーはすぐさま「お断りします」と言ってドアを閉めようとした。

「ピンキーさん！　わ、私は、し、真実を書きたいのです。何かがおかしいと思います。少しだけお話をお聞かせいただけないでしょうか？　た、大変だと思いますが、もうちょっとだけ、頑張ってください！　あきらめないでください！」

ピンキーは、その声と、言葉に揺さぶられ、少しドアを開き、彼の目を見た。そこには、強い想いと、純朴な輝きがあった。メディアにはうんざりしていたピンキーでも、信じられそうな光を放っていた。

「ピ、ピフィー、ごめんな。ちょっとだけ席を外してくれる？　僕を信じてくれ」

ピフィーがゆっくりうなずき、2階に上がったことを確認すると、ピンキーは「どうぞ」とチェーンを外して招き入れた。

ヤドカリ記者は、結論ありきで記事を書くという姿勢ではなく、しっかり事実と背景を聞いてくれた。そして、スキャンダルのことには一切触れなかった。

気がつけば、取材は3時間ほど続いた。

翌朝、「ねぇ、お兄ちゃん！」とピフィーが記事の切り抜きを走って持って来た。

「読んで読んで」と興奮している。

「おっ、もう出たんだ」

小さな新聞であり、トゲトゲが広めた範囲に比べればささいなものであるが、納得のいく記事だった。

　ピンキー個人がどうというのではなく、今回の移住先について、公正な目で論じていた。各地点のよい点だけではなく悪い点、これまで判明したこととわかっていないことを明確にして、事実と解釈を切り分けてあった。調査はまだ途中であり、ピンキー自身も何がベストかはわかっていないことも。

　そして、記事はこのように締めくくられていた。

「我々は、今、試されている。メガホンから意図的に流される割れんばかりの音だけに耳を傾けるのか、それともかき消された声に耳を傾けるのか。

　私は演説、そして投票の日を楽しみにしている。その目を見れば、その言葉、そして、その声を聞けば、伝わると」


「ヤ、ヤドカリさん」。ピンキーとピフィーは、そっとうなずきあった。

　そして郵便ボックスを開けてみると、差出人の名前が書いてないものもあったが、最初に話を聞いた人たちや、子供の頃通っていた駄菓子屋のおばさんなど、応援のメッセージが綴られた手紙が7通ほど入っていた。

「負けないで、応援しています」

「ワシの声を聞いてくれてありがとな」

「私はわかってるわ。心配しないで邁進して」

「私は難しいことはわからないけど、信じてます」

ピンキーは、勇気づけられた。

何でもひとくくりにして色眼鏡で見るのは危険だ。いろいろなところで、いろいろな人が、いろいろな形で、自分なりに戦っている。そっと見守ってくれる人もいる。人は実に不器用なものなのである。

ピンキーは厳しい現実に直面して目がくもり始め、人を信じられなくなっていた。しかし、本当にきれいなものは、そのままの姿で目に飛び込んでくる。

ピンキーの目が、元通り輝き始めた。より深みあるやさしさと強さを兼ね備えたものに。

「よし、頑張ろう！」

ワイドショーの影響

「本当にこれでよかったのでしょうか」。ポンタはいつになく落ち込んでいる。

「よかったに決まっているじゃないか！　メディアも毎分このニュースを流している、街ではみんながあの兄弟の噂をしている。ピンキーへの精神的なダメージも大きいだろう。すべて狙い通りだ。どこが問題なんだ」

しかし、さすがのトゲトゲも、ポンタの様子が気になった。そして、自ら歩み寄り、今までにない柔らかな声で語りかけた。

「お前の気持ちはよくわかる。だが信じてくれ。大義のためだ。権力なしでは、何もできない。きれいごとだけでは、この世は変えられないのじゃ」

連日の資料作成の疲れと、精神的な苦痛が重なったせいか、ポンタはソファーに横たわってじっとしていた。

トゲトゲはふと、普段開けないキャビネを開いた。すすけた学生時代の講義ノートを取り出し、ぱらぱらと懐かしそうにめくった。

すると、ある走り書きが目に留まった。

「力を持つ過程で人は変わってしまうのか……」

お気に入りのロッキングチェアに腰をかけると、しばらくうつむき加減で一点を見つめていた。ふと顔を上げると、ホワイトボードに貼ってある魔王のポスターと、スキャンダルのチラシが目に入った。

トゲトゲはそのまま無言でチェアに揺られ続けた。


するとその時。急に家がガタガタと揺れ出した。かつてない大きな揺れだ。

「早く机の下に」。トゲトゲはソファーで横になっていたポンタの腕をつかんで机の下に潜らせた。写真立てやコップが落ちて来てガシャガシャと割れ、本棚も倒れて来た。あたりには物が散乱している。

テレビから速報が流れて来た。

「たった今、M4の地震が起きました。引き続き余震に警戒してください」

それから、テレビでは一日じゅう地震特集が流れた。トゲトゲがお気に入りのワイドショーにチャンネルを合わせると、緊急特番が組まれていた。

「号外！　A地点でも大地震があった！　安全性に黄信号」

キャスターが興奮気味に司会を進めた。

「なんと、A地点では2年前に大地震が起きていたことが判明しました。今回の地震の倍以上の揺れであったとのことです。はたして我々はAに移住して大丈夫なのでしょうか？　ゲストの方々のご意見をうかがいたいと思います」

「まずは、アイドルのリンリンさん、どう思われますか？」

「リンリン怖いですぅ。今回の倍の揺れなんですよねー。そんなところ、絶対にいやですぅ」。ブリブリしている。

「プロレスラーのサイゴンさんはどう思われますか？」

「いやぁ、地震は僕のような大男でも怖いものですよ。今朝も嫁に弱虫なんて怒られてしまいましてね。はっ、はっ、はっ」

「では、今をときめくネット企業経営者のトントンさんはいかがでしょう」

「一度起きたことですから、また近いうちに起きるような気がしますね。私の勘はだいたい当たるんですよ。第六感というのかな？　私はこれで多くの修羅場を勝ち残って来ました。Aに移住するのは危険だという気がします」

「とすると、A地点に移住するというのは、絶対に避けるべきだと」

トゲトゲはリモコンを床に叩きつけた。

「お前らに何がわかるって言うんだ！　地震のことなんて何も知らんだろ！　テレビ局に電話をして、すぐこの放送をやめさせろ！」

「君に、できるかね」

ピンキーとピフィーは地震の後片付けをしながら、同じ番組を見ていた。「トゲトゲの奴、今頃大あわてしているだろうよ」。ピフィーが吐き捨てた。

すると、ドアのベルが鳴った。

「大丈夫だったかね。ピンキーもピフィーも？」

海亀がピンキーとピフィーを案じて、やって来たのだ。

「海亀さんもこんな地震の中、危なくなかったですか？」

すると、背中の甲羅《こうら》を叩いて、「ワシにはコレがあるからのう」とウィンクした。

「どうぞ、あがってお茶でも」

テレビでは、A地点の過去の地震に関する報道が続いている。ピンキーはぼそっと切り出した。

「何となく思うんですが、こうやって大げさに取り上げて右往左往するのは危ないことではないでしょうか。地震に詳しくない人も、イメージだけで話しているし。影響力のある番組だから、ちょっと不安になります」

海亀は何も言わずに、相槌を打った。

「以前に地震が起きたからといって、僕らが住んでいる間に起きるとは限らない。調べなくてはならないこともたくさんあります。今からA地点はダメだと過剰反応するのはよくないと思うんです。先入観が固まらないうちに手を打たないと、公平な目で選べなくなっちゃうかもしれない」

海亀は、ピンキーの目をまっすぐ見て言った。

「君にできるかね。あんなに個人攻撃をされたあとで。トゲトゲのむやみにA地点に行きたいという思いを後押しすることにもなるかもしれんぞ？」

「大丈夫です。やってみます」

「わかった。重要なのは、4つの問いかけじゃ。すべて考え抜かないと答えは出ないぞ」

その4つの問いをピンキーに説明すると、海亀は電話を手にとった。

「私の知人に、ナマズ博士がいる。地震の予測に関して彼の右に出るものはいない。ワシが電話をするから、質問はピンキー、自分でしなさい。いいね」

「もしもし、ナマズ博士。海亀じゃ。もう200年ぶりだのぉ。元気でやっとるか？ちょっと地震に関して知恵を借りたいのじゃが」

ピンキーは1時間近く質問をした。ナマズ博士の答えの要旨はこうだ。

①そもそも2年前にA地点で大地震が起きたというのは本当なのか？

↓A地点では確かに2年前に地震が起きた。地形的にも大地震が起きやすい。

②これから移住する5年の間に、大地震が起きる確率が何割ぐらいあるのか。

↓これから5年間の間にA地点でM6以上の地震が起きる確率は0に近い。A地

点の地震は2つのプレート間に位置するために起こるが、その周期は100年おきで、プラスマイナス10年の誤差で予測できるという。2年前に起きたということは、あと90年以内に起きる可能性はほぼないとのことだ。

③起きた場合に、どのぐらいの被害があるのか。

→A地点の地震は平均M6と、強い。住民も大きな被害を受ける。前回は2割の家が崩れ、住民の10%がケガをした。しかし、死者が出たことはない。

④主体的に何か仕掛けることで、大地震が起きる確率を下げる、または、起きた場合の被害を抑える方法がないか。

→地震発生の可能性そのものを下げることはできないが、起きた場合に備えることはできる。訓練を行うとか、地震に強い家を建てておくとか。そうすれば仮に地震が起きたとしても、ケガ人を出さずに済むはず。

さらに、こんなことも判明した。

・ナマズ博士いわく「過去に地震があったことを怖がっていてはどこにも住めない」。対策を立てておけば、A地点で心配はないとのこと。

・参考までに、今後A地点で地震が起きる予測分析を行った研究結果と、起きた場合に想定される被害に関する資料を送ってくれるという。

地震に強い家か……。全員に新しい家を建てる資金はないだろう。ピンキーは何かを考えながら、ジーッと海亀の背後を見ていた。

海亀は、ピンキーの視点をたどって振り向くと、笑い出した。そして、自分の甲羅を指差した。「ピンキー、これかい？」

ピンキーがペコリとうなずく。

「ワシのはやれんぞ。しかし、素晴らしいアイデアだ！」

「その甲羅って相当頑丈なんですよね」

「ああ、上から何が落ちて来てもびくともしない。1000年近く使っておるが、今も頑丈だ。本当にこの甲羅には長年お世話になってきた」

そう言って甲羅を大切そうにさすった。

「家は大変だけど部屋なら何とかなるかなと。海亀さんみたいな大きい甲羅をいくつかと、小さい甲羅をたくさん用意すれば、安全な場所が作れます」

「なるほどな。甲羅の入手先は心配するな。ワシの親戚に甲羅コレクターがおる。ピンキーたちのような使い道であれば喜んで譲ってくれるだろう」

こうしてピンキーは、ナマズ博士の資料を持ってトゲトゲ事務所に向かおうとした。すると海亀は、「これも持って行きなさい。その方が説得力が増すだろう」と言って小さな甲羅を持たせてくれた。

敵に塩を送る

ピンキーは、トゲトゲ事務所のベルを押した。

「何の用だ。冷やかしにでも来たのか」。トゲトゲは声を荒げた。頭をかきむしったのか、髪はくしゃくしゃである。

「地震のことは心配いりません。3分だけお時間をください。ご説明します」

なぜ、わざわざこちらに有利な情報を持ってくるのか。トゲトゲは当惑した。

ピンキーは調べたことをかいつまんで説明した。

A地点の地震に関しては、2年前の出来事は真実であるが、ここ5年はほとんど心配する必要がないこと、それでも心配であれば亀の甲羅を使って街を造れば安全であり、必要であれば甲羅も手配済みであること……。

トゲトゲは興奮して飛び上がった。「でかしたぞ！　ピンキー！」

「この甲羅、必要でしたらみんなを説得するために使ってください。上からどんなに重いものを落としてもビクともしません」

「よし、ポンタ、みんなを集めて実演だ！　この甲羅の下に、黄色の可憐《かれん》な花束を置いて、上から大岩を落とすんだ。これで無駄な恐怖心も吹っ飛ぶだろう。俺はメディアに取材に来るようかけあってくる！」

そう言って事務所を飛び出て行った。

「ピンキー、ありがとうね」。ポンタは感じ入ったようだった。

「海亀さんやナマズ博士、蟹おばさんのおかげだよ。あとちょっとだ。みんなにとって一番よい移住先を選べるように、頑張ろうね」

翌日。「この記事見た?」とピフィーは苛立ちをあらわにして新聞を叩きつけた。

A地点の「地震問題」に関して、トゲトゲの論述の鋭さ、実演を交えて感情に訴えかける説明の仕方を絶賛し、リーダーにふさわしいと讃《たた》えている。スピーチの全文を見ると、ピンキーの説明そのままだった。資料まで同じだ。

「お兄ちゃん、いくら何でも人がよすぎる! あいつは全部自分で調べたみたいな言い方してんだよ! 抗議しに行こうよ」

「それでいいんだよ」。ピンキーは地震で壊れた椅子を修理しながら答えた。「このままだとみんな、A地点の地震を必要以上に心配しちゃいそうだからね」

「そんなこと言ったら、みんなA地点を選ぶ方に傾いちゃうかもしれないよ?」

「どっちでもいいんだよ。移住先に向いていれば。僕は何も、B地点を推しているわけじゃない」

「でも、A地点が選ばれたら、トゲトゲに負けたと思われちゃう」

ピンキーはにっこり笑って見せた。

ピフィーはそんな兄を見て、自分の気にしていることが小さく思えてきた。私も、もっと強くならなくちゃ。

忘れてた!

今日は久しぶりに、移住の件を忘れてゆっくり散歩ができる。

これまで「イカ治安問題」「黒い渦巻き問題」「地震問題」などに時間を取られ、食糧や貝殻の量、腰痛用の薬草など他の調査が大きく出遅れていたのだが、昨日、蟹おばさんが「明日の午前中は少し休みなさい。昼過ぎまでに私が全部調べてまとめておいてあげるから」と言ってくれたのだ。

ピフィーは「一緒に蹴って行こ」と白いピンポン玉を差し出した。

兄がいつもサッカーをしている姿を見て育ったため、「私もボールが欲しい」と、ある日、幼稚園の帰り道で泥だらけのピンポン玉を拾ったのである。以来、形が凹むとうまく膨らませて直しながら、ずっと大切にしている。

「懐かしいな！　まだ持ってたのか」。ふたりはぽんぽんとパスを出し合った。

「あっ！」

ピフィーが強く蹴りすぎて、ボールが崖に落ちそうになった。ピンキーが滑り込んで、ぎりぎりのところでキャッチした。

「お兄ちゃん、ありがとう！」

ピンキーがピンポン玉を手渡すと、ピフィーは大事そうに見つめて言った。「お前は私の、大切な赤ん坊みたいなもんだもんね」

すると、ピンキーは急に思い出した。

「大変！　孵化《ふか》率を調べること、蟹おばさんにお願いするのを忘れてた！」

ふたりはあわてて散歩を切り上げ、図書館に向かった。

孵化率はどちら？

「あら、孵化《ふか》率のことならもう調べておいたわよ。リストから抜けているから、おかしいと思ったのよ。ほら」

蟹おばさんは、1枚の紙をピンキーに手渡して説明を続けた。

「専門家に聞いてみたら、孵化には水温の影響が大きいそうよ。B地点は最適な25度。A地点は30度で、ちょっと暖かすぎるの。孵化率はB地点50％、A地点40％で、B地点の方が産卵に向いていると言えるわ」

ピンキーは驚いた。場所によって10％も孵化率に違いが出るとは。

蟹おばさんは「ジャジャーン！」ともう1枚資料を取り出した。

「他の調査も終わったわよ。1枚にまとめてあるわ。AもBも、腰痛用の薬草は十分ある。食糧や貝殻、食べられちゃう率は数字を調べておいたわ」

水温と孵化率の関係

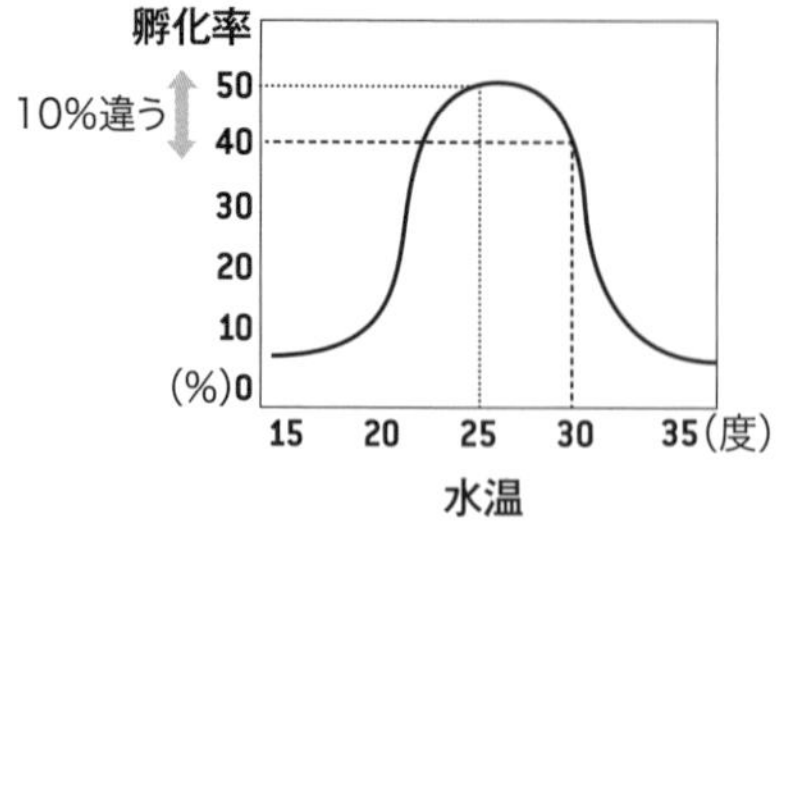

A地点とB地点の比較

同レベル　より魅力的

評価軸			重要度	A地点	B 地点
到着点	全般	❶食糧が豊富	高	+++++ 100：全員分十分ある	+++++ 100：全員分十分ある
		❷貝殻が豊富	高	+++++ 130	++++ 100
		❸身の危険が比較的低い	高	+++++ 現在の食べられちゃう率は0.5%。今後も変わらないというのが権威の予測	+++++ 現在の食べられちゃう率は0.5%。今後も変わらないというのが権威の予測
		❹治安がよい	高	+++++ 犯罪率は0.1%で犯罪の種類も同じ。今後5年間も変わらないという予測	+++++ 犯罪率は0.1%で犯罪の種類も同じ。今後5年間も変わらないという予測
		❺地震による危険性が低い	高	+++ 今後5年間は大地震が起きる可能性が極めて低い。さらに亀の甲羅で備えれば安全	+++ 地震の危険性は特にない
		❻住み心地がいい	中	+++	+++
		Ⓐ気候・美しさ	中	+++++ 1年通じて南国のパラダイスのよう。海もライトブルーで美しい	+++ これまで生活してきたところと同レベル
		Ⓑ静けさ	中	+++ リゾート地のため、人間がスキューバダイビングなどして落ち着けない	+++++ 人はほとんど来ない。今まで通り静か
	特有	❼卵を孵化させるための環境としてよい	高	++ 水温30度で温かすぎる。孵化率は40%	+++++ 水温25度とちょうどよい。孵化率は50%
		❽老人の腰痛用の薬草がある	高	+++++ 十分ある	+++++ 十分ある
到着するまで		❾1週間後の移動時の安全性	高	++ 食べられちゃう率も遭難率もB地点と同じ	++ 1週間後は渦潮は起きない。移住する時は食べられちゃう率も遭難率もA地点と同じ

「うわあ、すごい！　一目瞭然だ！」。ピンキーは丁寧に表を見ていくと、ふーっとため息をついた。「明らかにどっちがよいということではないのかあ」

「そうね」

「30％多い貝殻を選ぶのか、それとも10％高い孵化率を取るかを選ばないといけないんですね。気候を取るか、静けさを取るかはそんなに重要ではないし、他はA地点もB地点もほとんど変わらない」

するとピンキーの斜め後ろから聞き慣れた声が聞こえた。

「明らかな正解、夢のような選択肢はそうそうない。現実には、いずれも一長一短という中から選ばなくてはならないことが多いのじゃ。

しかも集団の決断というのは、人によって異なる利害関係が絡み合う。ある人にとってはプラスなことは、違う人にとってマイナスだったりする。すべての人にベストな決断というのは、そうそうない」

「じゃあ、どうすればよいのでしょうか」

「最後は、理念で決めるのじゃ。価値観をもとに判断するのじゃ」と言って海亀はおもむろに尋ねた。

「ピンキーは、どちらに移住すべきだと思う？」

「B地点に移住すべきだと思います。経済も重要だけど、命には代えられない。確かに130も貝殻があれば裕福になれるし、みんなにとっていいことに使えるかもしれない。でも、僕たちはサメに襲われ、多くの大切な人を失ったばかり。あえて選ぶならBだと思います」

そして当日の朝。

「海亀さんは？」

「来ないわ。もう任せたって」

「そうですか」。ピンキーは、さすがに緊張して弱気になっているようだ。

蟹おばさんは、景気づけに明るい声を出した。

「やれるだけのことはやったわ。そのまま行けば大丈夫よ。

その前に、あなたにお礼を言うわ。今回の手伝い、本当に楽しかった。人のためになることを、惜しみなく思いっきりやったからだと思うの。その気持ちはきっと、伝わるわよ」

大きくうなずくピンキー。

「よし！　行ってこい！」。蟹おばさんは、バシッとピンキーの背中を叩いた。

投票の日――トゲトゲのスピーチ

集会には、何万匹もの赤い魚が集まっていた。

進行役が壇上に上がると、注目が集まった。

「集会を始めます。この1週間、トゲトゲ君とピンキー君がどこに移住すべきかを調査し、考えをまとめました。ふたりのスピーチ、質疑応答の後、投票によって移住先を決定したいと思います」

「では、まずはトゲトゲ君のスピーチから」と進行役が言うと、トゲトゲは自信満々に壇上に登り、聴衆に向かって余裕の笑みを浮かべた。

「前回と私の意見は変わらない。一緒にA地点に向かおう！　A地点はすべての側面で、正しく最高の移住地だ。入念に調べたが、欠点などひとつも見つからなかった。海は温かく透き通って美しい。貝殻は今まで住んで来たところより3割も多い。みんなでリッチになろうではないか！　食糧も十分ある。地震が危ないなんてアホな報道が一時流れたが、あんなものは以前私が説明したように問題じゃない。ピンキー君が我々を陥れるために、しょうもない情報をメディアに流したんでしょう。どうせまた、青い魚たちと何かを企んでいるに違いない。騙されてはいけません。

さぁ、A地点に行きましょう！　最高の住処《すみか》を築こうではないか！」

トゲトゲがスピーチを終えると「ウォー！」と聴衆から歓喜の声が上がった。

進行役が進めた。「質疑応答に入ります。何か質問はありますか」

すると、1つ手が挙がった。杖をついた老人である。前回、ピンキーが質問をしたからか、質問はタブーではないという雰囲気が生まれてきた。

「ワシも、この横にいる爺も、そこの前にいる婆さんも、みんな腰痛で困っている。老人の大半は、薬草がないと、毎日起きるのも億劫《おっくう》で寝込んでしまうほどじゃ。これまでの住み場にはヒーローさんが必ず薬草があるところを選んでくださった。トゲトゲさん、A地点には薬草はあるんですかい？」

トゲトゲはポンタに目配せしたが、答えをふたりとも知らなかった。

「美しく資源に満ちたA地点ですからね。薬草ぐらいあるでしょ。あまりにも美しい海ですから、みなさんも腰の痛みなどお忘れになることでしょう。20歳は若返った気持ちになりますよ。ははは」とぎこちない笑みを浮かべた。

「ちょっとよろしいですか?」。ピンキーは挙手して付け加えた。

「腰痛をお持ちの方々、心配はいりません。A地点にもこれまで通り、薬草は十分あります」

ピンキーが何を言い出すのかと不安になったトゲトゲだが、「そりゃあ、ちゃんと薬草があるところを選んでますよ」と、最初から知っていたかのように乗っかってきた。

「それは素晴らしい」と質問をした老人はお礼を言った。

「他に質問はないでしょうか?」。すると、また1つの手が挙がった。

「私たち妊婦は、移住してすぐ出産に入るのですが、A地点は卵が孵《かえ》りやすい環境でしょうか?」

またしてもトゲトゲは戸惑った。こんな質問は想定していなかったのだ。後ろでポンタを睨《にら》みつけた後、作り笑顔を浮かべて答えた。

「もちろん。おそらく出産には完璧な環境でしょう。だって、温かいんだから。温かければ、植物も卵も良く育つ。小学校の時に習ったでしょ」

すると、トゲトゲのどこか信頼できない口調に不安を感じたのか、質問をした妊婦の方が、少し苛立って言った。

「トゲトゲさん、おそらく、では困ります。やっとの思いで出来た大切な子供なんです。私たち夫婦にとって最後のチャンスなんです。おそらく、じゃなくて、自信を持って言えるんですよね？」

トゲトゲは、知ったことかと思いながら、しばらく言葉を失った。

ピンキーはここで何か言うべきか迷ったが、出過ぎてはいけないと、そっとポンタに孵化率に関する資料を渡して判断を委ねた。

ポンタは資料を見ると、目を大きく見開いた。「これはダメだ」とつぶやき、ステージに駆け寄ろうとした。

トゲトゲはポンタのあわてた様子に、「下がっていなさい」と押しとどめ、質問をした妊婦に向き直って言い切った。

「奥さん、そして他の妊婦のみなさん。大丈夫、A地点は出産のためにも最高の環境です。この私が自信を持ってお約束します」

妊婦たちはほっとした表情で「よかった」お腹をさすりながら言った。

「でも」と言うポンタの声をかき消すように、トゲトゲは「他に質問はありませんか？　ないようですね」と急かして質疑応答を終わらせた。

ピンキーのスピーチ

「次は、ピンキー君のスピーチです」

にわかに会場が騒がしくなった。「裏切り者」「ひっこめ」などのヤジが飛ぶ。

ピンキーは、ゆっくり聴衆を見渡した。

最後列の右端にブーのお母さんの姿があった。遠くだが、目が合った気がした。車椅子の後ろにはピフィー。にっこり笑って小さく手を振っている。

ピンキーはしっかりうなずき返すと、ゆっくりと語り始めた。

「私はこの1週間、海亀さんや蟹おばさん、専門家の方々の協力を得て、どちらに移住すべきかを調べてきました。その結果、わかったのは、『完璧な移住先』は存在しないということです。A地点にもB地点にも、善しあしがあります」

ピンキーは聴衆のざわめきが収まるのを待って、続けた。

「だからこそ、それぞれのよい点、悪い点をお伝えした上で、みんなで移住先に関して考えていきたいと思います」

「結論から言うと、どちらに移住すべきかは、30％貝殻が多いA地点を選ぶか、10％孵化率が高いB地点を選ぶかの選択になります。経済を取るか、新しい命を取るか。1つを得れば、1つを失う。我々はこの選択を迫られています」

そう言って、蟹おばさんが手伝ってくれたスライドを映し出した。

会場は不思議な雰囲気に包まれた。まず、聴衆にとっては初めて体験することばかりだった。

バラ色のストーリーを作り上げて何でもかんでも無責任に約束するのではなく、中立の立場で、誰にでもわかるような言葉で、それぞれの選択肢のよい点だけでなく、悪い点も包み隠さず語る姿勢。すべてが斬新だった。

そして何より、話し方や表情、仕草といった全体の雰囲気から、誠実さはもちろんのこと、二度と悲劇を起こしてはならないという強い思いが自然と伝わってきた。権力を握りたいなどという個人の欲ではなく、赤い魚全体にとって何がよいのかを考えている真摯《しんし》さが、滲み出ていた。

「ピンキーがスパイだったなんてありえない。中傷されるような後ろ暗いところは一切ない。そんなくだらないレベルをはるかに超えている」

もはや聴衆は、論理ではなく、本能でそれを感じ取った。そして、一瞬でも疑いの目を向けてしまった自分たちを恥じた。

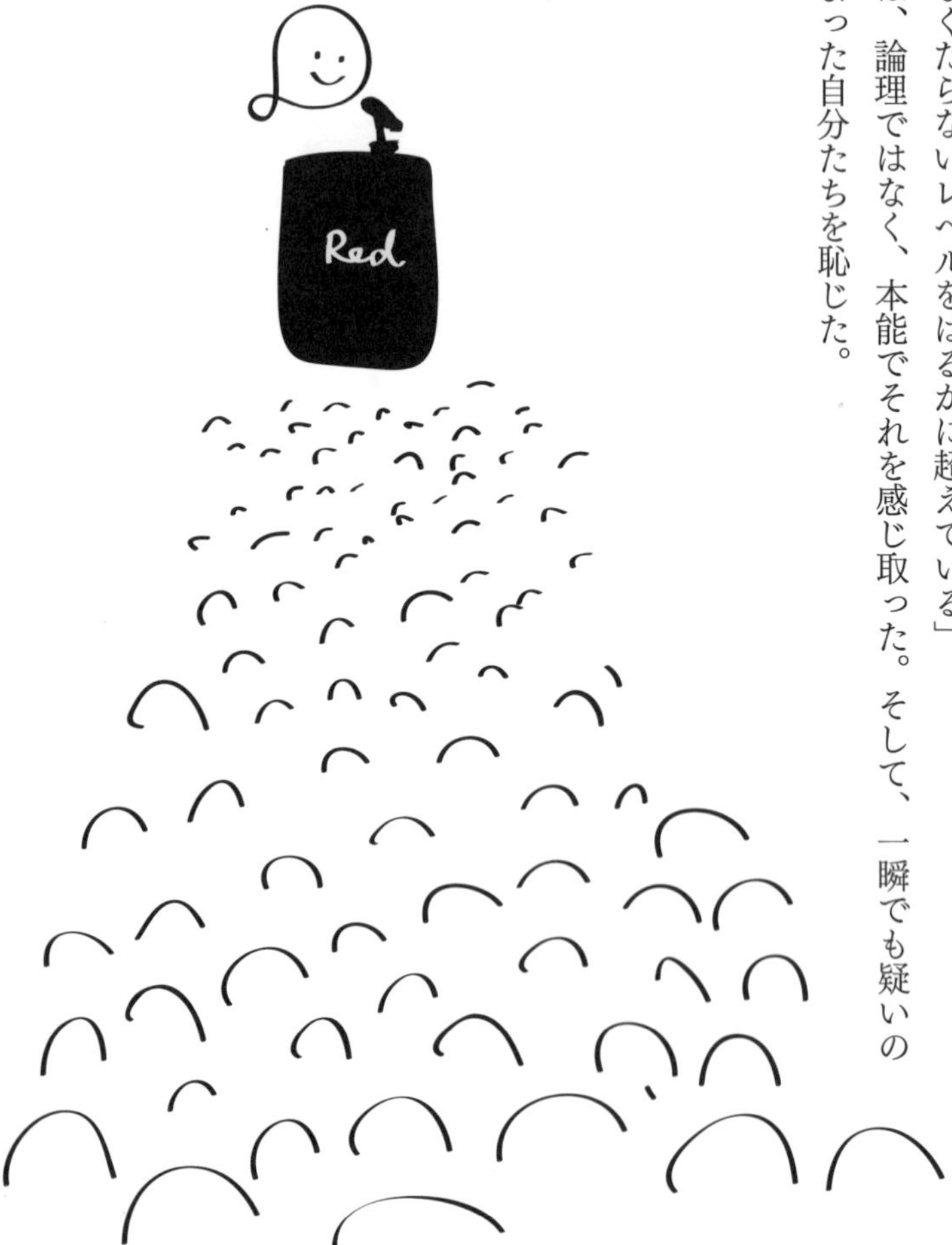

最後にピンキーは締めくくった。

「みなさんがご覧になったように、ここには絶対的な正解があるわけではありません。しかし、私たちは、今日ここで決めなくてはなりません」

一人ひとりの顔を見渡し、一呼吸置くと、ピンキーは信念を持って言った。

「経済も大切ですが、命には代えられません。私は、B地点に行くべきだと思います」

しばらく、会場は水を打ったように静まり返っていた。

そして、「いいぞ、ピンキー！」と誰かが沈黙を破ると、拍手と歓声が一気に広がった。全員が立ち上がり、会場が熱気に包まれた。

みんな心の底から感動している。

根も葉もないことで散々叩かれたのに、赤い魚にとって何がベストかを考え抜く姿勢を最後まで貫いたことに、みんなが心動かされた。

もはや、誰が最も赤い魚たちのことを考えてくれているかは明らかだった。


トゲトゲは手元の資料をくしゃくしゃに丸めて投げつけた。ポンタが2日間、徹夜して準備してくれた資料である。

「こいつを信頼するのか！　スパイだぞ！　どうせデータも嘘っぱちだ！」

会場に、冷たい空気が流れた。

「信用は強制するものじゃないわ」。さっき質問をした妊婦がトゲトゲをいさめた。

腰痛用の薬草の質問をした老人も、それに続けた。

「ピンキーさんはね。移住先に求めるものは何か、移動距離はどれぐらいなら耐えられそうか、親身になって話を聞いてくれた。だからこそ、薬草のことも、孵化率のことも調べてくれたのじゃろう。信用は、そういう姿勢と行動から生まれてくるものではないかな」

トゲトゲがなおも反論を続けようとすると、ポンタが割って入った。「もうやめましょう」

「余計なことを言うな。お前の調査が甘いからだ」

ポンタは押し倒されそうになりながらも、必死で懇願した。

「もう十分です。完敗です。自分たちの都合だけで移住先を考えていた我々に、何も語る資格はありません。我々はいつからこんなふうになってしまったんでしょう……」

トゲトゲはその場に崩れ落ちた。

ポンタは聴衆に向かって一礼すると、ピンキーに「素晴らしかったよ」と声をかけ、トゲトゲを支えながらステージから降りて行った。

進行役はおもむろに宣言した。

「では、投票を始めます。多数決です。A地点かB地点かを記入して投票箱に入れてください。ひとり1票です。最後列の方から、順番にお願いします」

2時間後。テレビのニュースに、投票結果の速報が流れた。

「投票結果は、90対10。移住先は、B地点に決まりました」

90対10

B地点での新しい生活

B地点に到着して2日が経った。全員無事にたどり着いている。

ピンキーは亀の甲羅を運び、新しい町づくりに奔走《ほんそう》。ピフィーは仮住まいで荷物の整理をしている。

すると、マーのバックから、切手の貼ってある白い封筒が出てきた。そこには、ピンキーの名前と学生寮の住所が書いてある。おそらく、X地点に着いてから投函《とうかん》しようとしていたのだろう。

「お兄ちゃん、これ……」

ピンキーは天に向かって「マーごめん、読ませてもらうね」と言ってから封を開けた。

ピンキー

すっかり緑国での生活に馴染んできたようですね。

お手紙が届くのをみんな楽しみにしています。家族3人が揃うまで封を開けてはいけないって決まりなのよ。いつだったか、パーが仕事から帰って来るのが待ちきれなくて、私がそっと封筒を透かしてみようとしたら、ピフィーに「マー、まだでしょ!」って注意されちゃったわ。

みんなが揃うとピフィーが手紙を読み上げてくれるの。文字が読めるようになったのよ。ついこの間まで赤ちゃんだったのにね。でも、おてんばなのは相変わらずだわ。

お友だちと一緒の写真も見ました。すっかり頼もしくなったわね。きっと、いろんな荒波に揉まれているからでしょうね。それはとても大切なことよ。楽しいことも、つらいことも、全部あなたの糧になるから。強さとやさしさを決して失わないでね。

パーも、ピフィーも、私も、みんなピンキーのことを応援しているからね。まわりのみなさんに、感謝の心を忘れずに。また一回り大きくなったピンキーに会える日を楽しみにしています。

母より

マーやパーの笑顔が浮かんできて、温かさに包まれている気がした。

ふと横を見ると、ピフィーが寂しそうな顔をしている。「いつ、緑国に戻っちゃうの?」。投票が終わり、B地点に引っ越してきてから、ずっと気になっていたようだ。

「心配するな。しばらく一緒にいるよ」

「本当?」ピフィーは飛び上がった。「ありがとう、お兄ちゃん! 緑国に戻る時はちゃんと連れてってね」

心配事が解消されて勢いづいたのか、今度は別の質問を切り出した。

「ねえ、お兄ちゃん。メグって誰?」。不機嫌そうに、もう1通の手紙を振って見せた。

ピンキーは顔をほころばせると、ぱっと手紙を取って、「ちょっと甲羅運びを手伝ってくる!」と家を飛び出して行った。

「変な女に捕まるなよー」とピフィーは叫ぶと、門の外で笑顔いっぱい、ピンキーが見えなくなるまで見送った。

B地点での新しい生活。陽は昇り、月は満ち欠け、季節は巡る。時には仲良く、時にはけんかをする。喜んだり落ち込んだり、傷つけたり、傷つけられたり……。ごく当たり前の日々が始まった。

しかし、少しだけ変わってきたことがある。

それはみんなの「会話」であり、「姿勢」だ。何でもかんでも鵜呑みにするのではなく、しっかり自分で考えて判断しようという意識が強くなってきた。

あの投票の集会が、「何か」を変えたのだ。

決める者も、発信する者も、受け取る者も、代替案も出さずに無責任に批判をしたり、一方的な情報で煽《あお》ったりすることが少なくなってきた。できる限り多様な意見、対立する意見も紹介するようになった。

そして何より、一人ひとりが、温かさと強さを持ちつつある。

希望を持ち、叶えようとする空気。いろんなことがあるけれど、毎日をちょっぴり明るく、やわらかく、そして粋に過ごすようになった。

今日のところは、このへんまでにしておこうかのぉ。

column

海亀じゃ。

ピンキーはよう頑張ったのぉ。まだ荒削りじゃが、最後までやり抜いたのは、立派なものじゃ。この体験が、今後の大きな糧となるだろう。

みなさん一人ひとりにも、このような潜在能力がある。それを呼び起こし、磨き上げ、できれば何か意義のあるもののために使ってほしいのじゃ。

最後に無粋は承知だが、考える「型」は重要じゃ。6つばかり、話をさせておくれ。

ひとりではなく、他人が必要

この章でも、他の人（Others）が必要であったことに、みなさんはもうお気づきだろう。ひとりですべて、答えを出そうとしないこと。ピンキーも移住先を決めるまでに、たくさんの人を必要とした。

データ分析を手伝い、トゲトゲの罠を見抜いて警告してくれた蟹おばさん。渦潮や地震への恐れに対して権威の立場からアドバイスをくれた提灯アンコウ博士とナマズ博士。ワシも微力ながら個人的な意見を述べた。

敵意をむき出しにしてきたトゲゲやポンタでさえ、重要な役割を果たしている。彼らがいろいろ仕掛けてくれたからこそ、ピンキーはより深く考えるきっかけを得ることができた。考え方ひとつで、敵陣もプラスに生かせるのじゃ。

何より忘れていけないのは、ピフィーやブーのお母さんの存在。無償の愛と言ったらキザかもしれんが、心の支えとなってくれる人は必要なのじゃ。

ここまでピンキーが成長してきた背景には、もっとたくさんの人々がいる。赤国でのパー、マー、ブー、クラゲコーチ、緑国でのMr.B、ライとレフ、メグ。そして異なる文化と立場での経験、サッカー、生活すべてで培ったことが、そのまま出ているのじゃ。

ひとりで戦う必要はないし、誰もひとりで戦ってはいない。他の人が必要だ。誰もが他の人から絶大な影響を受けているのじゃ。

よい決断するためには、よい「プロデューサー」になることじゃ。できる限りの、最も優れた知見、情報、経験を集め、最適なタイミングで最適なメンバーで議論をし、限られた時間の中で最善の決断を下す。いつか、そんなしくみをうまく設計し、実現に漕ぎ着けられるようになってほしいのう。

さらには、他人の意見と理由を丹念に引き出す術を身につければ、百人力じゃ。ユニークな考えや優れたセンスを秘めていても、口下手な者もいる。人目につかないところで静かに努力を重ねている者もいる。大きな声や論理的な議論に遮られて見えなくなっていないか、注意してみてほしい。

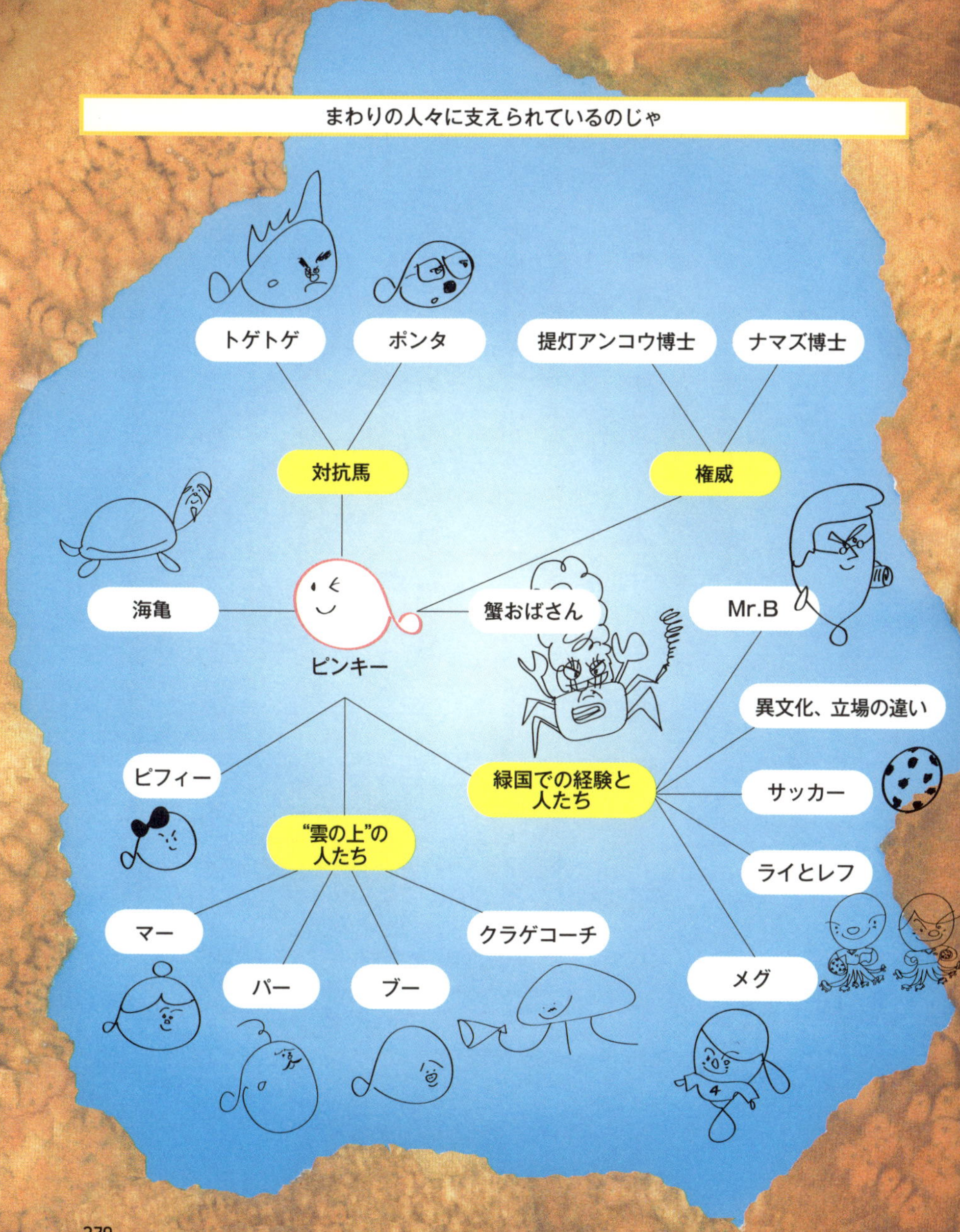
まわりの人々に支えられているのじゃ
トゲトゲ
ポンタ
提灯アンコウ博士
ナマズ博士
対抗馬
権威
海亀
蟹おばさん
Mr.B
ピンキー
異文化、立場の違い
ピフィー
緑国での経験と人たち
サッカー
“雲の上”の人たち
ライとレフ
マー
クラゲコーチ
パー
ブー
メグ

事実と解釈を切り分ける・事実がどこから来ているか問いかける

自分が何かを伝える時、判断する時、他人の意見を読んだり聞いたりする時、いずれも、事実と解釈をきちんと切り分けなければならない。

例えば、トゲトゲとポンタが、居酒屋で一杯ひっかけているとしよう。

トゲトゲ「いやぁ、ポンタ。あのオデン屋はうまくいってないみたいだな」

ポンタ「そうなんですか。なかなか厳しいご時勢ですね」

なんて、何の疑いもなく話が進むことはよくあるよのぉ。

もちろん、会話を「おつまみ」にして親睦を深めている場合は問題ない。いちいち本当なのかと問い詰めるのは野暮というものだ。

しかし、重要な決断をする時は、そのコメントや意見のどこまでが「事実」で、どこからが「解釈」なのかを問いかけ、切り分けなければならない。

トゲトゲとポンタが会話を続けたとする。

ポンタ「そうなんですか。どうしてわかったんですか?」

トゲトゲ「ここんところ、オデン屋のダンナと何回かすれ違ったんだが、元気がなかったんだよ。それにな、俺の知り合いがな、店から家具が運び出されていくところを見たって話を友人から聞いたって言うんだ。もっと賃料が安いところに引っ越したのか、潰れたんじゃないか」

ここでの事実は、実は2つだけじゃ。

- 最近、オデン屋のダンナと何回かすれ違った時、元気がないように見えたこと。
- トゲトゲの知り合いの友人が、オデン屋から家具が運び出されていたところを見たと言っていたこと。

あとはトゲトゲが導き出した、あくまで「推測」にすぎない。

しかも、この事実も「確証がある」とは言い切れんのう。「元気がないように見えた」というのは主観だし、「知り合いの友人から聞いた」というのも、それが誰だかわからないし、本当かどうかも不明だ。

本当は元気なのにトゲトゲにはそう見えなかっただけかもしれないし、たまたま風邪を引いていただけかもしれない。しかも、

「元気でない」⇩「お店がうまくいっていない」

とは言い切れないよのぉ。

だがな、こうやって主観と推測が「ジャンプ」することは、よくあることじゃ。人のオツムにはそういう傾向があると言ってもいいくらいだ。

だから、重要な判断をする時は、この点を忘れてはならない。他人のコメントや意見だけでなく、自らに対しても「何でそう思うのか」「どんな情報に基づいているのか」を問いかける癖をつけるのじゃ。

「みんな」「いつも」はなるべく避ける

トゲトゲは、たった3匹のイカの例を持ち出して、イカが「みんな」悪者であるかのように言っておったな。あれはさすがに恣意《しい》的で大げさだったんが、実は我々も普段、無意識のうちに「みんな」「いつも」を意外と使っておる。

例えば、紫の国で「最近の子供は、みんな覇気《はき》がない」と声高に叫ばれているとしよう。話を強調するために「みんな」と言っている面もあるだろうが、一般化できることはそう多くない。

実際には時代を問わず「覇気のある人」「ない人」「どちらでもない人」がいる。「みんな覇気がある」時代から「みんな覇気がない」時代に、一瞬にして変わることなどめったにない。両方の比率、濃淡が徐々に変化していくという方が現実には多かろう。

世の中、すぐに白黒がつくほど単純ではないが、だからといって曖昧にしたまま放置するのも思考停止じゃ。もっと細やかな色分けをして現象を理解するのが重要なのじゃ。

みなさんも、うっかり自分が「みんな」「いつも」を使いそうになったら、口に出す前に「本当にそうか?」「それぞれのタイプの割合はどうなのか?」とつっこみを入れてほしい。

こんな段階で考えていくとよいぞ。

「〇〇」は「××である」と思ったら……

❶本当に「みんな」「いつも」××なのか、「他にもないか」を考える

❷どんなタイプがあるか、すべてを特定した上で

❸できる限り、どれだけの「割合」が××なのかを把握する

❹そして「意味合い」を考える。他のタイプや、自ら設定した基準と比較すると、
「その割合」は高いのか、低いのかを見てみる

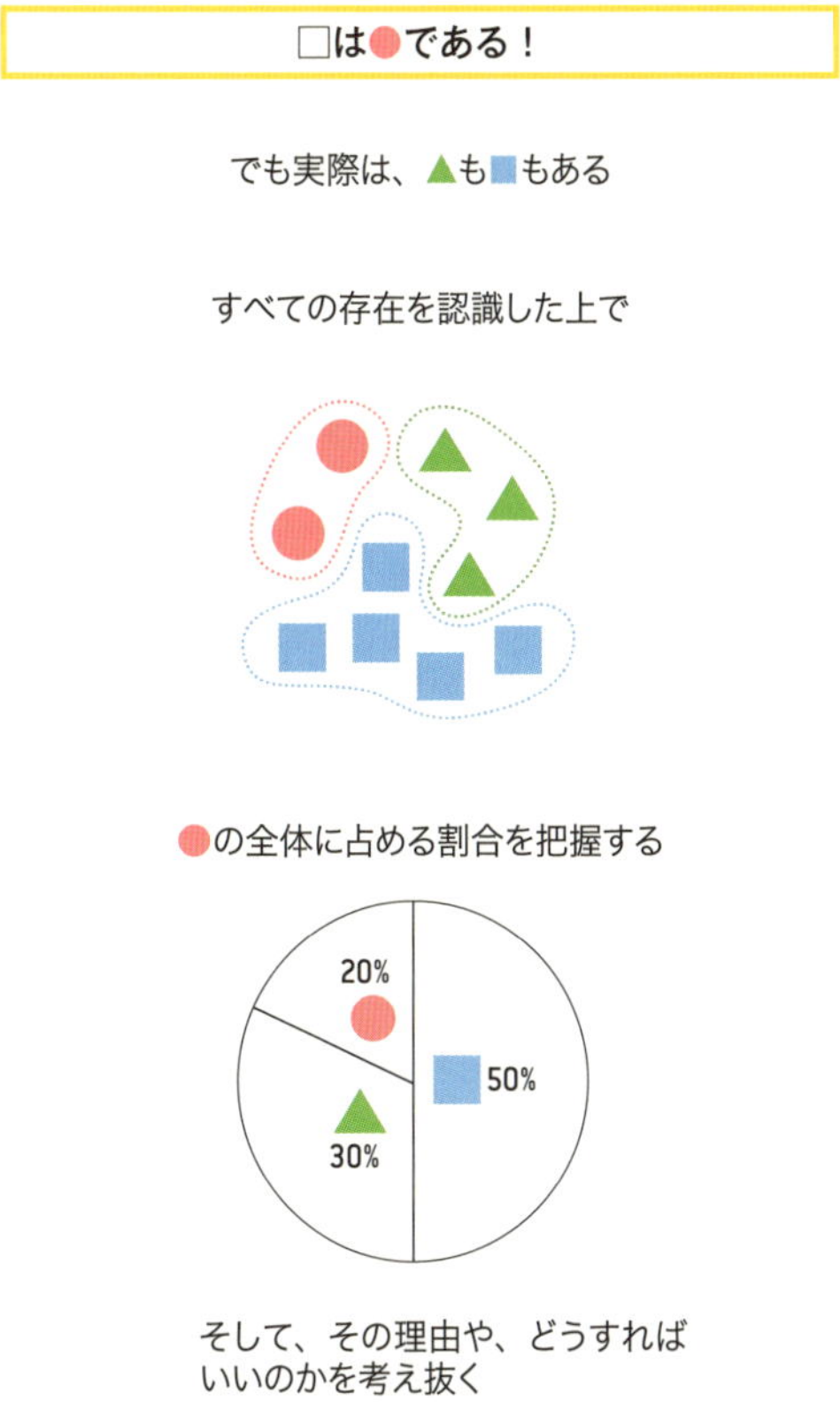
□は●である！
でも実際は、▲も■もある
すべての存在を認識した上で
●の全体に占める割合を把握する
20%
50%
30%
そして、その理由や、どうすれば
いいのかを考え抜く

相関と因果

相関と因果の話は、複雑じゃ。ここでは細かいことは言わん。

ただ、知っておいてほしいことは、因果を示すのは、難しいことも多いのだが、それを知ってか知らずか、相関を拡大解釈して、因果だと言い張る輩は多い。

たとえ相関があったとしても、単なる偶然かもしれないし、他にも要因（第3の要因）があるかもしれない。

例えば、寒ければ寒いほどカイロが売れる。そして、寒ければ寒いほどマフラーも売れる。そうすると、カイロの売上げとマフラーの売上げにも相関が出てくる。じゃが、この2つに因果関係はない。カイロが売れるからマフラーが売れるのではなく、寒いからカイロもマフラーも売れるのじゃからな。寒さが第3の要因なのじゃ。

あるいは、XとY、因と果がどう作用しているかわからない場合もある。例えば、「哲学書を読む頻度とリーダーとしての成功の度合い」に相関があったとする。だからといって、哲学書を読んだことが「因」で、成功が「果」とは必ずしも言い切れないよな。もしかしたら、成功すればするほど、修羅場も多く体験するし、孤独になるから哲学書を読みたくなるのかもしれない。または、それぞれが互いに作用しているのかもしれない。

相関関係から因果関係があることを言い切ることは難しい。だからこそ、どのようなメカニズムによって因果関係が生じているのかというレベルまで考え抜き、それが妥当なのかを議論することが重要なのじゃ。

かといって、証明できないからまったく参考にしない、証明できるまで行動しない、ということではないぞ。例えば、哲学書を読んで損することはないじゃろ？　どちらにせよやっておいて損しないなら、やればいいのじゃ。

データの信憑性がどうだとか、統計学的に言い切れるか言い切れないかとか、うだうだ言っている間にチャンスを逃すこともあれば、取り返しのつかない事態に陥ることもあるかもしれない。そのような頭でっかちになってはいかんぞ。

リアリティをもってイメージを伝える

事例や統計は証拠としての力を強めてくれるが、それだけでは具体的なイメージが湧きにくい。エピソードを使えばリアリティをもってイメージを伝えることができる。

例えば、ピンキーとメグが文通をしているとする。

緑国のメグは、赤国にいるピンキーに今朝の寒さを伝えるために「ピンキー、今朝は本当に寒かったです」と書いたとしよう。しかし、これだけでは「どれだけ寒いか」なかなかイメージが伝わらないよのぉ。

では、これはいかがじゃろうか？

「ピンキー、今朝は本当に寒かったです。気温はなんとマイナス10度でした」

数字を加えたので、「どのぐらい」寒いか、より具体的に表現された。

でも、その寒さを体験したことがなければ、「マイナス10度」と言われてもイメージが湧かない。

では、エピソードを加えたらどうじゃろう？

「ピンキー、今朝は本当に寒かったです。気温はなんとマイナス10度でした。いつも着ているコートの下にセーターを3枚重ね着して、頭も耳もニット帽ですっぽり覆い、

手袋も二重、マフラーは2枚首に巻いて登校しました。それでも、学校に着く頃には鼻水が凍ってしまうほど。いつもふたりで遊んでいた川もカチカチに凍っていて、朝早くからスケートをしている人もいました」

これなら「マイナス10度」がどれだけ寒いか、イメージが伝わるよのぉ。

エピソードをうまく使えば、一人ひとりの中の感情を揺り動かし、問題意識を高めることもできる。

例えば、地球温暖化。単に平均気温が何%上がっている、というよりも、北極の氷が解けてしまい、シロクマの生活場所が少なくなって、餌を探して何日も死にものぐるいで泳いでいる、といったエピソードを伝えた方が、環境意識が高まる人は多いだろう。

エピソードは必ずしも、言葉や文章だけで伝える必要はない。「北極の海を泳ぐシロクマの1枚の写真」が強烈なメッセージになることもあるし、音声でも映像でもよい。一番伝わりやすい手法を選べばよいのじゃ。

ただし、残念なことに、世の中にはエピソードの持つ感情を動かす力を、「間違った方向」「間違った目的」に悪用しているケースもある。

だからこそ、我々は注意深くなる必要がある。

「そのエピソードは本当なのか」事実関係を調べること。

仮に本当だったとしても、「そこで描かれたことは、実際どれぐらい起きているのか」など問いかけ、エピソードがもたらす意味について確認をすること。

そして感情を揺さぶられたままで判断せず、「では、どうするのがベストなのか」

を総合的に考えてから判断すること。

感情は大切だ。しかし大事なことを決める時には、それに飲み込まれてはならんのじゃ。

「甲子園」は自分で作る

社会人になるまでの間は、大人が設計してくれた「甲子園」で、無我夢中に踊り、青春を謳歌《おうか》できる。自分のため、チームのため、力を出し切ることに専念すればよい。しかし、大人になったら、自分が心の底から熱くなれる「甲子園」は、誰も与えてくれない。大会もコンテストも、誰も何も用意してくれない。

自分は、何がやりたいか。

どのように生きたいか。

どのような人間になりたいか。

どのような人生を歩みたいか。

自ら考え、自分の舞台、「甲子園」をプロデュースしなければならない。

勝っても負けても涙を流し、熱くなれた舞台。学生の頃の「甲子園」を人生の「最高潮」にしないでほしいのじゃ。

あなたの「甲子園」は何か？

今、目の前にある舞台で自分の力を出し切ると同時に、これからもこのことを、自らに問いかけ続けてほしい。

「幹」を育てる

自分の「幹」は、早いうちにしっかり育ててほしい。何かを試される時、そこまでに培ってきた幹が問われる。

「幹」というのは、自分の核となる全人格的な要素じゃ。

想像し、考え抜く力。
視点の高さ。視野の広さ。
多種多様な人の言葉を聞き取り、思いを感じ取る力。
自分の思いを伝える力。
人々をある目的の実現のために巻き込み、動かす力。
他人の心の機微《きび》を感じ取る共感力。
心の大きさ、やわらかさ。
ブレない価値観、自ら作りあげた憲法。
思いが実現するまで、たたみ込む力。
答えが出るまで戦い続ける忍耐力、継続力、体力、精神力。
挙げれば、数え切れないほどあるが、その話はまたいつか機会にな。

そして、幹をしっかり育てるには、早いうちに身の回りの環境の「何かを変えた経験」を積んでほしいのじゃ。「これはおかしい」「こうあるべき」という思いは、ほとんどが「思いのまま」蒸発して消えてしまう。「思い」が湧き出たら、自分のできる範囲でいいから、実現に向けて何かしら仕掛けてほしいのじゃ。

そうすると、それが習慣になっていく。そしてコップに自信が溜まっていく。それら一連の体験の積み重ねが、あとになって、一歩踏み出す、そして戦い続けるための揺るぎない基盤、そして原動力となるのじゃ。

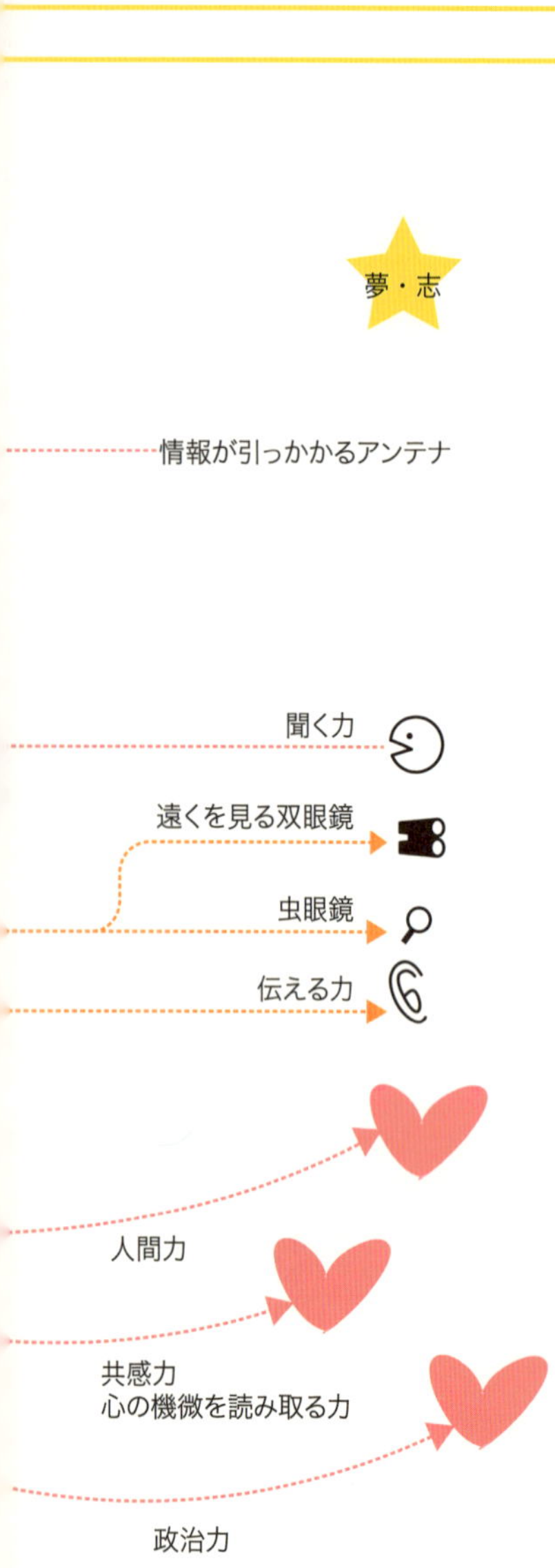

夢・志
情報が引っかかるアンテナ
聞く力
遠くを見る双眼鏡
虫眼鏡
伝える力
人間力
共感力
心の機微を読み取る力
政治力

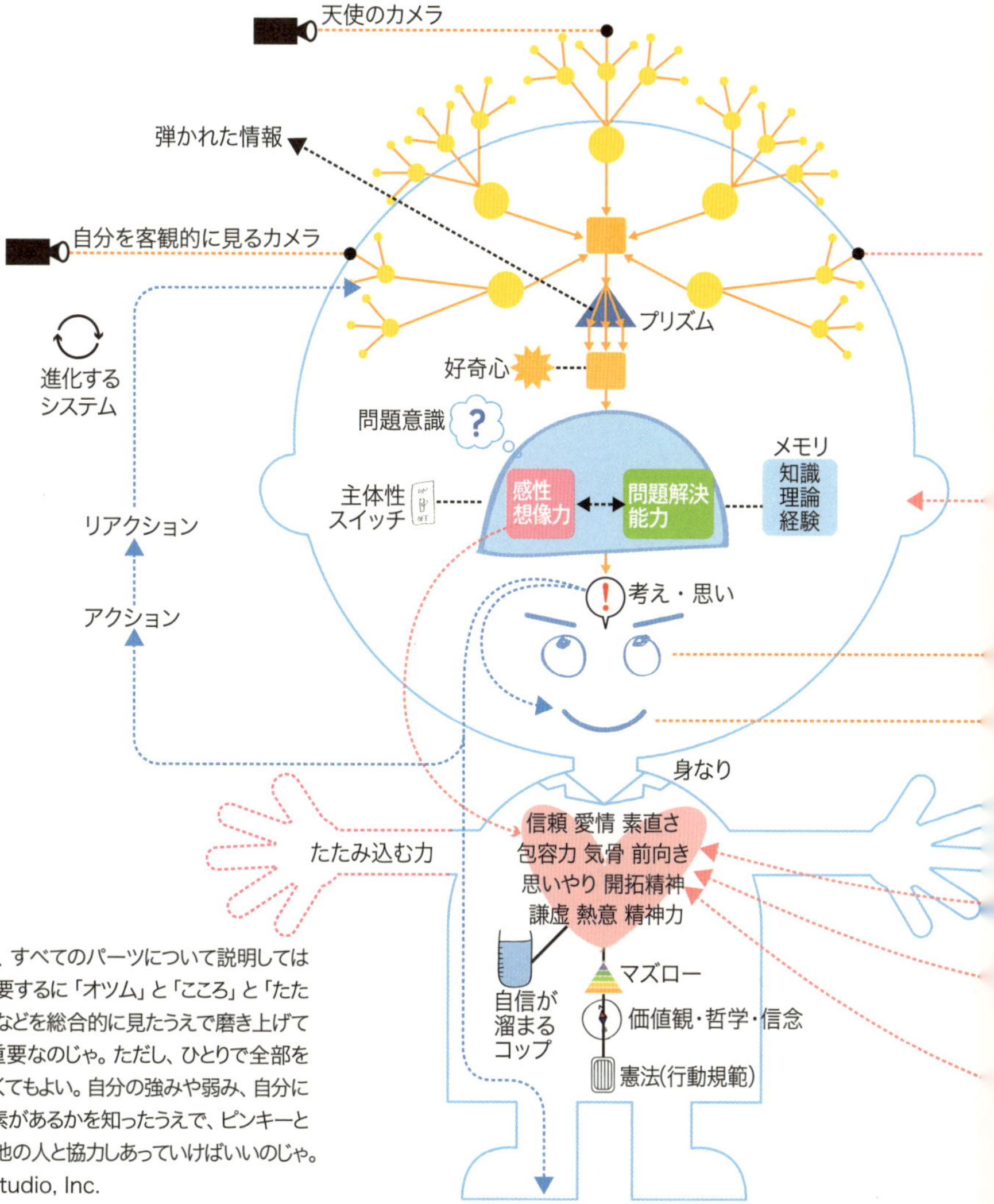
天使のカメラ
弾かれた情報
自分を客観的に見るカメラ
プリズム
進化する
システム
好奇心
問題意識
メモリ
知識
理論
経験
主体性
スイッチ
感性
想像力
問題解決
能力
リアクション
アクション
考え・思い
身なり
たたみ込む力
信頼 愛情 素直さ
包容力 気骨 前向き
思いやり 開拓精神
謙虚 熱意 精神力
自信が
溜まる
コップ
マズロー
価値観・哲学・信念
憲法(行動規範)

この本では、すべてのパーツについて説明してはいないが、要するに「オツム」と「こころ」と「たたみ込む力」などを総合的に見たうえで磨き上げていくことが重要なのじゃ。ただし、ひとりで全部を身につけなくてもよい。自分の強みや弱み、自分にどういう要素があるかを知ったうえで、ピンキーと同じように、他の人と協力しあっていけばいいのじゃ。

©Delta Studio, Inc.

もちろん、「幹」を育てるにも、他の人（Others）が必要じゃ。

無償の愛を与えてくれる人。あなたのパーとマーは誰かな？

心の底から信頼できて、自然に与えられ、与えたい人。あなたのブーは誰かな？

愛を持って厳しく叱ってくれる人。あなたのクラゲコーチは誰かな？

あなたが守りたい人。いつも応援してくれる人。あなたのピフィーは誰かな？

新しい地平線を見せてくれるメンター。あなたのＭｒ．Ｂは誰かな？

自分の限界を知らせてくれ、新たな道を切り開くきっかけをくれる人。あなたのライは誰かな？

自分の持っているすべてを引き出してくれるライバル。あなたのレフは誰かな？

世間の中でのあなたではなく、ありのままの自分を純粋に愛してくれる人。あなたのメグは誰かな？

対抗馬として、自分の考えや行動を磨き上げるきっかけ、成長するきっかけを作ってくれる人。あなたのトゲトゲやポンタは誰かな？

口は悪くても、不器用でも、そして温かく応援してくれる人。あなたの弱みを補ってくれる人。あなたの蟹おばさんは誰かな？

ワシのように口うるさいジジイ。あなたの海亀は誰かな？

すべての人に、意味があるのじゃ。


ちょっと、話しすぎたようじゃな。ジジイの小言はこのぐらいにしておこうかの。

ではまたの機会にな。ごきげんよう。

あとがき

私の「Mr.B」との出会い

この本はあくまですべてフィクションである。しかし、私の人生にも、ピンキーにとってのMr.Bのような存在がいた。
強い眼光で問いかけ、地平線を一気に広げてくれた人。
自分の知らない世界の存在を気づかせてくれた人。

"If more politicians knew poetry, and more poets knew politics, I am convinced the world would be a little better place in which to live."
(もし、より多くの政治家が詩を知り、より多くの詩人が政治を知れば、この世はもう少しばかりか住み心地のよいところになるであろう)

これは、あとから知ったジョン・F・ケネディの言葉だが、私が「私のMr.B」との出会いを通じて感じさせられたことは、この言葉に集約される。

陽の当たる美しい歴史だけではなく、醜い歴史、そして現実を歴史書だけでなく、映像、文学などを通じて喜怒哀楽を揺さぶられる形で突きつけられた。

絶対的な正解がない中、そして、多種多様な立場が存在し、多種多様な意見が飛び交う中での決断の難しさを思い知られた上で、「でも、何らかの決断を下さないといけない。あなたならどうする」とまっすぐ目の奥を見つめられながら、問いかけられた。

当たり前すぎて、そして、ナイーブすぎて恥ずかしい限りだが、思春期の私は、その中で、理想を求める詩人の心、アイデア止まりの想像力、気合いや精神力だけではどうにもならない世界があるということを、とことん思い知らされた。

詩は必要である。我々をやわらかくしてくれる、勇気づけてくれる、つなげてくれる。

そして人には多種多様な役割があって、それらが絡み合って初めて機能し、変化が起こる。

しかし、ほとんどの詩は蒸発して終わってしまうのも、これまた事実だ。

詩を詠《うた》って、現状を憂うだけでは世の中はそう簡単には変わらない。

この世に足りないのは、「詩人」でも「政治家」でもない。厳しい現実の社会で生活していく中で、次第にみんながあきらめ、捨て去っていく詩人の心を可能な限りとどめながらも、圧倒的な想像力、考え抜く力、大局観、幅広い教養、自分なりの価値観・世界観、人徳、ある目的を達成するための政治力、そして覚悟と気概を持って、「詩」で描いた世界を「人々の行動が変わる域」までたたみ込むことができる人、社会の構造が変わるまで変えてしまえる人だと痛感した。

無用な戦争を阻止したあの人たち。

残虐な階級社会をつぶしたあの人たち。

バスの後ろにしか座れなかった人々が、ある日から当然のようにどこの席にも座れるようにしたあの人たちのように。

変えるスケールは、小さくても大きくてもよい。

ＩＤＰＭ（Independent Mind）を身につけても、何が正しくて、何が間違っているなどということはわからないことは多い。よいと信じて始めたことが、時に間違った方向に行ってしまうこともある。

しかし、ＩＤＰＭを持ち、よいと信じた行動を貫き続けられれば、まるで重力に引っ張られるかのように、最終的には確実に「正しい方向」に向かって行く。

「自分を等身大に見つめ、自分ができることをやりなさい」

Ｍｒ．Ｂの強い眼光、声のトーン、投げかける質問のすべてからは、このようなことがひしひしと伝わって来た。Ｍｒ．Ｂは、そんなことを知性よりも、もっと奥の動物的感覚の芯のところで感じさせてくれたのだ。

そして私も、Ｍｒ．Ｂの教えのように、大きく構えるのでも、気負うのでもなく、自分にも何かできないかと、素朴に思うようになった。2カ国以上の国々や人々に対して自然に「愛着」を感じてしまうような環境に偶然育ったことを生かして何かができないか、と。

そして、「自分にできる小さな何か」に備えてマイペースに、でも確実に力をつけていかなければ、と思うようになった。

その時から、ぼんくらでちゃらんぽらんだった私も、ほんの少しだけ変わっていったような気がする。

これが僕の初めてのＩＤＰＭな人との出会いだった。

ＩＤＰＭな人

今でもＩＤＰＭを持つ人に出会うと、頭ではなく、もっと奥のところで瞬時に感じる。

その人たちは、温かく、深い愛を持っている。そして他人や他の文化に対する尊敬の念を持っている。

人を立場や文化の違いで判断するのではなく、本質的な、核となる何かを見つめている。

等身大の自分を知り、等身大の自分を生きている。大きく見せる必要もなく。繕う必要もなく。

幅広い分野で、現在そして蓄積された過去の「圧倒的な人・モノ・概念」に遭遇したことがあるため、好奇心が旺盛であるとともに、非常に謙虚である。

自分が何を知っていて、何を知らないかを知っている。

自分に何ができて、何ができないかを知っている。

長い流れの中での、自分の「位置づけ」も「可能性」も「限界」も悟っている。

同時に「気負う」のでも「あきらめる」のでもなく、前向きに自分にできる何かを自然に探し求め、行動を起こしている。

世間の目や、短期的な変動にあわてることなく、ブレずに生きている。小さなことには動じず、大局観を持って世を見据え、状況を判断し、決断を下す。

幅広く深い教養、古今東西の多種多様な考え方と触れ合い、世界観の核を持っている。修羅場をくぐってきた経験から培った、ブレない価値観がある。

同時に、あふれんばかりの好奇心があり、新たなもの、違うもの、知らないものから学ぼうという意欲が旺盛で、ものすごく柔軟である。

守り、形作ろうとするものは、自分自身や家族の生活だけでなく、その域を超えている。

そして、ひとりではどうにもならなくても、多少意見は違っても、思いを共有する他者とつながり合って動かせば、何とかなることがあると知っている。

そんな方たちと出会うたびに、不思議な爽快感に満たされ、素直になれる。

「どうすれば、こういう人が出来上がるのだろう」と思い、いたく感動する。こういう人がいるからこそ、世の中に希望が残されているのだと思い、前向きな勇気が湧いてくる。

このような人材を世界で何人育成できるか、そのような人々を軸にどれだけつながり合えるかが、世の流れを大きく変えるのだろうとさえ思うことがある。

学生時代の批判的思考、そしてピラミッドとの出合い

批判的思考との出合いは高校生の時、歴史や文学の授業でだった。

Mr．Bの授業のように、自分の意見や考えは「思いつき」の域を超えるべきであること、己れの考えを磨き上げること、「自分に見えていない世界はないか」と問いかける必要性に気づかされた。

人の意見は、口頭だろうが、書籍を通じてだろうが、画像や動画を通じてだろうが、鵜呑みにしてはならない、健全な批判的思考を持つ重要性を叩き込まれた。


そして、ピラミッド・ストラクチャー。これは大学2年生の時の学生寮、ルームメイトの床の上で出合った。

ある日の部活の後、論文に取りかかろうとしたが全然はかどらず、油を売りに隣の部屋に遊びに行った。

すると、ルームメイトは机に書籍を何十冊も積み上げ、床には、縦15センチ、横25センチほどのカードをたくさん並べて、何やら考え事をしていた。

「何やってるの？」と聞くと、

「え？　知らないの？」と最初はちょっと驚いた様子だったが、締め切り前の忙しい最中、1時間近くかけてピラミッド・ストラクチャーを親切に教えてくれた。

彼は、ニューヨークの優秀な学生が集まる高校で教育を受けたのだが、その高校でこの手法をたたみ込まれたのだという。

彼は、私が5ページの論文を書くのに四苦八苦しているところ、あまり変わらぬ時間で50ページもある論文をすらすらと書き上げてしまう。

しかも、含蓄《がんちく》のあることを、歴史の事例や哲学者の言葉などをうまく引用しながらも、自分の言葉で語り、書き落とすことができる。

「なんだこの違いは」と、衝撃を受けた。

しかも、こういう人が、ごろごろいた。

批判的思考が「共通言語」

ピラミッド・ストラクチャーは、就職したマッキンゼーという会社でも活用されていた。クライアントへの提案をまとめていく中で、どのように意見や結論を導き出すのか、どのような論拠で理由をサポートすれば強い議論を構築できるのか。

そしてニューヨークオフィスでは、それは社会人になってから学ぶものではなく、学生の頃に体の一部になるまで叩き込まれ、当然に使いこなせるものとして、要求されていた。

ビジネス経験のない入社したての21歳でも、もちろん経験の限界はあるが、ベテラン顔負けの鋭く含蓄ある意見を述べる。経験の違う者同士が互いの持ち味を生かして、常に対等に、議論を前向きかつ建設的に進め、最善の答えを導き出そうとしていた。

500人のコンサルタントは、50以上の国々から来ていたため、発音が悪くて聞き取りにくい人もたくさんいたが、このような考え方は、みな無意識に活用できるまで叩き込まれていた。

この考え方、そして異なる意見をぶつけながら議論を前向きに進める術とエチケットこそが、英語以上に「共通言語」だった。

彼らの多くはこの考え方を用いて、歴史、哲学、経済、政治、はては文学や音楽まで多種多様な知識や教養を咀嚼《そしゃく》してきたのだから、自分の言葉で表現できるのは当たり前と言えば当たり前であろう。

そして、その上に豊かな想像力も持つ者もいる。

私は、彼らとの、もう埋まるかわからないほどの「遅れ」、教養と考え抜く力の両方の「遅れ」を取り戻すために、社会人になってからは自分の力が許す限り納得がいくまで必死に考え、この思考の基礎を身につけようとした。そして、仕事の合間には、彼らとの圧倒的な教養の差を埋め合わせるために、少しは幅広く本を読むようになった。

今でも彼らにはとうてい追いつかないし、今後も追いつくことはないかもしれないが、昔よりは少しはましになり、プロセスそのものを前向きに楽しめるようになった。

それは、ＩＤＰＭを持った人々を心の底から尊敬しているから。自分がそこにたどり着くことはないとしても、そのような人たちがこの世にとって本当に必要だと思うから。

そして今。私は尊敬し信頼できるスタッフとともに教育事業を行っている。対象は、主に小学2年生から大学生。時には官民の組織の研修を行うこともある。授業を行う目的のひとつは、ＩＤＰＭを持つ人材を育成することだ。私は気づくのが遅かったから無理かもしれないが、よい刺激を与えれば間に合う人がいると思うから。この本を執筆したのも、自我が芽生え始めた学生たちに、ＩＤＰＭの必要性だけでなく、その「かっこよさ」に気づくきっかけを提供できればとの想いからである。つたない文章力と想像力でも、あえて物語風にしたのは、単に「自立した考えを持て！」「独立した精神を持て！」などと言っても伝わらないと思ったからだ。

現場で日々格闘されるプロの教師や保護者の方々がご存じのように、教育はコンテクストの中で伝えるものだ。私も素人ながら、特に小学2年生〜5年生の授業を試みた時に、この重要性を思い知らされ、教育の影響力とともに責任の重さを感じさせられた。

Mind, Values, Othersのバランスは、コンテクストの中で伝えないと、正しく伝わらない。批判的思考は、間違って教えたら、頭でっかちで、知りもしないことをとうとうと語り、まわりの声に耳を傾けない「痛い人」になってしまう。

自立した考えや価値観を持つことが協調性を失うことではないこと、和を重んじることと必ずしも相反することではないことを伝えるために、物語の中でその重要性を「感じ取れる」ように微力ながら努力した。

社会に出たら、現実は複雑だ。そして、厳しい。

圧倒的な想像力、考え抜く力、心の優しさと強さ、たたみ込む力、政治力などを身につけて、初めて理想は貫ける。

まだ私は、次世代に想いを託すような年齢でもないし、経験もない未熟者だが、そのような強さの基盤、戦い続ける基盤、全人格的な「幹」を若いうちに築き上げることを切に願っている。

覚悟さえ決め、必死に臨めば誰にでも身につけられるものであることを信じて。

渡辺健介

what is your delta?

2009年4月

謝辞

現在の活動を始めてから、まだ2年も経ちませんが、大変多くの方々にお世話になってまいりました。

教育の活動、そして出版のきっかけをくださった前職の国内外の先輩の方々。

初めてのお仕事、野球部と高等学校にて問題解決を教えさせていただくという大変意義深い機会をくださった監督。

子供に教えた経験がまったくない時期にもかかわらず、小学校5年生の生徒さんたちに対して問題解決の授業をするきっかけをくださった先生。

実績がない中で、企業、官公庁、非営利団体にて研修を行うきっかけをくださった方々。

寺子屋の生徒さんたち、そしていつもサポートをしてくださるご父兄のみなさん。

我々の活動を温かく見守ってくださり、思いを汲み取って伝えてくださるメディアの方々、自然な姿を撮ってくださる写真家さん、素敵なホームページを作成してくださるデザイナーのみなさん、デルタキッチン立ち上げの際にお手伝いいただいた料理のプロのみなさん。そして、家族、親戚、友人。

我々の活動を多種多様な形で、純粋な心で応援してくださるみなさま、多くのことを学ばせてくださるみなさまへ、この場を借りて深く御礼を申し上げます。みなさまのおかげで、規模は小さいながらも、スタッフ一同、この活動を楽しく、温かく、そして日々意義を感じながら行わせていただいています。なにとぞ、今後ともよろしくお願いいいたします。

この本を執筆するにあたっては、前作と同様、編集者の前澤ひろみさんに大変お世話になりました。短期間で本をまとめなくてはならない中で、深夜、週末を問わず、一緒に温かく戦い続けてくださいました。風邪の時には、レモンジュース、アセロラキャンディ。執筆が煮詰まった時には、深夜のアルコール。そして「アメ」だけではなく、時には「その後、ピンキーは元気に泳いでいますか?」という催促メールの「ムチ」。こだわりを持って、いつも楽しそうにお仕事をされる前澤さんのおかげでこの本が無事出来上がりました。

デザイナーの遠藤陽一さんには、前作同様、遊び心ある素敵な本に仕上げていただきました。

そして、デルタスタジオの由井聖太君と山下貴士君。お二人にはデルタスタジオ立ち上げ当時から本当にお世話になっています。みんなのおかげで楽しく、明るく仕事をさせていただいています。この原稿も、オフィスで、カフェで、そして海外出張先のアパートの床で何度も、何度も読み返していただき、大変貴重なご意見、そしてアドバイスをいただきました。この本はみんなのものです。

そして、新たにメンバーに加わってくれた山田唯人君。いきなりエンジン全開、素晴らしい活躍、ありがとう。これからもみんなで楽しく仕事をしていきましょう！

渡辺健介

泳げ！

中高生のみなさんへ

渡辺健介

[著者略歴]

渡辺健介
わたなべ・けんすけ

デルタスタジオ　代表取締役社長
1999年イェール大学卒業（経済専攻）、マッキンゼー・アンド・カンパニー東京オフィスに入社。ハーバード・ビジネススクールに留学後、マッキンゼー・アンド・カンパニーニューヨークオフィスへ移籍。2007年に同社を退社し、デルタスタジオを設立。著書の『世界一やさしい問題解決の授業』は25カ国、15言語以上で発売の世界的ベストセラー。

[会社概要]

デルタスタジオ

delta studio

“Ignite dreams. Empower challengers.” をミッションとして掲げ、21世紀にイキイキと活躍する人材を育成している。企業・官庁向けに経営コンサルティングや研修を提供し、子供向けには“夢と才能に火をつける”21世紀型教育プログラムを開発・展開。詳しくは下記ホームページまで。
◉デルタスタジオ　http://www.whatisyourdelta.com

自分の答えのつくりかた

2009年 5月21日　第1刷発行
2024年11月5日　第7刷発行

◉著者（文・絵）　渡辺健介
◉発行所　ダイヤモンド社
〒150-8409　東京都渋谷区神宮前6-12-17
https://www.diamond.co.jp
電話　03-5778-7233（編集）　03-5778-7240（販売）
◉装丁・本文デザイン　アートワーク　遠藤陽一（DESIGN WORKSHOP JIN, Inc.）
◉製作・進行　ダイヤモンド・グラフィック社
◉印刷　加藤文明社
◉製本　ブックアート
◉編集担当　前澤ひろみ

©2009 Kensuke Watanabe

ISBN 978-4-478-00613-9

落丁・乱丁本はお手数ですが小社営業局宛にお送りください。
送料小社負担にてお取替えいたします。但し、古書店で購入されたものについてはお取替えできません。
無断転載・複製を禁ず
Printed in Japan

これからの時代に必要な力

世界一やさしい 右脳型 問題解決の授業

世界のトップスクール
トップ企業が注目する
デザイン思考の考え方を
中高生にもわかりやすく
実践しやすく解説しました

クリエイティブに
解決する力が
身につく！

世界一やさしい
右脳型
問題解決の授業
渡辺健介［著］
ダイヤモンド社刊
定価（本体1200円＋税）

http://www.diamond.co.jp/

好評発売中！

50万部突破！ ますます話題のロングセラー

世界一やさしい 問題解決の授業

世界最高峰の
コンサルティング会社で
学んだ問題解決の考え方を
中高生にもわかるように
わかりやすく解説しました

**ロジカルに
解決する力が
身につく！**

**世界一やさしい
問題解決の授業**
渡辺健介［著］
ダイヤモンド社刊
定価（本体1200円＋税）